O conceito de ironia
constantemente referido a Sócrates

101.8 Kierkegaard, Søren Aabye.
K5K59C   O conceito de ironia constantemente referido a
       Sócrates / Søren Aabye Kierkegaard ; apresentação e
       tradução, Álvaro Luiz Montenegro Valls. –
       Petrópolis, RJ: Vozes, 2013 – (Vozes de Bolso)
         Título original: Om Begrebet Ironi med stadigt
Hensyntil Socrates.

       2ª reimpressão, 2023.

       ISBN 978-85-326-4509-8

       1. Kierkegaard. 2. Pensadores. 3. Filosofia. I. Valls,
    Álvaro Luiz Montenegro. II. Título. III. Série.

Ficha catalográfica elaborada pelas Bibliotecárias do Setor de
Processamento Técnico da Univesidade São Francisco

Søren Aabye Kierkegaard

O conceito de ironia
constantemente referido a Sócrates

Apresentação e tradução
Álvaro Luiz Montenegro Valls

Vozes de Bolso

Direitos de publicação em língua portuguesa
© 1991, 2013, Editora Vozes Ltda.
Rua Frei Luís, 100
25689-900 Petrópolis, RJ
Brasil

Este é o vol. I das Obras completas de Søren Aabye Kierkegaard. A presente tradução foi feita diretamente da 3ª edição. Título original dinamarquês: *Om Begrebet Ironi med stadigt Hensyn til Socrates*, af S.A. Kierkegaard, Kjøbenhavn 1841, SV(1) XIII 95.

Todos os direitos reservados. Nenhuma parte desta obra poderá ser reproduzida ou transmitida por qualquer forma e/ou quaisquer meios (eletrônico ou mecânico, incluindo fotocópia e gravação) ou arquivada em qualquer sistema ou banco de dados sem permissão escrita da editora.

CONSELHO EDITORIAL

Diretor
Gilberto Gonçalves Garcia

Editores
Aline dos Santos Carneiro
Edrian Josué Pasini
Marilac Loraine Oleniki
Welder Lancieri Marchini

Conselheiros
Elói Dionísio Piva
Francisco Morás
Ludovico Garmus
Teobaldo Heidemann
Volney J. Berkenbrock

Secretário executivo
Leonardo A.R.T. dos Santos

Diagramação: Sheilandre Desenv. Gráfico
Capa: visiva.com.br

ISBN 978-85-326-4509-8

Este livro foi composto e impresso pela Editora Vozes Ltda.

Sumário

Apresentação – Álvaro Luiz Montenegro Valls, 7

Teses, 21

Parte I
O ponto de vista de Sócrates concebido como ironia, 23

Introdução, 25

Capítulo I – Esta concepção é possível, 30

Xenofonte, 31

Platão, 42

Considerações preliminares, 43

O abstrato nos primeiros diálogos de Platão se arredonda na ironia, 54

O banquete, 54

Protágoras, 68

Fédon, 77

A Apologia, 97

O mítico nos primeiros diálogos platônicos como indício de uma especulação mais abundante, 111

Livro I da República, 123

Retrospectiva justificativa, 132

Xenofonte e Platão, 140

Aristófanes, 142

Xenofonte, Platão e Aristófanes, 163

Capítulo II – Esta concepção é real, 167

O demônio de Sócrates, 167

A condenação de Sócrates, 175

1. Sócrates não reconhece os deuses reconhecidos pelo Estado e introduz novas divindades, 176

2. Sócrates seduz a juventude, 190

Capítulo III – Esta concepção é necessária, 206

Apêndice: A concepção hegeliana de Sócrates, 224

Em que sentido Sócrates é fundador da moral?, 228

Parte II
Sobre o conceito de ironia, 239

Introdução, 241

Observações orientadoras, 245

A validade histórico-universal da ironia, a ironia de Sócrates, 259

A ironia após Fichte, 273

Friedrich Schlegel, 290

Tieck, 306

Solger, 313

A ironia como momento dominado. A verdade da ironia, 328

Notas de rodapé, 337

Apresentação

O último número de *International Kierkegaard Newsletter* nos anuncia, à p. 67, a publicação da tradução italiana de *O conceito de ironia* (Milão, 1989). Em língua francesa este texto já era acessível pelo menos desde 1975, quando as *Oeuvres Complètes*, das Éditions de l'Orante, nos proporcionaram a tradução de Paul-Henri Tisseau e de sua filha Else-Marie Jacquet-Tisseau. Os japoneses não precisaram esperar tanto para ler a *Dissertação de 1841* em sua língua: já em 1935, entre as primeiras versões japonesas, comparece *O conceito de ironia*. Antes disso, quem não lia dinamarquês só tinha acesso a este texto através das duas traduções alemãs de 1929: a de Shaeder e a de Kütemeyer. Adorno, em 1929/1930, utilizava a primeira, como o faz também Jean Wahl nos *Études Kierkegaardiennes*, de 1949. Pierre Mesnard, o outro pioneiro de língua francesa, utiliza a segunda para seu longo comentário sobre a *Dissertação de 1841*, em *Le vrai visage de Kierkegaard* (Paris, 1948). Mais recentemente, Michael Theunissen cita também a tradução de Kütemeyer, além do original dinamarquês, em sua dissertação de 1954, sobre o conceito de seriedade.

De lá para cá, todos os pesquisadores de Kierkegaard trataram de aprender a ler dinamarquês, seguindo o bom exemplo do velho Unamuno. Mesmo assim, *O conceito de ironia* não foi imediatamente valorizado como merecia. Até hoje, ainda é comum ver-se a obra de Kierkegaard mencionada sem a *Dissertação*, sem a polêmica final de *O instante* e sem os *Papi-*

rer. Mas agora, graças ao trabalho meritório de Gregor Malantschuk, ucraniano que adotou como sua a pátria de Kierkegaard, trabalho prosseguido na França por Henri-Bernard Vergote e apropriado no Brasil por Ernani Reichmann, Kierkegaard começa a ser lido inteiro.

A presente tradução se baseia na 3ª edição dinamarquesa (*Samlede Vaerker*, Bind I, Gyldendal, Copenhague, 1962). O original é de 1841, tendo aparecido uma 2ª edição em 1906, voltando a figurar, no mesmo ano, no volume XIII da primeira edição das *Samlede Vaerker* e no da segunda edição, em 1930. A tradução foi discutida, frase por frase, com a Profa. Ruth Cabral, a grande animadora deste trabalho. O texto final da tradução foi editado eletronicamente, com o programa Word4, pelos professores Luís Carlos Petry e Mário Fleig.

A história da recepção de um autor num outro país depende, para os mortais comuns, das opções e preferências dos tradutores. Os primeiros alemães a traduzirem Kierkegaard eram pastores em luta com sua igreja, daí vermos predominando por muito tempo um Kierkegaard "escritor religioso" (aliás, o "único à altura do destino de seu tempo", como diz Heidegger em *Ser e tempo*). Já os franceses se apaixonaram antes pelo sedutor, pelo literato, pelos chamados romances, de modo que o Kierkegaard de Paris é, durante décadas, muito diferente do alemão. (Daí o mérito da tradução completa de Paul-Henri Tisseau.) Os japoneses, mais prudentes, já na década de 1930, ao mesmo tempo em que descobriram Heidegger, trataram de traduzir uma seleção com nove diferentes títulos bastante representativos da produção kierkegaardiana. Em idioma português, a situação ainda é precária e indefinida. Em 1911, aparece em Portugal o *Diário do sedutor*. Depois vão surgindo textos esparsos, em Portugal e no Brasil, como *O desespero humano* (por Adolfo Casais Monteiro, em 1936), *O conceito de angústia* (duas traduções), *O matrimônio*, *O banquete*, *Temor e tremor* e mais um ou outro, traduções esporádicas, com títulos às vezes imprecisos, geralmente pertencentes à obra pseudônima, e em geral traduzidas do francês. Recentemente, as Edições 70, de Lisboa, lançaram o *Ponto de vista explicativo da minha obra de escritor* (acompanhado por *Dois pequenos tratados ético-religiosos*). Embora confessadamente traduzidos do francês (dos Tisseau), não é pseudônima, e dá uma visão de conjunto da obra.

O grande acontecimento, portanto, em língua portuguesa, continua sendo a publicação, na década de 1970, dos *Textos selecionados*, por Ernani Reichmann, um volume grandioso, com rica seleção (que inclui, além *de Notas dos Papirer*, textos de J. Climacus, capítulos da *Escola do cristianismo*, das *Obras do amor*, da *Repetição* e artigos do *Instante*), e tudo traduzido a partir do original.

Ernani Reichmann sonhou durante muitos anos com a tradução *O conceito de ironia*, de modo que o presente trabalho remonta às conversas com ele e Vergote no sítio de Curitiba, nos inícios dos anos de 1980, bem como à leitura de *Sens et Répétition, Essai sur l'Ironie Kierkegaardienne* (Paris: Cerf/Orante, 1982), obra inigualável de Vergote.

Perseguindo as intuições de Malantschuck, Vergote conseguiu mostrar algo que mesmo autores perspicazes não pareciam ver: que a leitura da *Dissertação de 1841*, sobre o conceito de ironia constantemente referido a Sócrates, é essencial para a compreensão da obra do autor dinamarquês, que a si mesmo se denominava, com alguma ironia, o "mestre da ironia" (pois a dissertação lhe deu o título de "Magister").

A prova do que foi dito acima se encontra nas páginas de *Sens et Répétition*. Mas não custa levantar algumas interrogações. Suponhamos que a obra kierkegaardiana começasse com a *Alternativa*.

Sua primeira página, no prefácio de Victor Eremita, iniciaria com a seguinte suposição: "Talvez, caro leitor, alguma vez já duvidaste da exatidão da famosa tese filosófica, segundo a qual o exterior é o interior, e o interior, o exterior. Talvez tu mesmo tenhas guardado um segredo [...]". Pode-se perguntar: De onde Kierkegaard teria tirado esta dúvida quanto ao axioma hegeliano? Não teria sido de sua dissertação sobre a ironia, resumida em quinze teses, das quais a última afirma: "como toda filosofia inicia pela dúvida, assim também inicia pela ironia toda vida que se chamará digna do homem"? Parece que seria interessante ver como a ironia se baseia na distância entre o interior e o exterior, entre o pensamento e a palavra, entre a proposição e o sentido ("Mening": o que se tem em mente). Mas isto tudo está explicado na dissertação sobre a ironia.

E é possível ir mais longe. Como se sabe, o primeiro volume de a *Alternativa* se movimenta de um Don Juan mozartiano até um sedutor que reflete em seu diuturno diário. Pergunta: não seria possível buscar na dissertação as estruturas filosóficas, literárias e psicológicas da figura do sedutor, quando se sabe que este trabalho dedica duzentas páginas àquele que foi condenado em Atenas por seduzir a juventude? E será que o polemista grego, que o autor da dissertação se esforça por retratar, não ajudou a formar o crítico do hegelianismo e da moderna sofística, o crítico da cristandade? Assim, quando Sócrates afirma: "Só sei que nada sei", não fornece aí um modelo distante, mas real, para a afirmação do último panfleto de Kierkegaard, o n. 10 de *O instante*: "Eu afirmo, e tenho de afirmar, que não sou cristão"? Não haverá ironia nesta frase?

Por que não procurar no trabalho de 1841, antecipada como numa abreviatura, a crítica do romantismo, cuja superação a obra kierkegaardiana desenvolve? E como não apreciar nestas páginas, escritas por um jovem com menos de trinta anos, uma inteligência brilhante medindo forças com o grande mestre Hegel, admirado e respeitado como professor, mas flagrado pela agudeza do olhar irônico em passagens confusas, em que o mestre se apoia em citações duvidosas, mistura anacronicamente as questões e às vezes perde sua objetividade, por orgulho, inveja ou rancor, como ao menosprezar as pesquisas do colega Schleiermacher sobre a cronologia dos diálogos de Platão? Como não admirar, nesta dissertação, a grande abertura da obra kierkegaardiana, inaugurada com um mergulho em Platão e em Hegel, resumindo dez anos de investigação sobre Sócrates e Platão, sobre Kant, Fichte, Solger e Hegel?

Mas convém interromper este questionário. O leitor atento poderá verificar a hipótese de interpretação aqui sugerida: *O conceito de ironia* constantemente referido a Sócrates contém a verdadeira plataforma, o programa em seus aspectos temáticos e metodológicos que se desenvolverão ao longo da produção kierkegaardiana. E não é demais insistir: assim como Kierkegaard certa vez afirma que o diário é "do Sedutor", e não "de um sedutor", porque ali se encontra "o método", aqui se poderia dizer: a dissertação expõe o método do irônico, o método socrático que será depois aplicado a serviço da ideia kierkegaardiana. Aí está a plataforma inicial, a abertura da obra, que ao mesmo tempo é chave de interpretação para a obra, inclusive a polêmica final, dramatizada nas ruas de sua cidade.

Ninguém negará que se trata de um trabalho acadêmico, mas, convém notar, sobre a ironia... E o autor não renunciou ao uso dela, durante todo o tempo. Se o seu temperamento era polêmico, segundo Martensen até com tendências sofísticas, os examinadores da tese logo se deram conta de que seria inútil pedir ao autor que a reescrevesse numa linguagem mais bem-comportada. O estilo irreverente e brincalhão foi mantido na publicação, de modo que a erudição acumulada, erudição que o autor sabe não ser boa companhia para a ironia, dá uma impressão de recurso retórico ambíguo e inquietante. O estilo acadêmico tem um quê de fingido ou teatral, faz-nos desconfiar de uma máscara que o estudante Kierkegaard estaria adotando para alcançar o objetivo de terminar seu curso, como prometera ao pai. Seguindo este raciocínio, até dizer se ousaria que a *Dissertação*, embora trabalho acadêmico, não deixa de ser, num certo sentido, obra pseudônima (caracterizada, aliás, até por um certo sujeito impessoal *man*, que ocorre a toda hora).

A ironia trabalha com o mal-entendido. A própria banca examinadora experimentou isto na carne. O orientador da tese, Prof. F.C. Sibbern, não entendeu bem a ligação da primeira com a segunda parte, enquanto outros pareceres falaram até de dois trabalhos distintos, um sobre Sócrates e outro sobre o romantismo. Não perceberam que a dualidade se dá, para o autor, entre o fenômeno e o conceito. Sócrates é a manifestação primeira, pela qual a ironia veio ao mundo e habitou entre nós. Encarna a pergunta sem resposta. Chega à ideia de dialética, mas não desenvolve a dialética da ideia (o que só começará com Platão, como se pode ver na passagem do primeiro livro para o segundo da *República*). Sócrates, filósofo cuja vida, existência, personalidade são mais importantes do que qualquer possível doutrina sua, conforme o testemunho insuspeito de Hegel, chegou somente à ideia vazia do bem, o bem como um universal, mas abstrato. Neste sentido, não possui nenhuma positividade. Aparta-se da vida da *polis* grega, ao procurar conhecer-se a si mesmo. Apesar de sua cultura, só possui o negativo, ele é negatividade absoluta e infinita, pois reduplica em sua vida esta ideia vazia. Isto explica por que ele não contrai laços, de modo que suas relações não passam de experimentais, provisórias. Não se compromete com a família, nem com os rituais da democracia ateniense, nem com os amigos como Alcebíades, e se intromete, sem ter autoridade para tanto, na educação dos filhos dos outros. Para Sócrates, nada é sério, ou talvez apenas o nada seja levado a sério. Escolhe a morte com indiferença, e se o temor da morte é, conforme Hegel, o início da sabedoria, Sócrates não conhece a sabedoria, nem o temor.

O Sócrates retratado por Kierkegaard resiste certamente às interrogações de um Nietzsche. Vale a pena comparar. Mas é a partir desta manifestação completa, na história humana, da ideia da ironia (ou "do irônico" como Kierkegaard gosta de dizer), que serão avaliadas as formas modernas, pós-fichteanas, do que costumamos chamar a ironia romântica. As intenções do romantismo são bem-reconhecidas e valorizadas, mas a ironia daquele artista que pretende construir e destruir mundos terá de ser avaliada a partir do conceito pleno fornecido por Sócrates. E se esta ironia romântica não é séria, o autor da dissertação sobre o conceito da ironia tem condições de questionar também o direito da seriedade hegeliana para condenar os abominados românticos do círculo dos irmãos Schlegel. A investigação sobre o conceito de ironia introduz a questão da seriedade. E se torna inevitável a pergunta: Quanto vale a seriedade de Hegel, que na *Estética* chega a citar Catão, o censor, para criticar os românticos? O sistema é sério, a especulação é séria?

Convém interromper agora esta apresentação, pois Kierkegaard concedia a um Hilário Bogbinder que não se deve levar a mal que um encadernador "deseje ser útil aos seus semelhantes, para além dos limites de seu mister"; mas, em sua percepção privilegiada das coisas tortas e das armadilhas da ironia, não deixaria de rir da pretensão de um tradutor de resumir o texto que acabou de traduzir.

Mais proveitoso será, então, apropriar-se da frase de Adolfo Casais Monteiro: "E que me sejam perdoadas todas as inevitáveis deficiências, quer da apresentação, quer da tradução". Assim como nós perdoamos os que estranharão a linguagem, às vezes vulgar e inexata, às vezes erudita e pesada, às vezes repleta de citações clássicas, ou de anedotas gregas, romanas ou dinamarquesas, muitas vezes abstrata, técnica, especulativa, outras vezes literária e agradável de se ler. Tudo isso está também no original dinamarquês, assim como ali se encontram inúmeros vestígios, melhor dito, inúmeras antecipações da produção kierkegaardiana. Afinal, como diz Pierre Mesnard: *"de 1830 à 1841 la pensée de Kierkegaard a eu tout le temps de se constituer"*, e não será difícil perceber, lendo a presente tradução, que aqui se encontra uma introdução a tudo aquilo que Kierkegaard ainda produziu entre 1841 e 1855.

Porto Alegre, 5 de maio de 1990

Álvaro L.M. Valls

Glossário

Abbreviatur = abreviatura, resumo esquemático e abstrato

at afrunde = arredondar, completar, aperfeiçoar

Anskuelse = (al. *Anschauung*) visão, modo de ver, concepção, intuição

Bestemmelse = determinação, definição, destinação

Bestemthed = determinidade

Betragtning = consideração, visão teórica

at digte = criar poeticamente, poetar, poetizar

Elskov = amor (às vezes acentuando o aspecto erótico)

den Enkelte = o indivíduo (no sentido mais pleno; mais tarde K. dirá ser esta a sua categoria)

Forestilling = representação (mental), noção, ideia geral

Formation = formação (no sentido de configuração histórica)

Fraekhed = (al. Frechheit) impudência, ousadia, impertinência

Gave = dom, presente, dádiva (faz trocadilho com Opgave)

at gravitere = gravitar rumo a alguma coisa (mais do que ao redor de)

Grund = fundamento, razão, fundo

gaa til Grunde = (al. zu Grunde gehen) perecer, morrer, ir ao fundo (e ao fundamento)

Graecitet = helenismo, mundo grego, cultura grega, os gregos

Guden = o deus (Gud + en: formulação grega, com artigo definido)

Gyldighed = validade, valor lógico, ético ou histórico

Individ = indivíduo (num sentido mais genérico)

Indsigt = conhecimento (técnico, prático, artístico)

den Insigtsfuldeste = o mais competente, mais hábil, que conhece melhor uma arte ou técnica

Intet – nada

ironisk = irônico (Det Ironiske: o aspecto irônico, a ironia)

Isolation = isolação, ato de isolar(-se)

det Komiske = o cômico, a comicidade, o aspecto cômico de algo

Kaerlighed = amor

at mene = pensar, opinar, ter em mente, querer dizer com

Mening = opinião, sentido (da frase ou da ação), intenção, o que se tem em mente ao falar ou agir

das Nichtige = (al.) o nada, o nulo, o que nada vale (expressão técnica em Solger)

Nichtigkeit = (al.) a nulidade, a "nadidade", a vacuidade (em dinamarquês ocorre Intethed.)

Opfattelse = concepção, compreensão

Opgave = tarefa, problema a ser resolvido (faz trocadilho com Gave)

Selv = si mesmo, o si, o mesmo (pode ser substantivado, e indica o sujeito refletido: eu mesmo, tu mesmo, ti mesmo...) (traduzido em outras línguas como Soi, Se, Self, Selbst)

Skikkelse = figuração, figura, forma, configuração

at spørge = perguntar, indagar (enquanto at udspørge corresponderia a interrogar, perguntar exaustivamente)

Standpunkt = ponto de vista, posição, posicionamento

Stemning = tonalidade afetiva, estado de ânimo, clima ou atmosfera espiritual (em alemão: Stimmung)

at svare = responder, replicar, contestar (enquanto at besvare indicaria responder adequadamente, corresponder)

Svaermeri = exaltação apaixonada, entusiasmo indiscreto e romântico

Saedelig = ético, referente aos costumes

Saedelighed = eticidade, vida moral concreta, em instituições (refere-se, neste contexto, às formas da *Sittlichkeit* hegeliana, anteriores ou posteriores à *Moralität*)

Tilintetgørelse = anulação, aniquilamento, ato de destruir, reduzir a nada

Tilvaerelse = vida, ser de fato (distingue-se de *Existentes*)

Udvikling = desenvolvimento, análise, estudo, tratamento de uma questão

Umiddelbarhed = imediatidade

O CONCEITO DE IRONIA

constantemente referido a
Sócrates

por S.A. Kierkegaard

Mas as coisas são assim: se uma pessoa cair numa piscina pequena ou no mar imenso, não deixa de nadar, de qualquer maneira. – Absolutamente. – Portanto, também nós temos de nadar e de tentar salvar-nos nessa discussão, ou na esperança de que um golfinho nos leve, ou de qualquer outra salvação difícil de conseguir!

República, L. V § 453 d

Dissertationem hanc inauguralem Philosophorum in Universitate Hauniensi Ordo dignam censuit, quae una cum thesibus adjectis rite defensa auctori gradum Magisterii artium acquirat.

Dabam d. XVI Julii MDCCCLI.

F.C. Sibbern,
h.a. Decanus fac.philos.

A Faculdade de Filosofia da Universidade de Copenhague declarou que esta dissertação inaugural era digna de conferir a seu autor o grau de Mestre, depois de ter sido defendida, com as teses que lhe são anexadas, segundo a tradição.

Aos 16 de julho de 1841.

F.C. Sibbern,
Decano da Faculdade de Filosofia

Nota: Há um erro na data em latim, onde consta 1851 em vez de 1841.

Theses,
Dissertationi Danicae
De Notione Ironiae

Annexae

quas

Ad Jura Magistri Artium
In Universitate Hafniensi Rite Obtinenda

die XXIX Septemb.
hora 10.

Publico Colloquio Defendere Conabitur.

Severinus Aabye Kierkegaard
theol. cand.

MDCCCLXI

(*Teses anexadas à dissertação dinamarquesa sobre o conceito de ironia que Søren Aabye Kierkegaard, candidato em teologia, sustentará publicamente no dia 29 de setembro, às 10 horas, para obter, segundo a tradição, o grau de Mestre da Universidade de Copenhague. 1841.*)

Nota: Há um erro de data no texto em latim, onde consta 1861 em vez de 1841.

Theses

I. Similitudo Christum inter et Socratem in dissimilitudine praecipue est posita.

II. Xenophonticus Socrates in utilitate inculcanda subsistit, nunquam empiriam egreditur nunquam ad ideam pervenit.

III. Si quis comparationem inter Xenophontem et Platonem instituerit, inveniet, alterum nimium de Socrate detraxisse, alterum nimium eum evexisse, neutrum verum invenisse.

IV. Forma interrogationis, quam adhibuit Plato, refert negativum illud, quod est apud Hegelium.

V. Apologia Socratis, quam exhibuit Plato aut spuria est, aut tota ironice explicanda.

VI. Socrates non solum ironia usus est, sed adeo fuit ironiae deditus, ut ipse illi succumberet.

VII. Aristophanes in Socrate depingendo proxime ad verum accessit.

VIII. Ironia, ut infinita et absoluta negativitas, est levissima et maxime exigua subjectivitatis significatio.

IX. Socrates omnes aequales ex substantialitate tanquam ex naufragio nudos expulit, realitatem subvertit, idealitatem eminus prospexit, attigit non occupavit.

X. Socrates primus ironiam introduxit.

XI. Recentior ironia inprimis ad ethicen revocanda est.

XII. Hegelius in ironia describenda modo ad recentiorem non ita ad veterem attendit.

XIII. Ironia non tam ipsa est sensus expers, tenerioribus animi motibus destituta, quam aegritudo habenda ex eo, quod alter quoque potiatur eo, quod ipsa concupierit.

XIV. Solgerus non animi pietate commotus, sed mentis invidia seductus, quum negativum cogitare et cogitando subigere nequiret, acosmismum effecit.

XV. Ut a dubitatione philosophia sic ab ironia vita digna, quae humana vocetur, incipit.

Teses

I. A semelhança entre Cristo e Sócrates está posta precipuamente em sua dissemelhança.

II. O Sócrates de Xenofontes contenta-se com inculcar a utilidade, jamais abandona a empiria e nunca atinge a ideia.

III. Se se instituir uma comparação entre Xenofonte e Platão, perceber-se-á que o primeiro o rebaixou demasiadamente e o segundo o elevou demasiadamente; nenhum deles o encontrou verdadeiramente.

IV. A forma da interrogação utilizada por Platão corresponde ao negativo em Hegel.

V. A apologia de Sócrates como é exposta por Platão ou é espúria ou deve ser explicada totalmente pela ironia.

VI. Sócrates não somente usou da ironia, mas dedicou-se de tal maneira à ironia que acabou sucumbindo a ela.

VII. Aristófanes chegou perto da verdade ao descrever Sócrates.

VIII. A ironia, enquanto infinita e absoluta negatividade, é a indicação mais leve e mais exígua da subjetividade.

IX. Sócrates arrancou todos os seus contemporâneos da substancialidade como se estivessem nus após um naufrágio, ele subverteu a realidade, avistou a idealidade à distância, mas não a dominou.

X. Sócrates foi o primeiro a introduzir a ironia.

XI. As manifestações mais recentes da ironia devem ser referidas ao ético.

XII. Hegel, em sua descrição da ironia, atendeu mais às formas recentes do que à antiga.

XIII. A ironia não é, propriamente, desprovida de toda sensibilidade ou dos movimentos mais ternos do ânimo, mas é antes uma amargura por um outro gozar daquilo que ela cobiça para si mesma.

XIV. Solger adotou o acosmismo não movido por ânimo piedoso, mas seduzido pela inveja intelectual, por não conseguir pensar o negativo e, pensando-o, subjugá-lo.

XV. Como toda filosofia inicia pela dúvida, assim também inicia pela ironia toda vida que se chamará digna do homem.

PARTE I

O ponto de vista de Sócrates concebido como ironia

Introdução

Se há algo que se tem de louvar no empenho (Straeben) filosófico recente em sua grandiosa aparição, é certamente a potência genial com que agarra e segura o fenômeno. Ora, se condiz ao fenômeno, que é propriamente *foeminini generis* (do gênero feminino), devido à sua natureza feminina, entregar-se ao mais forte, também se pode exigir, do cavalheiro filosófico, por uma questão de equidade, a respeitosa decência, a profunda exaltação de um apaixonado (*svaermeri*), no lugar das quais às vezes só se escutam o retinir das esporas e a voz do dominador. O observador deve ser um erótico, nenhum traço, nenhum momento pode ser indiferente para ele; mas, por outro lado, ele deve também perceber a sua superioridade, que entretanto só usará para auxiliar o fenômeno a se manifestar completamente. Pois, se bem que o observador traga o conceito consigo, importa, mesmo assim, que o fenômeno não seja violentado, e se veja o conceito surgindo a partir do fenômeno.

Antes, portanto, de eu passar à análise do conceito *ironia*, é necessário que eu me assegure de uma concepção (*Opfattelse*) confiável e autêntica da existência (*Existents*) historicamente real, fenomenológica de *Sócrates* com referência à questão de sua possível relação com a concepção *transfigurada* (*forklared*) que lhe outorgaram seus contemporâneos entusiastas ou invejosos: isto é absolutamente necessário, porque o conceito de ironia fez sua entrada no mundo com Sócrates. Com efeito, os conceitos, assim como os indivíduos, têm sua história e, tal como eles, não conseguem resistir ao poder do tempo. E no entanto, por isso e apesar disso, guardam mesmo assim uma espécie de saudade da terra onde nasceram. Assim como a filosofia por um lado não pode ser indiferente a esta história posterior do conceito, assim também ela não pode ater-se somente àquela primeira história, por mais rica e interessante que seja. A filosofia exige sempre alguma coisa a mais, exige o eterno, o verdadeiro, frente ao qual mesmo a existência mais sólida é, enquanto tal, o instante afortunado. Ela se relaciona com a história como o confessor com o penitente, e deve, como um confessor, ter um ouvido afinado, pronto para seguir as pistas dos segredos daquele que se confessa; mas ela também está em condições de, após ter escutado toda a série de confissões, fazê-las aparecer diante do que confessa como uma coisa diferente. Pois assim como o indivíduo (*Individ*) que se confessa pode muito bem ter condições não só de recitar analiticamente os feitos de sua vida, mas também de relatá-los de maneira amena e agradável, e, no entanto, não consegue ele mesmo ver sua vida como um todo, assim também a história pode muito bem proclamar pateticamente, em alta voz, a riqueza da vida do gênero humano, mas tem de deixar à mais velha (à filosofia[1]) a tarefa de explicá-la, e pode então desfrutar da alegre surpresa: no primeiro instante quase não quer reconhecer a versão elaborada pela filosofia, mas vai se familiarizando pouco a pouco com esta concepção filosófica, até chegar finalmente a encará-la como a verdade autêntica, e o outro lado como mera aparência.

Tais são, portanto, os dois momentos aos quais se deve fazer igualmente justiça, e que constituem propriamente o *ajuste de contas* entre história e filosofia, de maneira que por um lado se faz justiça ao fenômeno[2] e a filosofia não o angustia ou o intimida com sua superioridade, e, por outro lado, a filosofia não se deixa perturbar pelo feitiço do individual nem distrair pela profusão das particularidades. Assim também, com o conceito de ironia, é importante que a filosofia não se deixe enganar por um único lado de sua existência fenomenológica, e, acima de tudo, não se engane com o que há de aparente nesta, mas veja a verdade do conceito em e com o fenomenológico.

Pois, que a tradição tenha vinculado à existência de Sócrates a palavra ironia, isto qualquer um sabe, mas daí não se segue, de maneira alguma, que todo mundo saiba o que é ironia. Além disso, se alguém, graças a um conhecimento íntimo da vida e das circunstâncias de Sócrates, chegou a formar para si uma ideia das peculiaridades dele, não tem, de jeito nenhum, um conceito completo do que seja a ironia. Não dizemos isto, absolutamente, por levantarmos, digamos, uma suspeita em relação à existência histórica, como se o devir fosse idêntico com uma queda da ideia, já que este é, antes, desdobramento da própria ideia. Longe de nós, como já foi dito, tal afirmação; mas, por outro lado, não se pode jamais aceitar que um momento individual da existência como tal possa ser o absolutamente adequado à ideia. Com efeito, já se observou a respeito da natureza que ela não é capaz de sustentar o conceito, em parte porque todo fenômeno individual contém apenas um momento, e em parte porque toda a soma da existência da natureza é sempre, afinal, um *medium* imperfeito que não engendra satisfação, mas nostalgia; assim também se pode dizer, com razão, algo semelhante sobre a história, na medida que todo fato individual testemunha uma evolução, e não obstante é apenas momento, e à medida que toda a soma da existência histórica não é, ainda, o *medium* absolutamente adequado da ideia, mas apenas seu aspecto temporal e particular (assim como a natureza é a sua moldura espacial), que se prolonga segundo os movimentos retrospectivos da consciência, que olha para trás, face a face, rosto contra rosto.

Isto deve bastar no que tange à dificuldade que surge com toda e qualquer concepção filosófica da história, e no que se refere ao cuidado que aí convém empregar. As condições especiais podem, entretanto, apresentar novas dificuldades, o que é o caso principalmente nesta presente pesquisa. Com efeito, aquilo a que o próprio Sócrates dava tanto valor, o ficar tranquilo e meditar, isto é: silêncio, eis toda a sua vida em relação à história universal. Ele nada deixou, a partir do que uma época posterior pudesse julgá-lo; sim, mesmo que eu me imaginasse contemporâneo dele, ainda seria sempre difícil conceber o que ele foi. Pois ele pertencia àquela espécie de homens diante dos quais ninguém pode dar-se por satisfeito somente com o exterior como tal. O exterior indicava constantemente algo de diferente e de oposto. Não se dava com ele o caso daquele filósofo que, ao explanar suas intuições, seu discurso era a própria presença da ideia. Muito pelo contrário: o que Sócrates dizia significava algo de diferente.

O exterior não estava absolutamente numa unidade harmônica com o interior, mas antes era o contrário disto, e somente por este ângulo de refração ele pode ser compreendido. Com referência a Sócrates, portanto, o termo concepção tem um sentido completamente diferente daquele que é aplicado à maioria dos outros homens. E aqui já convém lembrar que Sócrates só pode ser concebido através de um cálculo combinatório. Mas como ele está situado há milênios de nós, e nem mesmo seus contemporâneos conseguiram captá-lo em sua imediatez, pode-se ver facilmente que para nós permanece duplamente difícil reconstruir sua existência, já que temos de nos esforçar para, através de um cálculo de combinações, chegar a uma concepção do que já foi anteriormente concebido de maneira enredada. Se dizemos que o que constituía o substancial em sua existência era ironia (é claro que aí há uma contradição, mas também tem de haver), e ainda por cima postulamos que a ironia é um conceito negativo, vê-se facilmente quão difícil se torna fixar uma imagem dele; sim, até parece impossível, ou então pelo menos tão trabalhoso como pintar um duende com o barrete que o torna invisível.

Capítulo I
Esta concepção é possível

Passemos agora em revista as concepções de Sócrates produzidas por seus contemporâneos mais próximos. Neste caso, temos que nos fixar em três nomes: *Xenofonte*, *Platão* e *Aristófanes*. E quando Baur[3] diz que, ao lado de Platão, é Xenofonte quem merece mais atenção, eu não posso compartilhar totalmente do seu modo de ver. Xenofonte se prendeu justamente à imediatez de Sócrates e, por isso, certamente em muitos aspectos o compreendeu mal[4]; em contraste com ele, Platão e Aristófanes abriram caminho através do duro exterior, chegando a atingir uma concepção daquela infinitude que é incomensurável com os múltiplos acontecimentos de sua vida. Pode-se, portanto, dizer de Sócrates que, assim como ele passou sua vida constantemente entre a caricatura e o ideal, assim também ele continua entre ambos após a morte. No que toca, pois, à relação entre Xenofonte e Platão, Baur diz, corretamente, à p. 123: "Entre ambos, logo nos surge uma diferença, que em muitos aspectos pode ser comparada com a famosa relação entre os evangelhos sinóticos e o de João. Assim como os evangelhos sinóticos apresentam mais aquele lado exterior da aparição de Cristo, relacionado com a ideia judaica de Messias, e o de João enfoca sobretudo sua natureza superior, o imediatamente divino nele, assim também o Sócrates platônico tem uma significação muito mais alta e mais ideal do que o de Xenofonte, com o qual, no fundo, permanecemos sempre e apenas no terreno da vida prática imediata". Esta observação de Baur não somente impressiona bem, mas é mesmo bem acertada, desde que se recorde o seguinte: quanto à concepção de Xenofonte sobre Sócrates, permanece sempre uma diferença frente aos evangelhos sinóticos, já que estes últimos apenas reproduzem o retrato imediatamente fiel da existência imediata de Cristo (a qual, é importante notar, não significava algo de diferente[5] do que ela era), e que, se Mateus parece ter um propósito apologético, trata-se de justificar a concordância da vida de Cristo com a ideia de Messias, enquanto Xenofonte, ao contrário, tem a ver com um homem cuja existência imediata significava algo de diferente daquilo que aparecia à primeira vista, e, quando ele desenvolve uma defesa ou apologia deste, só consegue fazê-lo na forma de um memorando dirigido a digníssimos contemporâneos que só se deixam convencer por raciocínios. Por outro lado, a observação sobre a relação de Platão com João também está correta, desde que se tenha presente que João viu em Cristo verdadeira e imediatamente tudo aquilo que ele apresenta na sua total objetividade, impondo a si mesmo o silêncio, já que seus olhos estavam abertos para o imediatamente divino em Cristo; e Platão, pelo contrário, cria o seu Sócrates por meio de uma atividade poética, já que Sócrates, precisamente em sua existência imediata, era apenas *negativo*.

Primeiro, uma apresentação de cada um deles em particular.

XENOFONTE

Precisamos recordar preliminarmente que Xenofonte tinha uma *intenção* (e isto já é uma falha ou algo onerosamente supérfluo[6]), ou seja, queria demonstrar como gritava aos céus a injustiça que os atenienses cometeram com Sócrates ao condená-lo à morte. E Xenofonte conseguiu isso numa medida singular, de forma que antes se acreditaria ser a sua intenção demonstrar que a condenação de Sócrates foi uma imbecilidade ou um equívoco dos atenienses. Pois Xenofonte o defende de uma tal maneira, que Sócrates se torna não apenas inocente, mas completamente inofensivo, de modo que a gente fica profundamente assombrado, perguntando-se qual demônio teria enfeitiçado a tal ponto os atenienses que eles puderam ver nele mais do que um sujeito bonachão, conversador e engraçado, que não fazia nem mal nem bem, que não prejudicava a ninguém, e que no fundo do coração só queria bem a todo mundo, contanto que quisessem escutar sua conversa fiada. E que *harmonia praestabilita* (harmonia preestabelecida) na loucura, que unidade superior na demência não se encontra então no fato de que Platão e os atenienses se aliaram, uns para matar e o outro para transformar em imortal um cidadão tão bondoso? Isso seria, aliás, uma ironia sem igual sobre o mundo. Acontece às vezes numa disputa, que, justamente quando o ponto polêmico, ao se aguçar, começa a ficar interessante, de repente chega um terceiro cheio de boa vontade e se encarrega de reconciliar as forças em luta, transformando para isso toda a questão numa trivialidade; assim podemos imaginar o que devem ter sentido Platão e os atenienses em relação ao memorando irenista de Xenofonte. Xenofonte, ao suprimir tudo o que havia de perigoso em Sócrates, realmente reduziu-o em última análise *in absurdum* (ao absurdo), quiçá para retribuir a Sócrates o que tantas vezes este fizera com os outros.

O que torna ainda mais difícil uma noção clara da personalidade de Sócrates através da apresentação de Xenofonte é a *total ausência* de *situação*. A base sobre a qual cada um dos diálogos se move é tão imperceptível e superficial como uma linha reta, tão monótona como as cores de fundo dos quadros das crianças e dos pintores de feira de Nürenberg, é tudo de uma cor só. E, no entanto, era da maior importância esta base em relação à personalidade de Sócrates, a qual se devia deixar pressentir numa presença misteriosa e numa flutuação mística por sobre a pitoresca variedade da exuberante vida ateniense, e que se devia deixar explicar por meio de uma duplicidade da existência, mais ou menos como um peixe voador em relação aos peixes e aos pássaros. E acentuar assim a situação seria precisamente importante para mostrar que o decisivo em Sócrates não era um ponto fixo, mas um *ubique et nusquam* (em toda parte e em nenhum lugar); e para enfatizar a sensibilidade socrática, que ao mais sutil e tênue contato imediatamente percebia a presença da ideia, imediatamente notava em tudo o que existia a eletricidade correspondente; e para tornar bem visível o autêntico método socrático, que não considerava nenhum fenômeno modesto demais para, partindo dele, ir-se elevando até a esfera própria do pensamento.

Esta possibilidade socrática de começar por qualquer ponto, realizada na vida, mesmo que frequentemente passasse despercebida pela multidão – para a qual sempre permanece um enigma o modo como se pode chegar a tal ou qual objeto, já que as investigações da multidão terminam e começam numa poça estagnada[7] –, esta segura perspectiva socrática, para a qual nenhum objeto era tão compacto que não se deixasse visualizar instantaneamente ali a ideia[8], e não apenas tateando, mas sim com imediata certeza, e que tinha contudo, em si mesma, o olhar exercitado para as aparentes reduções da perspectiva, e que assim não aproximava de si o objeto através de uma sub-repção, mas sim apenas mantinha o mesmo panorama finito enquanto este ia aparecendo ao longe para os ouvintes e espectadores – aquela singeleza socrática, que formava um contraste tão agudo com o alvoroço sem conteúdo dos sofistas e seus garganteios infindáveis, tudo isso é o que se desejaria que Xenofonte nos tivesse feito perceber. E que vida não teria aparecido na exposição se, ali no meio dos artesãos ocupados em seus trabalhos, no meio do barulho dos burros de carga, a gente visualizasse aquela trama divina com a qual Sócrates *entretecia* a existência; se ali no meio dos ruídos do mercado se pudesse escutar aquele divino acorde fundamental que permeava a existência (*Tilvaerelsen*), na medida em que para Sócrates qualquer coisa era um sinal metafórico e não infeliz da ideia, que interessante conflito entre as formas de expressão mais cotidianas da vida terrena e Sócrates, o qual, não obstante, parecia dizer a mesma coisa que os outros. Esta importância da situação não está totalmente ausente em Platão, apenas com a diferença de que ela aparece de maneira puramente poética, e deste modo comprova exatamente sua própria validade e a falta que faz em Xenofonte.

Mas se por um lado Xenofonte carece de um olhar capaz de ver a situação, por outro lado falta-lhe também *ouvido* para as *réplicas*. Não é que as questões que Sócrates coloca e as respostas que ele dá não sejam corretas: pelo contrário, elas são corretas demais, resistentes demais, maçantes demais[9]. Pois em Sócrates a réplica não estava em unidade imediata com o dito, não era um fluxo, mas um constante refluxo, e aquilo de que se sente falta em Xenofonte é o ouvido para o eco da réplica, que repercute infinitamente sobre a personalidade, como que retomando a esta (pois nos outros casos a réplica costuma ser a propagação do pensamento através de um som que avança). Pois quanto mais Sócrates minava a existência, tanto mais profundamente e mais necessariamente cada expressão particular precisava gravitar na direção da totalidade irônica, que, como estado espiritual, era infinitamente insondável, invisível, indivisível. Este segredo, Xenofonte não conseguiu nem perceber. Que me seja permitido usar de uma imagem para tornar sensível o que eu quero dizer. Existe uma gravura que representa a tumba de Napoleão. Duas altas árvores margeiam o quadro. Não se vê mais do que isto, e o observador superficial não enxerga nenhuma outra coisa. Entre as duas árvores há um espaço vazio; quando o olhar segue os contornos que delimitam o vazio, subitamente aparece deste nada o próprio Napoleão, e a partir de então é impossível deixar de vê-lo. O olhar que o viu uma vez o vê então sempre, com uma necessidade quase angustiante. Assim também com as réplicas de Sócrates. A gente ouve os seus discursos do mesmo modo como a gente vê as árvores, suas palavras significam aquilo que o som delas enuncia, assim como as árvores são árvores, não há nenhuma sílaba que nos acene com uma outra interpretação, assim como não há um único traço que indique Napoleão, e, contudo, este espaço vazio, este nada é o que esconde o mais importante. Assim como encontramos na natureza exemplos de lugares tão estranhamente construídos que aqueles que se encontram mais próximos não ouvem o orador, e sim apenas aqueles que se colocam num determinado ponto, geralmente a longa distância, é bem assim que ocorre com as réplicas de Sócrates, desde que nos recordemos de que ouvir se identifica aqui com compreender, e não ouvir com compreender mal. Essas são as duas falhas principais que eu queria sublinhar preliminarmente em Xenofonte; mas, afinal de contas, situação e réplica são o complexo que constitui o sistema ganglionar e cerebral da personalidade.

Passemos para a coletânea dos ditos que se encontram em Xenofonte atribuídos a Sócrates. Essas observações são em geral tão rasteiras e atrofiadas, que não é difícil abrangê-las numa olhada, mesmo que entorpeça a vista. Só raramente uma delas se eleva no nível de um pensamento poético ou filosófico, e apesar da bela linguagem, os desenvolvimentos têm o mesmo sabor que os artigos minuciosos de nossa *Folkeblad* (Folha Popular) ou então como as exclamações de êxtase celestial de um seminarista admirando a natureza[10].

Ao passarmos agora aos ditos de Sócrates conservados por Xenofonte, queremos, não obstante muitas vezes se assemelhem apenas a um monte de crianças reunidas, tentar perseguir a possível semelhança de família.

Esperamos que o leitor nos dê razão quando dizemos que a determinação empírica é o polígono e o ponto de vista é o círculo; e que subsiste por toda eternidade uma diferença qualitativa entre estas duas noções.

Em Xenofonte, a consideração errante passeia todo o tempo pelo polígono, e muitas vezes até se engana a si mesma, quando, tendo diante de si um lado mais longo, acredite ter a verdadeira infinitude, e por isso, como um inseto que rasteja ao longo de um polígono, cai, porque o que se mostrava como uma infinitude não passava de um ângulo.

Em Xenofonte, o *útil* é um dos pontos de partida para o ensinamento socrático. Mas o útil é precisamente o polígono, que corresponde à infinitude interior do bem, infinitude que partindo de si mesma e retornando a si mesma não é indiferente a nenhum de seus momentos próprios, mas se movimenta em todos eles, toda em todos eles e toda em cada um deles. O útil tem, pois, uma dialética infinita e ao mesmo tempo uma dialética infinitamente má. Com efeito, o útil é a dialética exterior do bem, a negação deste, e que, separada como tal, apenas permanece um reino de sombras onde nada subsiste, mas onde sem forma e sem figura tudo se condensa e se volatiliza, tudo em relação ao olhar inconstante e *superficial* do observador, para o qual toda e qualquer existência só é uma existência fragmentária infinitamente divisível em um cálculo infindável. (O útil medeia tudo, até mesmo o inútil, pois, assim como nada é *absolutamente* útil, também não pode haver nada de *absolutamente* inútil, já que a utilidade absoluta não passa de um momento fugidio na alternância inconstante da vida.) Essa visão comum do útil se encontra desenvolvida no diálogo com Aristipo, *Mem.* III, 8. Enquanto em Platão sempre vemos Sócrates arrancar a questão das contingências concretas em que a veem seus circundantes, para levá-la ao abstrato, em Xenofonte é justamente Sócrates quem aniquila as certamente fracas tentativas de Aristipo de aproximar-se da ideia. Não é necessário que eu analise mais de perto este diálogo, pois a primeira atitude de Sócrates mostra ao mesmo tempo o exercitado esgrimista e a lei que vale para toda a investigação. Quando Aristipo pergunta se ele conhecia algo bom, ele responde: "Perguntas-me se conheço alguma coisa boa para febre?", com o que aliás a maneira discursiva de raciocinar é indicada imediatamente. Toda a conversação segue por este caminho numa sequência inabalável que não se desvia frente ao aparente paradoxo: "Como! Então é belo um cesto de lixo? – Sim, por Júpiter! e feio um escudo de ouro, já que um foi convenientemente feito para seu uso e o outro não". Embora eu só tenha introduzido este diálogo como um exemplo e tenha de me ater essencialmente à impressão total, que é a força vital no exemplo, devo contudo, já que o citei como um exemplo *instar omnium* (que vale por todos, típico), recordar uma dificuldade com respeito à maneira como Xenofonte introduz este diálogo. Com efeito, ele nos dá a entender que se tratava de uma questão capciosa de Aristipo para confundir Sócrates com a dialética infinita que há no bem quando este é concebido como sendo o útil. Ele insinua que Sócrates percebera a astúcia. Poder-se-ia então pensar que todo o diálogo foi conservado por Xenofonte como um exemplo da ginástica (arte de combater) de Sócrates. Poderia até parecer que em todo o comportamento de Sócrates dormitava uma ironia latente, como se ele, aparentemente seguindo de boa-fé as armadilhas de Aristipo, aniquilasse justamente seu plano astucioso, levando exatamente Aristipo, contra a vontade, a afirmar aquilo que este esperava ver defendido por Sócrates. Entretanto, quem conhece Xenofonte achará isto altamente improvável, o qual, por via das dúvidas, ainda ofereceu uma razão completamente distinta para o comportamento de Sócrates: ele agia assim "para ser útil aos seus acompanhantes". Daí se pode ver claramente que, de acordo com a concepção de Xenofonte, é com a maior seriedade que Sócrates revoca a infinitude exaltante da investigação para a má infinitude das baixadas da empiria.

O *comensurável* como tal é então a arena propriamente dita de Sócrates e sua atividade consiste, em grande parte, em encerrar todo o pensamento e a ação humana dentro dos limites de um muro intransponível que exclui todo tráfico com o mundo das ideias. O estudo das ciências não pode, de maneira alguma, ultrapassar este cordão sanitário, *Mem.* IV, 7. De geometria[11] devia-se aprender apenas o necessário para ser capaz de medir corretamente o seu terreno; um estudo mais avançado de astronomia era desaconselhado, e ele nos advertia com o caso das especulações de Anaxágoras – em suma, toda ciência fica reduzida ao estritamente necessário *zum Gebrauch für Jedermann* (para o uso de cada um).

O *mesmo* se repete em *todos os domínios*; seus ditos sobre a natureza são simplesmente "trabalho de fábrica", a teleologia finita numa variedade de modelos. – Sua concepção de amizade não pode ser acusada de exaltação apaixonada (Svaermeri). Ainda que ele seja da opinião de que nem um cavalo[12] nem um asno valem tanto quanto um amigo, daí não se segue, de maneira nenhuma, que vários cavalos ou vários burros não pudessem ter tanto valor quanto *um* amigo.

E este é o mesmo Sócrates, a respeito do qual Platão, para caracterizar toda sua finitude interior em relação aos amigos, utiliza uma expressão sensual-espiritual como "amar os jovens através da filosofia" (*Paiderastein metà philosophías*), é o Sócrates que diz a respeito de si mesmo, no *Banquete*, que só entendia da "arte do amor" (*erotiká*). E quando então em *Mem.* III, 11 ouvimos Sócrates conversar com a dama de reputação duvidosa Teódota e gabar-se dos meios amorosos que ele possui para atrair homens jovens a si, ele nos repugna como uma velha cocota que ainda se crê em condições de encantar, sim, ele nos repugna ainda mais, porque nós não conseguimos admitir a eventualidade de que Sócrates fosse capaz disso. – Igualmente em relação aos múltiplos gozos da vida, nós aí encontramos a mesma sobriedade finita, enquanto Platão tão grandiosamente atribui a Sócrates uma espécie de saúde divina, que torna impossível para ele os excessos e, contudo, não o priva, mas sim o regala com a plenitude do gozo[13]. Quando Alcebíades, no *Banquete*, nos faz saber que jamais vira Sócrates bêbado, fica subentendido ao mesmo tempo que era impossível para Sócrates cair num tal estado, e nós vemos, aliás, no *Banquete*, como ele vence todos os outros na bebida. Xenofonte naturalmente explicaria isto dizendo que ele jamais ultrapassava um *quantum satis* (uma medida razoável) de receita aprovada pela experiência.

Não se trata portanto daquela bela unidade harmônica de determinação natural e liberdade, caracterizada pela expressão *autodomínio* (*sophrosyne*), nesta descrição que Xenofonte nos dá de Sócrates, mas antes de uma feia composição de cinismo e espírito filisteu. – Sua concepção da morte é aqui igualmente pobre de espírito, igualmente pusilânime, mesquinha. Isso se mostra em Xenofonte, *Mem.* IV, 8, 8, onde Sócrates alegra-se por ter de morrer agora, já que com isso se vê livre das doenças e dos tributos da velhice. Na *Apologia* (de Xenofonte) encontram-se decerto alguns traços um pouco mais poéticos, como no 3, onde Sócrates sugere que por toda sua vida se havia preparado para sua defesa; ademais, é preciso, porém, que se diga que, quando ele declara não querer defender-se, mesmo aí Xenofonte não o vê numa grandeza sobrenatural (assim como por exemplo o divino silêncio de Cristo frente a seus acusadores), mas o considera apenas guiado pelo cuidado, talvez inexplicável para Sócrates, de seu demônio quanto à sua reputação. E quando ficamos sabendo por Xenofonte (*Mem*. I, 2, 24) que Alcebíades era um homem muito bem-comportado enquanto viveu próximo a Sócrates e que se tornou dissoluto mais tarde, o que mais nos surpreende e admira não é que ele tenha depois se tornado dissoluto, mas que ele tenha vivido tanto tempo na companhia de Sócrates; pois, saindo de um tal espírito de Chistiansfeldt*, de uma tal escola-prisão da mediocridade constritora, ele tinha mesmo de estar bastante faminto dos prazeres e gozos. Nós temos, portanto, na concepção de Sócrates por Xenofonte, a *sombra parodiante* da ideia em suas múltiplas aparições. No lugar do bem aqui temos o útil, no lugar do belo, o utilizável, em vez do verdadeiro, a ordem estabelecida, em vez do simpático, o lucrativo (Lucrative), no lugar da unidade harmônica, a prosaica sobriedade.

Finalmente, no que tange à *ironia*[14], aí não encontramos jamais qualquer vestígio dela no Sócrates de Xenofonte. No seu lugar aparece a sofística. Mas a sofística é precisamente o duelo infindável do conhecimento com o fenômeno, a serviço do egoísmo, que justamente jamais pode conduzir a uma vitória decisiva, porque o fenômeno volta a levantar-se tão logo é abatido; e já

---

* Pequena aldeia da Jutlândia, fundada em 1773 por uma comunidade de irmãos morávios, conhecidos pela religiosidade austera e de estrita observância [N.R.].

que somente o conhecimento, que como um anjo libertador arranca da morte o fenômeno e a faz passar da morte para a vida[15], somente este conhecimento pode vencer, assim a sofística se vê por fim acossada pelas legiões infinitas dos fenômenos. Ora, a forma exterior que corresponde a este monstruoso polígono, a infinitude calma e interior da vida que corresponde a este alvoroço e a esta algazarra por toda eternidade, é ou o sistema ou a ironia enquanto negatividade infinita absoluta, naturalmente com a diferença de que o Sistema é infinitamente bem-falante e a ironia infinitamente silenciosa. E assim vemos como também aqui Xenofonte bem consequentemente chegou à imagem oposta da concepção platônica. Uma considerável multidão de sofismas se encontra, pois, nas Memorabilia[16], mas em parte elas carecem de *points** (por exemplo, as curtas frases de *Mem*. III, 13), e em parte eles carecem da infinita elasticidade irônica, do secreto alçapão[17] pelo qual se cai de repente, não a mil braços de profundidade, como o mestre-escola da comédia *Os Elfos*, mas sim no nada infinito da ironia. Por outro lado, os seus sofismas tampouco servem como aproximações à visão geral (*til Anskuelsen*). Como exemplo, quero introduzir *Mem*. IV, 4, o diálogo com Hípias. Aqui também se mostra como Sócrates só leva adiante a questão até um certo ponto, sem deixar que esta se responda a si mesma dentro de uma visão de conjunto. Com efeito, depois que o justo foi definido como idêntico ao legal, e a dúvida a respeito do legal (quanto ao fato de que as leis se mudam, cf. 14) parece poder tranquilizar-se diante da consideração do legal reconhecido em todos os tempos por todos (a lei divina), ele se detém em alguns exemplos, em que as próprias consequências do pecado são evi-

---

* *Points* [sic], que se deve ler evidentemente *pointe*, em francês, e pode significar instigação, provocação, graça [N.R.].

dentes. Assim também no exemplo introduzido no 24, sobre a ingratidão, com a qual o pensamento deveria ser orientado rumo à *harmonia praestabilita* (harmonia preestabelecida) que pervade a existência, a consideração se detém nos aspectos exteriores: que o ingrato perde os amigos etc., e não se eleva rumo a uma ordem de coisas mais perfeita, na qual não há mudança e nem sombra de variação, onde a vingança acerta o alvo sem se deixar reter por qualquer finitude; pois enquanto nos detivermos apenas na observação exterior, poder-se-ia afinal pensar que o ingrato, por exemplo, não seja alcançado pela claudicante justiça.

Agora estou pronto com a concepção de Sócrates, tal como ela se apresenta nas fontes de Xenofonte, e eu quero apenas, para concluir, solicitar aos leitores que, se se aborreceram muito, não joguem toda a culpa disso somente em mim.

PLATÃO

Os leitores terão captado certamente nas páginas anteriores muitas e furtivas olhadelas de relance para este mundo que agora deve tornar-se objeto de nosso estudo. Nós não as negamos; mas em parte a razão disto está no próprio olhar que, quando se fixa por muito tempo numa cor, acaba involuntariamente desenvolvendo a sua cor complementar, e em parte está em minha própria predileção, talvez um pouco juvenil, por Platão; e em parte no próprio Xenofonte, que deveria ser um tipo lamentável, se não houvesse em sua exposição aquelas lacunas nas quais Platão se encaixa e as preenche, de modo que a gente enxerga Platão em Xenofonte *eminus et quasi per transennas* (de longe e como através de um gradil). E em verdade esta nostalgia por Platão estava na minha alma, e seguramente ela não se tornou menor com a leitura de Xenofonte. Meu examinador! permite-me apenas uma palavra, um único e inocente parêntese para desabafar minha gratidão, o meu agradecimento pelo reconforto que encontrei na leitura de *Platão*. Pois onde se deveria encontrar alívio senão na tranquilidade infinita com a qual na calma da noite a ideia sem ruído, mas com poderosa e solene suavidade se desenvolve, no ritmo do diálogo, como se nada mais houvesse no mundo, lá onde cada passo é refletido, meditado, retomado lentamente, solenemente, porque as próprias ideias, por assim dizer, sabem que há tempo e arena para todas elas; e quando é que no mundo se precisou mais de repouso, senão em nosso tempo, em que as ideias se atropelam umas as outras com a pressa da loucura, em que as ideias só anunciam a sua presença no fundo da alma por uma bolha na superfície do mar, em que elas jamais se desenvolvem, mas se consomem em seus tenros brotos, apenas levantam a cabeça para a vida, mas em seguida morrem de tristeza, como aquela criança de que fala Abraão de Santa Clara, que no mesmo instante em que nasceu ficou com tanto medo do mundo, que retomou para o seio materno.

Considerações preliminares

Assim como um sistema tem uma possibilidade aparente de fazer qualquer de seus momentos tornar-se um ponto de partida, mas esta possibilidade jamais se transforma em realidade porque todo e qualquer momento é determinado essencialmente *ad intra* (para dentro), é sustentado e mantido pela consciência própria do sistema[18], assim também realmente cada visão geral (*Anskuelse*), e principalmente uma visão religiosa, possui um ponto de partida exterior determinado, um dado positivo, o qual, em relação com o particular, mostra-se como a causalidade superior, e em relação com o derivado se mostra como o *Ursprüngliche* (original). O indivíduo se esforça sem cessar para remontar do dado e através do dado àquele repouso contemplativo, que só a personalidade fornece, àquela entrega confiante que é a reciprocidade misteriosa de personalidade e simpatia. Basta que eu agora recorde que uma tal personalidade primitiva, um tal *status absolutus* (estado absoluto) da personalidade frente ao *status constructus* (estado subordinado) do gênero, só é dado e só pode ser dado uma única vez. Mas não deve passar despercebido que a analogia deste fato, o impulso retomado da história para este salto infinito, também possui a sua verdade. Uma tal personalidade, uma tal *detentora imediata* do divino, era o que *Platão via em Sócrates*. O efeito essencial de uma tal personalidade original sobre a geração e a sua relação com esta resulta em parte numa comunicação de vida e espírito (quando Cristo assopra sobre os discípulos e diz: Recebei o Espírito Santo), e em parte numa liberação das forças presas do indivíduo (quando Cristo diz ao paralítico: Levanta-te e anda), ou melhor, realizam-se em ambas as formas ao mesmo tempo. A analogia para este caso pode, portanto, ser dupla: ou ela é positiva, isto é, fecundante, ou é negativa, isto é, auxiliando o indivíduo paralisado, volatilizado em si mesmo, a reencontrar a flexibilidade original, apenas protegendo e observando o indivíduo assim fortificado, e assim auxiliando-o a refletir sobre si mesmo e tomar consciência de si mesmo[19]. Mas nos dois casos análogos a relação com uma tal personalidade permanece para o segundo não apenas como impulsionadora, mas também como marcando data e como uma fonte jorrando para a vida eterna, inexplicável para o próprio indivíduo. Podemos dizer que ou é a palavra que cria o indivíduo, ou é o silêncio que o nutre e produz. A razão por que eu introduzi estas duas analogias talvez neste instante ainda não esteja clara para o leitor, mas eu espero que isto aconteça mais adiante. Não se pode negar que Platão viu a unidade desses dois momentos em Sócrates, ou melhor, que Platão evidenciou em Sócrates a unidade deles; todo mundo sabe que uma outra concepção viu, na circunstância de Fenareta, a mãe de Sócrates, ser parteira uma imagem sensível da atividade liberadora de Sócrates, e com isso sublinhou o segundo lado da analogia.

Entretanto, qual a *relação* existente entre o Sócrates *platônico* e o Sócrates *real?* Esta questão não se deixa eludir. Sócrates percorre como um rio todo o território fecundo da filosofia platônica, ele é onipresente em Platão. Não quero aqui investigar em detalhes em que medida não apenas o discípulo agradecido acreditou, mas também o jovem seguidor amorosamente desejou, com o ardor da mocidade, ser devedor de Sócrates; porque nada lhe era caro se não viesse de Sócrates ou se, pelo menos, ele não fosse coproprietário e confidente dos segredos de amor do conhecimento; porque há uma automanifestação frente a alguém que está totalmente afinado que não fica retida pelas limitações do outro, mas sim se espraia e adquire uma grandeza sobrenatural na concepção do outro; porque o pensamento só se compreende a si mesmo e só se ama a si mesmo quando é assumido no ser do outro, e assim, para tais seres tão harmônicos, permanece não apenas indiferente, mas até impossível de decidir o que é que cada um possui em particular, uma vez que constantemente cada um deles nada possui, mas possui tudo no outro. Eu não aprofundarei esta questão. Como Sócrates, por conseguinte, ligava de maneira tão bela os homens ao divino ao mostrar que todo conhecimento é recordação, assim também Platão se sente, numa unidade espiritual, indissoluvelmente fundido com Sócrates, de modo que todo saber é para ele um saber comum com Sócrates. Que este impulso para ouvir suas próprias crenças da boca de Sócrates deve ter-se tornado ainda mais profundo após a morte deste, e que Sócrates deve ter ressuscitado transfigurado de seu túmulo para uma comunhão de vida ainda mais interior, e que a confusão entre Meu e Teu deve ter-se tornado ainda maior, já que para Platão, não obstante sua humildade e por mais que ele se sentisse pequeno para acrescentar algo à imagem de Sócrates, era impossível não confundir a imagem poética com a realidade histórica; tudo isso é evidente. – Depois destas observações gerais eu creio que seria oportuno recordar que já na Antiguidade tinha-se atentado para esta questão da relação entre o Sócrates real e o poético segundo a exposição de Platão, e que Diógenes Laércio já apresenta uma divisão dos Diálogos entre *dramáticos* e *narrativos* (*dramatikoí – diegematikoí*), dando assim uma certa resposta à questão. Os diálogos narrativos deveriam, portanto, ser os que estavam mais próximos da concepção histórica de Sócrates. A estes pertencem então o *Banquete* e *Fédon*, e até sua forma exterior recorda sua significação neste aspecto, conforme a correta observação de Baur (p. 122, nota): "Exatamente por isso, os diálogos do outro tipo, os narrativos, nos quais o diálogo propriamente dito só é dado numa narração, como Platão no *Banquete*, através de Apolodoro, no *Fédon*, por meio de Equécrates e de alguns outros que nos contam tudo aquilo que Sócrates disse aos seus amigos nos seus últimos dias e o que lhe aconteceu, tais diálogos dão a compreender por sua própria forma que possuem em si um caráter mais histórico".

Eu não posso decidir se este caráter histórico na forma só tem a ver com o aparato cênico e se o contraste com os diálogos dramáticos consiste em que nestes últimos o elemento dramático (que Baur chama *die äussere Handlung*, a ação exterior) é livre invenção poética de Platão, ou se consiste em que nos diálogos diegemáticos (narrativos) o essencial é o pensamento próprio de Sócrates, enquanto nos diálogos dramáticos o conteúdo são as visões gerais que Platão empresta a Sócrates. Em compensação, eu devo novamente não apenas subscrever, mas até citar a correta observação de Baur: "Mas se Platão, levando em conta este fundamento histórico, deu a esses diálogos esta forma, daí não se pode, contudo, concluir nada com relação ao caráter histórico do conjunto". E assim nos aproximamos do importante problema: o *que* pertence a Sócrates, na filosofia platônica, e o *que* pertence a Platão; uma questão que não podemos evitar, por mais doloroso que seja separar aquilo que está unido tão intimamente. Aqui eu devo lamentar que Baur me abandone; pois após ter ele demonstrado a necessidade que tinha Platão de se ligar em parte à consciência popular (onde ele vê o significado do mítico) e em parte à personalidade de Sócrates, como o ponto de partida positivo, encerra toda a sua investigação com a conclusão de que o significado essencial de Sócrates consistia no método[20]. Mas dado que em Platão o método ainda não é visto em sua relação absolutamente necessária para com a ideia, impõe-se ainda a questão: *Em que relação estava Sócrates com o método de Platão?*

Torna-se então importante falar alguma coisa sobre o *método* em Platão. Todo mundo percebe certamente que não foi por acaso que o *diálogo* se tornou a forma predominante em Platão, mas que para isso houve uma razão mais profunda. Não posso aqui adentrar mais numa investigação a respeito da relação entre uma dicotomia, como a que se encontra em Platão, e uma tricotomia, tal como o exige o moderno desenvolvimento especulativo no sentido mais estrito. (Eu tratarei um pouco deste assunto quando desenvolver a relação entre o elemento dialético e o elemento mítico, uma dicotomia, nos primeiros diálogos de Platão.) Tampouco terei tempo para, ao mostrar a necessidade de uma dicotomia para a cultura grega, e com isso reconhecendo sua relativa validade, simultaneamente demonstrar a sua relação com o método absoluto. Pois decerto o diálogo bem disciplinado de

Sócrates é uma tentativa de deixar que o próprio pensamento se apresente em toda a sua objetividade, mas naturalmente falta aqui aquela unidade da concepção sucessiva e intuição, que somente a trilogia dialética torna possível. O método consiste propriamente em simplificar as múltiplas combinações da vida, reconduzindo-as a uma abreviatura cada vez mais abstrata; e já que Sócrates começa a maioria de seus diálogos não no centro, mas na periferia, na colorida variedade da vida infinitamente entrelaçada em si mesma, é preciso um alto grau de arte para desenvolver não somente a si mesmo, mas também o abstrato não apenas a partir das complicações da vida, mas também das dos sofistas. Esta arte, que aqui descrevemos, é naturalmente a bem conhecida arte socrática de perguntar[21], ou, para recordar a necessidade dos diálogos para a filosofia platônica, a arte de *conversar*. É por isso que Sócrates, tão frequentemente com uma ironia tão profunda, repreende os sofistas, jogando-lhes na cara que eles sabiam muito bem falar, mas não conversar. Com efeito, o que ele censura, com a expressão "falar" em contraposição a "conversar", é o aspecto egoístico no "bem falar", na eloquência oratória que aspira ao que se poderia chamar o belo abstrato, *versus rerum inopes nugaeque canorae* (os versos sem conteúdo e as bagatelas que soam bem), e que vê como objeto de pia veneração a própria expressão, desligada de sua relação com a ideia. Na conversação, ao contrário, o falante é obrigado a não largar o objeto[22], quer dizer, desde que o diálogo não seja identificado com um dueto excêntrico, onde cada um entoa a sua parte sem levar em conta o outro, e que só tem a aparência ilusória de ser uma conversação à medida que os dois não falam ao mesmo tempo. Esta concentricidade da conversação se exprime ainda mais determinadamente pelo fato de o diálogo ser concebido sob a forma de pergunta e resposta. Por isso, precisamos analisar um pouco mais de perto o que é perguntar.

Perguntar designa em *parte a relação* do indivíduo *com o objeto*, e em *parte a relação* do indivíduo *com um outro indivíduo*. – No *primeiro caso*, o esforço é para liberar o fenômeno de toda e qualquer relação finita com o sujeito. Ao perguntar, eu não sei nada e me relaciono de forma puramente receptiva com o meu objeto. Neste sentido, o perguntar socrático possui analogia, ainda que distante, mas indubitável, com o negativo em Hegel, só que o negativo segundo Hegel é um momento necessário no próprio pensamento, é uma determinação *ad intra* (para dentro), e em Platão o negativo se torna visível e é colocado fora do objeto no sujeito interrogante. Em Hegel o pensamento não precisa ser interrogado desde fora; pois este pergunta e responde a si mesmo; em Platão, ele só responde na medida em que é perguntado, mas se ele vem a ser ou não questionado é uma casualidade, e a maneira como ele é questionado também não é uma casualidade menor. Embora assim a forma da pergunta deva liberar o pensamento de todas as determinações meramente subjetivas, num outro sentido ela continua dependendo do subjetivo, enquanto aquele que pergunta só é visto numa relação casual com aquilo que é interrogado por ele. Se pelo contrário se vê o perguntar em uma relação necessária com seu objeto, então o perguntar se identifica com o responder. E como já Lessing distinguiu, com tanta perspicácia, entre responder a uma pergunta (*at svare*) e respondê-la exaustivamente (*besvare det*), assim também há uma distinção semelhante no fundamento da diferença estabelecida por nós, ou seja, a distinção entre perguntar (*at spørge*) e perguntar exaustivamente, interrogar (*at udspørge*); a verdadeira relação consiste, portanto, entre interrogar, isto é, perguntar exaustivamente (*at udspørge*), e responder exaustivamente (*at besvare*)[23]. É claro que ainda resta sempre algo de subjetivo, mas se a gente se recorda de que a razão por que o indivíduo pergunta desta maneira ou de outra não reside em sua arbitrariedade[24], e sim no objeto, na relação-de-necessidade, que une na cópula a ambos, então aquele resto desaparecerá. – No *segundo caso*, o objeto é uma divergência a ser ajustada entre aquele que pergunta e aquele que responde e o desenvolvimento do pensamento se consuma neste passo alternado (*alterno pede*), neste claudicar de ambos os lados.

Este é, naturalmente, mais uma vez, uma espécie de movimento dialético, mas, dado que falta o momento da unidade ou da síntese na medida em que cada resposta contém a possibilidade de uma nova pergunta, não é a verdadeira evolução dialética. Esta significação do perguntar e responder é idêntica com a significação do diálogo, que é como uma imagem sensível da concepção grega da relação entre a divindade e o homem, na qual existe, sem dúvida, uma relação recíproca, mas nenhum momento da unidade (nem o imediato, nem o superior), e propriamente também sem o verdadeiro momento da dualidade, já que a relação se esgota na mera reciprocidade: como um *pronomen reciprocum* (pronome reflexivo), ela não tem nominativo, mas apenas *casus obliqui* (casos oblíquos) e somente o dual e o plural.

Se é correto o que desenvolvemos até aqui, então se vê que a intenção com que se pergunta pode ser *dupla*. Pois a gente pode perguntar com a intenção de receber uma resposta que contém a satisfação desejada de modo que, quanto mais se pergunta, tanto mais a resposta se torna profunda e cheia de significação; ou se pode perguntar não no interesse da resposta, mas para, através da pergunta, exaurir o conteúdo aparente, deixando assim atrás de si um vazio. O primeiro método pressupõe naturalmente que há uma plenitude, e o segundo, que há uma vacuidade; o primeiro é o *especulativo*, o segundo o *irônico*. Era este último o método que Sócrates praticava frequentemente.

Quando, numa boa companhia, os sofistas se tinham embriagado a si mesmos com os vapores de sua própria oratória[25], aí Sócrates tinha prazer em produzir, da maneira mais cortês e modesta do mundo, uma pequena corrente de ar[26], que em pouco tempo dissipava todos esses vapores poéticos. Esses dois métodos têm com certeza, especialmente para uma observação que se atém apenas ao momento, uma grande semelhança entre si; sim, esta semelhança se torna ainda maior devido ao fato de que o perguntar de Sócrates era dirigido contra o sujeito cognoscente e tendia a provar que apesar de tudo, em última análise, *simplesmente nada* sabiam. Qualquer filosofia que comece com uma pressuposição termina, naturalmente, na mesma pressuposição, e como a filosofia de Sócrates iniciava com a pressuposição de que ele nada sabia, assim ela terminava no resultado de que os homens em geral nada sabiam; a platônica começava na unidade imediata do pensar e do ser e aí permanecia. A direção que se impôs como válida no idealismo como uma reflexão sobre a reflexão também se fez valer no perguntar socrático. O perguntar, isto é, a relação abstrata entre o subjetivo e o objetivo, era para ele *em última análise o ponto capital*. Revisando mais exatamente uma manifestação de Sócrates na *Apologia* de Platão, quero esforçar-me por esclarecer o que tenho em mente. De um modo geral toda a *Apologia* é magnificamente apropriada para fornecer um conceito claro desta atividade irônica de Sócrates[27]. Com efeito, a propósito do primeiro ponto de acusação de Meleto, de que Sócrates ridicularizaria os deuses, o próprio Sócrates comenta o conhecido dito do oráculo de Delfos, de que ele era o mais sábio dos homens. Ela narra como por um instante este dito o deixara perplexo, e como ele, para provar se o oráculo tinha dito a verdade, dirigira-se a um dos sábios mais reputados. Este sábio era um homem de Estado, mas Sócrates descobriu logo que ele era ignorante. Depois disso, dirigira-se a um poeta, mas descobriu, quando este lhe deu uma explicação detalhada de sua própria poesia, que este também não entendia do assunto. (Nesta ocasião ele sugere também que o poema deve ser considerado como uma inspiração divina, da qual o poeta compreende tão pouco como os profetas e os adivinhos das belezas que anunciam.) Finalmente se dirigira aos artistas, e estes decerto sabiam algumas coisas, mas como estavam aprisionados à ilusão de que também compreendiam outras coisas, também caíram na mesma definição dos outros. Em resumo, Sócrates expõe de que modo ele circunavegou todo o reino da inteligência e descobriu que o todo é limitado por um oceano de conhecimento ilusório. Vemos quão metodicamente ele concebeu sua tarefa, como ele preparou o experimento com cada uma das forças da inteligência, e isso ele ainda vê confirmado pelo fato de seus três acusadores representarem as três potências, cuja nulidade ele havia desvelado na personalidade de seus próprios acusadores. Meleto, com efeito, falava em nome dos poetas, Anito em nome dos artistas e políticos, Lícon em nome dos oradores. Sim, ele concebe como sua vocação divina, sua missão, andar pelo meio dos seus concidadãos e dos estrangeiros para, sempre que ouvisse dizer de alguém que era sábio, e sempre que isso não se confirmasse, auxiliar a divindade a provar que este homem não era sábio[28].

E por esta razão, ele não tivera tempo[29] para fazer nada de importante, nem nos assuntos públicos, nem nos privados, mas por causa deste *serviço divino*, vivera em pobreza completa. Mas eu retorno à passagem comentada da *Apologia*. Sócrates mostra quão agradável é a ideia de depois da morte entrar em contato com os grandes homens que viveram antes dele e compartilharam do mesmo destino, e acrescenta: "Sim, e o que é mais, passar o tempo examinando e interrogando os de lá como aos de cá, a ver quem deles é sábio e quem, não o sendo, cuida que é" (Ast t. VIII p. 156, 41 b). Estamos aqui num ponto decisivo. Não se pode negar que Sócrates aqui quase cai no ridículo, com todo este zelo de espionar que não o deixa em paz nem depois da morte. E quem é que consegue deixar de sorrir quando se imaginam as figuras sérias dos habitantes do outro mundo, e aí no meio deles Sócrates numa atividade infatigável de interrogar e mostrar que eles nada sabem? É claro que poderia parecer que o próprio Sócrates era da opinião de que alguns deles poderiam ser sábios; pois ele diz que queria examinar quem deles era sábio e quem dentre eles pensava sê-lo e contudo não era; mas em parte é preciso lembrar que aquela sabedoria não consistia nem mais nem menos do que na descrita ignorância[30], e, em parte, que ele diz querer examinar os de lá do mesmo modo como os daqui: o que implica, parece, que aqueles grandes homens provavelmente não se saíram melhor neste *tentamen rigorosum* (exame rigoroso) do que se saíram os grandes homens aqui em vida. Vemos assim *a ironia* em toda a sua *infinitude* divina, que não deixa absolutamente nada subsistir. Como Sansão, Sócrates se agarra às colunas que sustentam o conhecimento e faz cair tudo no nada da ignorância. Que isto é *autenticamente socrático*, certamente qualquer um concederá; mas *platônico*, ao contrário, isto *jamais* será. E aqui estou eu, portanto, numa das duplicidades que há em Platão, e é este exatamente o rastro que eu quero perseguir para descobrir o puramente socrático.

A diferença descrita entre perguntar para encontrar uma resposta plena e perguntar para confundir se mostra aliás ainda numa figura mais determinada, como a relação entre o *abstrato* e o *mítico* nos diálogos de Platão.

Para esclarecer melhor isto, eu examinarei mais pormenorizadamente alguns diálogos a fim de mostrar como o abstrato pode arredondar-se na ironia, e o mítico anunciar uma especulação mais rica de conteúdo.

O ABSTRATO *NOS PRIMEIROS DIÁLOGOS DE PLATÃO SE ARREDONDA NA IRONIA*

O banquete

O banquete e *Fédon* fornecem pontos decisivos na concepção de Sócrates, dado que, como muitas vezes se repetiu, o primeiro apresenta o filósofo na vida e o segundo, na morte. Em *O banquete* se encontram também presentes ambas as espécies citadas de exposição, a dialética e a mítica. O mítico começa quando o próprio Sócrates passa a um segundo plano e traz o discurso de Diótima de Mantineia. É certo que o próprio Sócrates observa, ao concluir, que ele mesmo se deixara convencer pelo discurso de Diótima e que, por isso, agora buscava convencer os outros da mesma coisa; com outras palavras, ele nos deixa em dúvida sobre se realmente o discurso não é dele, ainda que apresentado de segunda mão; mas a partir daí não se pode tirar nenhuma outra conclusão sobre a relação histórica do mítico com Sócrates. Este diálogo se esforça ainda de outro modo por realizar o conhecimento pleno, à medida que o Eros concebido abstratamente torna-se sensível na pessoa de Sócrates pelo discurso de Alcebíades embriagado; mas este discurso naturalmente não nos pode fornecer nenhum esclarecimento ulterior a respeito da questão sobre a dialética socrática. Vamos agora examinar mais de perto como se passam as coisas no que toca ao desenvolvimento dialético neste diálogo. Mas qualquer um, que simplesmente o tenha lido com atenção, nos dará razão quanto à observação anterior, de que o método consiste em "simplificar as múltiplas combinações da vida, reconduzindo-as sempre para uma abreviatura cada vez mais abstrata". A exposição final sobre a essência de Eros não se apropria, com efeito, de maneira alguma, do que o desenvolvimento precedente havia produzido; porém, em contínua ascensão, o pensamento se eleva tanto acima do ar atmosférico, que a respiração se estanca no puro éter do abstrato. Os discursos anteriores *não* são vistos, por isso, como momentos dentro da concepção final, mas antes como um peso terrestre, de que o pensamento precisa liberar-se mais e mais. Enquanto as diferentes exposições não se encontram numa relação necessária com a última exposição, estão, por outro lado, reciprocamente relacionadas umas às outras, na medida em que são discursos *sobre* o amor (Kjaerligheden), brotando de pontos de vista heterogêneos que ocorrem na vida, e a partir dos quais os oradores, como aliados de todos os lados, acercam-se do território que constitui a autêntica essência do amor, essência que, na concepção de Sócrates, mostra-se como invisível, como o ponto matemático, uma vez que é abstrata e que a partir deste ponto se irradiam as diferentes concepções relativamente distorcidas. Todas essas exposições são, portanto, como segmentos de uma luneta, cada uma das apresentações se ajusta à seguinte de maneira tão engenhosa, e tão rica de lirismo, que com elas ocorre o mesmo que com o vinho em copos de cristal artisticamente talhados: o que embriaga não é somente o vinho espumante aí contido, mas também a refração infinitamente multiplicada, as ondas de luz que se oferecem ao olhar que mergulha nelas. Embora a relação entre o dialético e o mítico não se apresente tão acentuadamente no *Banquete* como, por exemplo, no *Fédon*, e embora por isso aquele diálogo sirva menos para meu propósito, mesmo assim ele também tem a vantagem de apresentar de maneira bem-determinada o que o próprio Sócrates diz e o que ele teria ouvido de Diótima.

Fedro começa. Ele descreve o eterno no Eros. Eros vence até o tempo, o que é caracterizado pelo fato de ele não ter pais; ele vence no homem não apenas tudo o que há de mesquinho, graças ao brilho que lhe dá seu pudor rubescente, mas também vence a morte, indo retirar dos infernos o objeto de seu amor, e por isso é recompensado pelos deuses, que se deixam comover profundamente. Pausânias fixa seu olhar sobre a natureza dupla de Eros, mas não de maneira a conceber aquela duplicidade numa unidade negativa, como ocorre na exposição de Diótima, para a qual Eros é um filho de Poros e Pênia. Uma das naturezas é filha sem mãe de Uranos, o celeste; a outra é muito mais jovem, tem a diferenciação sexual como seu pressuposto e é o Eros vulgar. Depois ele desenvolve o significado da celeste pederastia, que ama o espiritual no homem, e por isso não é rebaixada e degradada pelo sexual. Ocorrendo então um ataque de soluço a Aristófanes, Pausânias declara que cabe ao médico Erixímaco, ou libertá-lo do soluço, ou então falar em seu lugar. Erixímaco toma a palavra em seguida. Ele dá continuidade à observação feita por Pausânias, como ele mesmo diz, e contudo, a rigor, concebe a duplicidade que se dá no amor a partir de uma faceta completamente diferente da de Pausânias. Enquanto Pausânias se detivera nos dois tipos de amor, cuja distinção procurara expor, Erixímaco, ao contrário, interpreta isso no sentido de que a cada momento do amor correspondem dois fatores, e isto ele demonstra principalmente na natureza, considerada a partir de seu ponto de vista científico de médico. O amor é assim a unidade neste ser antagônico, e se Asclépio é o criador da arte da medicina é porque soube inspirar amor aos elementos mais antagônicos (o calor e o frio, o amargo e o doce, o seco e o úmido). O mesmo se repete em toda parte na natureza: as estações do ano, o clima etc., dependem também das expressões do amor; o mesmo se passa com os sacrifícios e com tudo o que pertence à arte das profecias, já que eles instauram a comunidade entre os deuses e os homens. Todo o seu discurso é uma espécie de fantasia no terreno da filosofia da natureza[31]. Depois então que Aristófanes fez parar seus soluços (e nesta ocasião ele sugere uma relação de oposição diferente das que o médico acabava de descrever, pois se liberta do soluço ao espirrar), ele toma a palavra e fundamenta a relação de oposição dada no amor, de maneira mais profunda do que os oradores anteriores, ilustrando-a na oposição sexual e na divisão do homem em duas partes, empreendida pelos deuses; sim, ele sugere até mesmo a possibilidade de que os deuses, ainda por cima, se dispusessem a fracionar mais os homens, se estes não estivessem satisfeitos de serem o que são, ou seja, a metade de um homem, "já que nós, cortados ao meio como linguados, de um só ficamos dois". E então ele se entrega à sua caprichosa fantasia, tanto na descrição da indiferença sexual original e do estado do homem nesta situação como também na profunda ironia com que concebe o negativo no amor, o impulso de união; e, com a exposição aristofânica, a gente chega involuntariamente a pensar nos deuses, que provavelmente devem divertir-se magnificamente ao verem estes meio-homens que se esforçam, numa confusão infinita entre eles, por se tornarem homens inteiros. Depois de Aristófanes fala o poeta trágico Agatão; seu discurso é mais ordenado. Ele chama a atenção para o fato de que os outros não haviam propriamente elogiado o deus, mas antes se congratulado com os homens por causa dos bens que o deus lhes dispensara; mas qual a natureza daquele que repartia todos estes bens, ninguém havia perguntado. Agatão quer, portanto, mostrar como é o próprio deus, e quais são os bens que ele dá aos outros.

O discurso todo é assim uma ode sobre Eros; ele é o mais jovem dos deuses (já que é sempre jovem e está sempre na companhia da juventude), é o mais delicado (pois habita no que há de mais brando, no coração e na alma dos deuses e dos homens, e passa ao largo de todo e qualquer ânimo duro); sua cor é a mais bela (pois ele vive constantemente entre as flores) etc., etc. Aos homens ele presenteou com toda maestria nas artes; pois só se tornaram famosos aqueles a quem Eros inspirou, com seu entusiasmo.

Como me levaria muito longe o caminho de uma investigação minuciosa da relação entre estes diferentes discursos, eu me voltarei agora para o último orador, ou seja, Sócrates. Em sua simplicidade teria ele acreditado que a gente devesse salientar o verdadeiro em qualquer objeto que se quisesse elogiar; isto seria o essencial, após o que a gente poderia então selecionar o mais belo e expô-lo da maneira mais digna possível... "mas esta não era, como eu noto, a verdadeira maneira de elogiar; o elogio consiste em acrescentar ao objeto tantas e tão belas características quanto possível, quer ele seja assim, quer não. Se elas fossem falsas, não tinha nenhuma importância; pois a tarefa era, como parece, que cada um de nós deveria fazer um elogio aparente e não real sobre Eros". Sócrates procede então, como de costume, pela via das perguntas; começa com uma daquelas perguntas autenticamente socráticas, sugadoras: se Eros, por sua natureza, era amor a alguma coisa, ou não; mas se o amor sempre busca aquilo que é seu objeto, é certo que ele não o possui, e sim carece disto, mesmo que esta carência seja concebida como idêntica com o desejo de uma posse futura duradoura; pois a gente também busca aquilo que não possui, quando deseja manter ainda no futuro o que possui. Amor é portanto carência de, busca de algo que a gente não tem, e se então amor é amor da beleza, Eros carece consequentemente da beleza e não a possui. Portanto, se o bem é simultaneamente o belo, então Eros carece igualmente do bem. Todas as ideias poderiam assim ser examinadas, e nós veríamos como Sócrates não afasta a casca para chegar ao cerne, mas sim *esvazia o cerne*. Aqui termina o desenvolvimento de Sócrates, pois a exposição seguinte é um simples relato. E se o leitor ainda não viu o que eu queria que ele visse, espero que ele e eu ainda tenhamos sucesso, contanto que ele ainda me conceda sua atenção.

Sócrates introduziu seu discurso com uma ironia, mas esta era, se posso dizer assim, apenas uma figura irônica, e verdadeiramente ele não mereceria o nome de irônico se apenas se destacasse pela habilidade para falar ironicamente, assim como outros falam num jargão. Os oradores antecedentes haviam dito de fato muita coisa sobre o amor, muitas das quais decerto não combinavam com este objeto, mas restava de qualquer modo a pressuposição de que havia ainda muita coisa a dizer sobre o amor. Agora Sócrates desenvolve isto diante deles. E eis que o amor é busca, é carência etc. Mas busca, carência etc., nada são. Vemos assim o método. O amor é liberado constantemente, mais e mais, da concreção casual, em que se mostrara nos discursos antecedentes, e é reconduzido até sua *mais abstrata determinidade*, na qual se mostra não como amor disto ou daquilo, nem amor por isto ou por aquilo, mas como amor por uma coisa que ele não possui, isto é, busca, nostalgia. Num certo sentido, isto é muito mais verdadeiro, mas amor é além disto também o amor infinito. Se dizemos que Deus é amor, com isso dizemos, afinal de contas, que ele é o amor se comunicando infinitamente; se falamos em permanecer no amor, estamos falando, afinal, sobre uma participação em uma plenitude. Isto tudo é substancial no amor. A busca, a nostalgia são o negativo no amor, quer dizer, a negatividade imanente. Busca, carência, nostalgia etc., são a infinita subjetivação, para utilizar uma expressão de Hegel que aqui recorda precisamente o que deve ser recordado. Esta determinação é, pois, ao mesmo tempo a mais abstrata, ou melhor, ela é propriamente o abstrato, não na significação do ontológico, mas com o significado de carente de seu conteúdo. Pode-se naturalmente conceber o abstrato como o constituinte de tudo, persegui-lo em seus próprios movimentos silenciosos, e deixar que ele se determine a si próprio rumo ao concreto, e aí se desenvolva. Ou se pode partir do concreto e com o abstrato *in mente* (na mente) encontrá-lo no concreto. Nenhum destes dois casos, porém, é o de Sócrates. Não é para as categorias que ele reconduz a relação. O abstrato de Sócrates é uma designação completamente sem conteúdo. Ele parte do concreto e chega ao que há de mais abstrato, e lá onde a investigação deveria começar, ela termina. O resultado a que ele chega é propriamente a determinação indeterminada do puro ser: amor *é*, pois, o adendo, que é nostalgia, busca, não é nenhuma determinação, dado que isto é meramente uma relação com uma coisa que não é dada. Do mesmo modo, poder-se-ia reportar também o conhecimento a um conceito completamente negativo, determinando-o como apropriação, aquisição, pois esta é aliás manifestamente uma das relações do conhecimento com o conhecido, mas, por outro lado, o conhecimento também é posse. Mas assim como o abstrato no significado do ontológico tem a sua validade no especulativo, assim também o abstrato enquanto negativo tem a sua verdade no irônico.

Estamos aqui novamente diante de uma duplicidade em Platão: o desenvolvimento dialético é levado a cabo até desaparecer no puramente abstrato; depois começa uma outra espécie de desenvolvimento que quer fornecer a ideia, mas dado que assim a ideia não está numa relação necessária com o dialético, vemos então que é improvável que toda esta evolução pertença a um só. Mas, por outro lado, não se pode arbitrariamente atribuir uma coisa a um e outra coisa a outro, só para que cada um receba alguma coisa. Sócrates e Platão devem ter tido cada um a sua visão das coisas, as quais, por mais diferentes que tenham sido, devem ter tido *pontos de coincidência essenciais*; uma concepção *irônica* (pois o dialético enquanto tal não constitui nenhuma concepção que esteja em uma relação essencial com a personalidade) e uma concepção *especulativa*. Em que medida então o desenvolvimento que Sócrates apresenta seguindo Diótima faz o assunto avançar, e qual significação deve ser atribuída à dicotomia "amor e o belo" (na qual o momento negativo fica pelo exterior, e o momento positivo é um quietismo preguiçoso e indolente, quando ao contrário uma tricotomia os veria imediatamente juntos, sem se expor, como Diótima, a ver o belo novamente como o belo em si, algo puramente abstrato, como se mostrará mais adiante) – tudo isso deverei examinar circunstanciadamente por ocasião do estudo do mítico nos diálogos.

Aludi, nas páginas anteriores, à observação geral de que no *Banquete* é buscado um complemento para o que fica faltando na concepção dialética através do recurso de *tornar visível na pessoa* de Sócrates o amor, de modo que os elogios sobre o amor acabam em um elogio sobre Sócrates. Embora esta demonstração da ideia em uma personalidade seja simples momento na própria ideia, ela tem mesmo assim, e justamente enquanto tal, a sua importância no desenvolvimento. O movimento dialético em Platão, justamente porque ele não é a dialética da própria ideia, por mais engenhoso que seja o *passo* com que ele se move, permanece, apesar de tudo, estranho à ideia mesma. Por isso, enquanto os demais oradores tateavam como cabra-cega à procura da ideia, Alcebíades em sua bebedeira a agarra com imediata segurança. Entretanto, há que observar aqui que a circunstância de Alcebíades estar bêbado parece indicar que somente numa imediatidade potenciada ele está seguro nesta relação amorosa, e que em estado sóbrio deve ter provocado nele toda aquela incerteza da insegurança, angustiante e mesmo assim doce. Se atentarmos, com efeito, para o modo como esta *relação amorosa* deve ter sido estabelecida, relação que teve lugar entre Sócrates e Alcebíades, teremos sem dúvida que dar razão a Alcebíades quando comenta como Sócrates escarnecia dele por causa de seu amor, e quando acrescenta: "E não somente a mim ele tratou desta maneira, mas também a Cármides, filho de Glauco, a Eutidemo, filho de Díocles, e muitos outros, que ele engana aparentando ser o amante, para então, em vez de amante, tornar-se o amado". Por isso Alcebíades não consegue livrar-se dele. Com toda a passionalidade se liga a Sócrates: "Quando o escuto, bate-me o coração muito mais violentamente do que aos coribantes em suas danças sagradas, e lágrimas me escorrem sob o efeito de seus discursos".

Outros oradores não seriam capazes de produzir tal efeito sobre ele, que percebe a contragosto seu estado de escravidão. Sim, a vida em tal estado lhe parece insuportável. Foge dele como das sereias, fecha seus ouvidos para não ter de envelhecer sentado ao seu lado; e até chega a desejar muitas vezes que Sócrates não estivesse vivo, e, contudo, sabe que se isso acontecesse seria a coisa mais dolorosa para ele. Está como que mordido por uma serpente ou por algo ainda mais doloroso e no lugar mais sensível, isto é, no coração e na alma. Que esta relação de amor entre Sócrates e Alcebíades era de ordem intelectual, eu não preciso, naturalmente, recordar. Mas se perguntarmos o que é que havia em Sócrates que fazia uma tal relação não apenas possível, mas necessária (pois Alcebíades observa, aliás, corretamente, que não era só ele que se encontrava numa tal relação com Sócrates, mas quase todos aqueles que tratavam com ele), então eu não sei nada que sirva de resposta, a não ser isto: que era *a ironia de Sócrates*. Com efeito, se a relação amorosa deles tivesse consistido num rico intercâmbio de ideias, ou num copioso fluir de um lado e numa recepção agradecida do outro lado, então certamente eles teriam tido o terceiro, em que se amariam mutuamente, ou seja, na ideia, e uma tal relação não teria por conseguinte jamais provocado uma inquietação tão apaixonada. Mas justamente porque é da essência da ironia jamais desmascarar-se, e porque de outro lado lhe é igualmente essencial trocar de máscara à maneira de Proteu, é por isso que ela devia necessariamente proporcionar ao jovem amante tantas penas[32]. Entretanto, se ela assim tem algo de repulsivo em si, certamente também tem algo de extraordinariamente sedutor e fascinante. O disfarçado e o misterioso que ela tem em si, a comunicação telegráfica que ela inaugura, já que um irônico sempre deve ser compreendido à distância, a infinita simpatia que ela pressupõe, o fugaz, mas indescritível instante da compreensão, que é reprimido imediatamente pelo medo da incompreensão, tudo isso cativa com laços indissolúveis. Por isso, se o indivíduo no primeiro instante se sente liberado e expandido pelo contato do irônico, que se abre diante dele, no instante seguinte o indivíduo está em seu poder, e provavelmente é isto que Alcebíades quer dizer quando comenta o quanto se sentiam enganados por Sócrates, quando este em vez de amante se mostrava como o amado. Dado que, além disso, é essencial ao irônico jamais enunciar a ideia como tal, mas apenas sugeri-la fugazmente, e tomar com uma das mãos o que é dado com a outra, e possuir a ideia como propriedade pessoal, a relação naturalmente se torna ainda mais excitante. E assim então desenvolveu-se silenciosamente no indivíduo a doença, que é tão irônica como todas as outras coisas que consomem, e que faz o indivíduo sentir-se no melhor estado quando a sua dissolução está mais próxima. O irônico é aquele vampiro que suga o sangue do amante, e, dando-lhe uma sensação de frescor com o abanar de suas asas, acalanta-o até o sono chegar e o atormenta com sonhos inquietos.

Poder-se-ia perguntar: Para que todo este desenvolvimento? Responderei: há *uma dupla* finalidade. Primeiramente, para mostrar que mesmo na concepção que Alcebíades tinha de Sócrates, a ironia é nele o essencial, e, a seguir, para indicar que a relação de amor que ocorreu entre Sócrates e Alcebíades, e o esclarecimento sobre a essência do amor, que daí extraímos, são negativos. Quanto ao *primeiro ponto*, temos de recordar que houve quem quisesse provar, evocando o entusiasmo com que Alcebíades comenta sua relação com ele[33], a necessidade de ter havido uma grande plenitude positiva em Sócrates. Mas preliminarmente parece ser importante, mesmo assim, investigar um pouco mais de perto a natureza deste entusiasmo. Um tal entusiasmo parece ser o equivalente, no terreno do sentimento, daquilo que no terreno intelectual La Rochefoucauld denomina la *fièvre de la raison* (a febre da razão). Se alguma outra coisa pudesse ter provocado este entusiasmo em Alcebíades (pois que a ironia é capaz disto, eu já procurei mostrar anteriormente), então isto certamente deveria ser indicado no discurso elogioso de Alcebíades. É o que veremos agora. Alcebíades sublinha as características de Sileno em Sócrates: "Sócrates diz que é ignorante em todos os assuntos e que nada sabe. Esta forma não é típica de Sileno? Certamente; pois é aquela com que por fora ele se reveste, como o Sileno esculpido; mas lá dentro, uma vez aberto, de quanta sabedoria imaginais, companheiros de bebida, estar ele cheio! [...] Ele se oculta diante dos homens e se diverte sempre com isso, mas, se fica sério e abre o seu interior, eu não sei se alguém já viu as imagens divinas que há em sua alma. Eu já as vi uma vez, e elas me pareceram tão divinas, tão douradas, belas e admiráveis acima de qualquer medida, que eu, no mesmo instante, decidi que precisava fazer tudo o que Sócrates ordenasse". Aqui então é preciso observar o seguinte. Por um lado, não é fácil fazer uma ideia daquilo que Alcebíades propriamente quer dizer, e neste sentido não é totalmente descabido afirmar que nem mesmo Alcebíades tinha uma ideia totalmente clara a respeito do assunto. Por outro lado, o próprio Alcebíades indica que só muito raramente Sócrates se manifestara desta maneira. E se perseguirmos mais adiante as indicações mesmas de Alcebíades, então veremos que ele emprega a expressão: "eu já as vi uma vez". Ele contemplou estas imagens divinas. Se se deve pensar o que isto possa significar, certamente se terá de pensar na presença divina da personalidade que sustentava a ironia, mas com isso ainda não se disse de Sócrates nada *mais* do que se pode dizer dele *como irônico*. Tais instantes de transfiguração, porém, comprovam, no máximo, a presença de uma plenitude divina *secreta* (*katà krypsin*), de modo que não se pode dizer que era a plenitude divina o que entusiasmava. Se recordarmos além disso que o elemento próprio de Sócrates era o discurso, a conversação, então parece realmente que Alcebíades emprega a expressão "ver" com uma espécie de ênfase; assim também é surpreendente ouvir Alcebíades dizer: "Foi este sem dúvida um ponto em que em minhas palavras eu deixei passar, que também os seus discursos são muito semelhantes ao Sileno que se entreabre". Aliás, isto parece também indicar que o essencial era a personalidade de Sócrates, pela qual Alcebíades estava enamorado, por aquela harmônica determinação natural, que entretanto se consumava numa relação negativa de si para com a ideia e num onfalópsico fixar-se em si mesmo. É certo que Alcebíades diz que tais discursos, quando a gente os via abertos, eram primeiramente os mais razoáveis e logo os mais divinos, que continham grande quantidade de imagens da virtude e que tinham a maior abrangência. Mas mesmo no caso de que isto tivesse sido o que mais se destacava nos discursos de Sócrates, ainda não estaria explicado de onde provinha toda a inquietude apaixonada, todo o demoníaco em seu amor, dado que então antes se deveria esperar que o convívio com Sócrates tivesse contribuído para desenvolver em Alcebíades a essência incorruptível de um espírito tranquilo.

Vemos por isso também que tudo se encerra com Sócrates, em sua ironia, arremessando novamente Alcebíades no mar ondulante, e este, apesar de sua embriaguez, de seu entusiasmo e de suas grandes palavras, não consegue progredir em sua relação com Sócrates. Sim, Alcebíades ainda precisa aguentar mais coisas: assim como ele "num desejo sensual se deitara sob o manto de Sócrates e com ambos os braços envolvera este homem divino e verdadeiramente admirável, e ficara assim deitado a noite toda, e desprezado, ridicularizado, insultado apesar de sua beleza, não se levantara do leito de Sócrates de outra maneira do que se tivesse dormido com um pai ou um irmão", assim também agora ele tem de aguentar que Sócrates o afaste de si novamente com a observação de que ele havia feito todo o seu discurso por ciúme de Agatão; "como se tudo o que disseste não tivesse sido em vista disso, de me indispor com Agatão, dado que tu crês que devo amar-te e a nenhum outro, e que Agatão é por ti que deve ser amado, e por nenhum outro". – Vejamos em seguida as indicações que esta exposição nos dá sobre a natureza do amor tal como era o de Sócrates: nós nos convenceremos de que a teoria e a práxis estavam de acordo. O amor aqui descrito é o da ironia, amor irônico, mas a ironia é o *negativo no amor*, é o incitamento do amor, correspondendo, no terreno da inteligência, às troças, às rusgas de namorados no reino do amor inferior. É indiscutível que há no irônico, para recordar mais uma vez, um fundo original, um valor constante, porém, a moeda que ele faz circular não tem o valor nominal, mas é, como papel-moeda, um nada, e mesmo assim todo o seu intercâmbio com o mundo se efetua neste tipo de moeda. A plenitude nele é uma determinação natural, e por isso nem ela se encontra nele na imediatidade como tal, nem ela é adquirida através da reflexão. Assim como é preciso um alto grau de saúde para ser doente, mas a saúde não é observada na plenitude positiva, e sim na força vital com que constantemente alimenta a doença, assim também ocorre com o irônico e a plenitude positiva nele. Esta não se desenvolve em plenitude de beleza; sim, o irônico até procura dissimular os tubos de mergulhador que o ligam com o ar atmosférico que o alimenta.

Uma observação ainda, porém, antes de eu deixar o *Banquete*. Baur faz a bela observação de que o *Banquete* se encerra com Agatão e Aristófanes (os momentos discursivos) ao final embriagados, enquanto somente Sócrates permanece sóbrio como a unidade do cômico e do trágico; Baur recorda igualmente a analogia, aos meus olhos infeliz, que Strauss estabeleceu entre esta conclusão do *Banquete* e a transfiguração de Cristo no monte. Na medida em que é possível dizer que Sócrates deve fornecer *a unidade* do cômico e do trágico, evidentemente isto só pode acontecer na medida em que a própria ironia é esta unidade. Se a gente quiser imaginar que Sócrates, depois que todos já estavam embriagados, mergulhara em si mesmo conforme antigo hábito, então ele poderia fornecer, com este fixar os olhos extaticamente para a frente, uma imagem plástica da unidade abstrata do cômico e do trágico, de que aqui se pode falar. Olhar fixo pode denotar, com efeito, ou um mergulhar em contemplação (este seria sobretudo o olhar fixamente que se encontra nos textos platônicos); ou este olhar fixo pode designar, como costumamos dizer, que não se pensa em nada, um nada pensar, na medida em que o "nada" quase se torna sensível para alguém. Uma tal unidade superior, Sócrates era bem capaz de fornecer, mas esta unidade é a unidade *abstrata e negativa* no nada.

PROTÁGORAS

Passarei agora a tratar o *Protágoras* de uma maneira semelhante, para mostrar como todo o movimento dialético, que é aqui o único que se destaca, termina no totalmente negativo. Antes, porém, de passar a isto, deve haver lugar aqui para uma observação mais geral no tocante aos diálogos de Platão, e eu creio que é um lugar adequado, já que *Protágoras* é o primeiro diálogo que dá ocasião a isto. Caso se queira dividir os diálogos de Platão, eu creio que o mais correto é seguir a distinção feita por Schleiermacher entre os diálogos nos quais o *dialógico* é um momento essencial e a incansável ironia ora separa, ora liga a disputa e os disputantes, e os diálogos *construtivos*, que se caracterizam por uma exposição objetiva e científica. Estes últimos são: a *República*, o *Timeu* e o *Crítias*. No que tange a estes diálogos, tanto a tradição quanto o seu próprio caráter interno os remete à última etapa do desenvolvimento. Nesses diálogos, a forma da pergunta é propriamente um momento ultrapassado, o interlocutor, ao responder, aparece mais como uma testemunha instrumental, como um representante da comunidade com seu Sim e Amém, em suma, não se dialoga, não se conversa mais. Além disso, a ironia em parte também desaparece. Mas se nos recordamos o quão necessário era para Sócrates o conversar, e como ele constantemente apenas colocava a opção entre se ele deveria perguntar e o outro responder ou se o outro perguntaria e ele responderia[34], então aqui certamente veremos uma diferença essencial entre Platão e Sócrates, quer Platão a tivesse concebido conscientemente, quer a tivesse reproduzido com fidelidade imediata. Com estes diálogos construtivos eu terei muito pouco a ver, dado que eles não podem fornecer nenhuma contribuição para a concepção da personalidade de Sócrates, nem quanto ao que ela era em realidade, nem quanto ao modo como Platão a representava para si; pois qualquer um que conheça alguma coisa desses diálogos certamente perceberá em que relação totalmente exterior a personalidade falante está com o objeto, de modo que o nome Sócrates quase se tornou um *nomen appellativum* (substantivo comum) que apenas designa o falante, o que discursa. Acrescente-se a isso que o cordão umbilical que liga o discurso ao orador foi cortado, de modo que se mostra como algo completamente casual que a forma do diálogo ainda seja empregada, e a gente quase deveria estranhar que Platão, que na *República* desaprova a exposição poética oposta ao simples relato, não tenha feito a exposição do diálogo ceder lugar a uma forma científica mais rigorosa.

Uma grande parte daqueles primeiros diálogos termina *sem resultado*, ou, como Schleiermacher observa, todos os diálogos que antes da *República* tratam de uma ou outra virtude não descobrem a correta explicação; cf. *Platons Werke*, 3a parte, t. I, p. 8: "Assim tratava o *Protágoras* a questão da unidade e *da ensinabilidade* da virtude, mas sem estabelecer o conceito desta, assim também no Laques é o caso da coragem e no Cármides, da sensatez. E como também a oposição entre amigo e inimigo constitui um importante momento na questão da justiça, nós podemos aqui mencionar o Lísis". Sim, que eles se encerram sem resultado, pode-se ainda determinar de maneira mais precisa dizendo que eles acabam num *resultado negativo*. Como exemplo disto deve servir agora o *Protágoras*, assim como também o primeiro livro da *República*, que de acordo com a observação de Schleiermacher igualmente acaba sem resultado. Isto é, entretanto, de grande importância para esta investigação, pois se se trata de descobrir o elemento socrático (*det Socratiske*), este deve ser decerto procurado nos primeiros diálogos.

Se a *intenção* do diálogo *Protágoras* é dar um impulso para uma resposta exaustiva e definitiva aos problemas contidos no diálogo (sobre a unidade da virtude e a possibilidade de ser ela ensinada), ou se, como Schleiermacher acredita, esta intenção não consiste em nenhum ponto particular e consequentemente é incomensurável com as tarefas abordadas no diálogo, e planando por sobre o conjunto só se realiza na ilustração purificada e rejuvenescida do método socrático, que aparece através do sucessivo desaparecimento de todo e qualquer ponto particular, eis o que eu não quero aqui decidir, mas apenas observar que de bom grado posso estar de acordo com Schleiermacher, contanto que o leitor simplesmente recorde que o método, segundo o meu modo de ver, não consiste no dialético da forma da pergunta enquanto tal, porém, na dialética que parte da ironia e retorna à ironia, na dialética sustentada pela ironia. Sócrates e o sofista ficam, portanto, ao final do diálogo, assim como os franceses dizem (propriamente de uma só pessoa): *vis-à-vis au rien* (frente ao nada); eles ficam um defronte ao outro, assim como dois carecas que após uma longa disputa finalmente encontraram um pente. Desde logo, o que para mim é essencial neste diálogo é naturalmente toda a *estrutura irônica* que há nele. Pois o fato de não se ter chegado a alguma resposta exaustiva, decisiva para os problemas levantados, equivaleria ao dito de Schleiermacher, de que o diálogo termina sem resultado; mas isso ainda não seria nada irônico, dado que a interrupção da investigação poderia em parte basear-se numa pura contingência, de onde procederiam desdobramentos ao infinito, e em parte poderia estar ligada a uma profunda nostalgia por livrar-se, graças a um nascimento perfeito, das estéreis dores anteriores, ou com outras palavras: o diálogo poderia tomar consciência de si como um momento dentro de uma investigação completa. Assim, o diálogo terminaria muito bem sem resultado, mas este "sem resultado" não seria de maneira alguma idêntico com um resultado negativo. Um resultado negativo precisa sempre ser um resultado; e um resultado negativo em seu estado mais puro e sem mistura só a ironia é que pode proporcionar; pois até mesmo o ceticismo põe sempre algo, enquanto a ironia, pelo contrário, renova constantemente, como aquela velha bruxa, a tentativa certamente digna de Tântalo, de primeiro devorar tudo, e por fim devorar-se a si mesma também, ou, como convém às bruxas, devorar seu próprio estômago.

O diálogo, por isso, mantém muito bem *a consciência desta falha*, aliás, por assim dizer, ele até saboreia com uma certa satisfação todo o encanto da aniquilação, e não apenas se deleita com a destruição do sofista. Sócrates mesmo diz:... "a conclusão atual do nosso diálogo se levanta contra nós como um homem a rir de nós, e se pudesse falar dir-nos-ia: Sois muito inconsequentes, Sócrates e Protágoras!" Com efeito, depois de Protágoras ter abandonado a exposição demonstrativa, os dois contendores haviam tentado todas as formas de luta, primeiramente Sócrates sendo o que perguntava e Protágoras o que respondia, depois este perguntando e aquele respondendo, e finalmente Sócrates reassumindo o papel de interrogante e Protágoras respondendo, numa disputada zanga-burrinha, para usar uma expressão tanto quanto possível ilustrativa, e ao final de tudo isso surgia o curioso fenômeno: Sócrates defende o que queria atacar, e Protágoras combate aquilo que pretendera defender. Todo esse diálogo recorda a conhecida disputa entre um católico e um protestante, que termina cada um convencendo o outro, de modo que o católico fica protestante e o protestante católico[35]; só que aqui neste diálogo o ridículo é assumido na consciência irônica. Há uma *objeção* que poderia ser levantada aqui e que eu levarei tanto mais em consideração quanto somente um leitor atento seria capaz de fazê-lo. Poderia de fato parecer que Platão tivesse colocado a alavanca irônica para jogar pelos ares, numa viagem pelas estrelas extremamente engraçada, não apenas Protágoras, mas também Sócrates; e embora este último tenha se livrado de maneira muito divertida de tal confusão, eu preciso proibir-me de aceitar uma tal interpretação justamente por causa dele. Com efeito, é o próprio Sócrates quem faz aquela observação; e qualquer leitor que tenha um mínimo de simpatia não poderá deixar certamente de imaginar aquele sorriso irônico discutindo com seriedade irônica e a partir daí se esforçando ambiguamente para daí se livrar, sorriso que acompanha a sua admiração irônica diante do fato de que todo o jogo acabou naquele resultado, e a surpresa com que ele vê Protágoras descobrir o que ele necessariamente sabia que Protágoras tinha de descobrir, dado que ele mesmo o tinha escondido.

Isso a respeito de toda a estrutura do diálogo ou da forma no diálogo. Se nos voltarmos agora para o *conteúdo*, isto é, para os problemas aí entrelaçados, e que como balizas nas pistas de corrida fornecem os pontos fixos em volta dos quais os adversários se movimentam, buscando roçar cada vez mais rente, passar por eles cada vez mais depressa, então eu creio que em todo o conjunto se descobrirá uma *ironia negativa* semelhante.

É o caso especialmente da primeira questão: se a virtude é uma só. Sócrates levanta então a questão se a justiça, a prudência e a piedade etc. são partes da virtude ou simplesmente nomes para uma única e mesma coisa; e a seguir, se são partes do mesmo modo como as partes do rosto, ou seja, boca, nariz, olhos e orelhas, ou antes são como as partes do ouro, que em nada se diferenciam uma das outras mutuamente e nem do todo, a não ser no tamanho. Sem entrar nos detalhes de uma discussão pormenorizada da variada sofística que de ambos os lados é empregada, recordarei apenas que a argumentação de Sócrates visa anular a relativa desigualdade entre as diferentes virtudes para salvar a unidade, e Protágoras, ao contrário, tem constantemente em vista a desigualdade qualitativa, mas por isso, mesmo carece de um laço de união que tivesse condições de abraçar e reunir a rica multiplicidade. A ideia da mediação não surge, portanto, diante dele, que anda às apalpadelas neste crepúsculo quando, para reivindicar a unidade, agarra-se firmemente à ideia de mediação subjetivada que repousa sobre a identidade da igualdade e da desigualdade. Em geral, diz ele, todas as coisas se assemelham num certo aspecto. Mesmo o branco se assemelha de uma certa maneira ao preto, e o duro ao mole, e assim também todas as coisas que parecem ser as mais contrárias umas às outras. A unidade da virtude[36], pelo contrário, segundo a concepção de Sócrates, é como um tirano que não tem coragem para dominar o mundo real, e que primeiro assassina todos os seus súditos, a fim de poder então, com toda segurança, orgulhosamente dominar o reino silencioso das sombras descoloridas. Se a piedade não é justiça, assim argumenta Sócrates, então também o ser piedoso é o mesmo como o ser não justo, isto é, injusto, isto é, ímpio. Qualquer um percebe facilmente o que há de sofístico na argumentação de Sócrates. Mas aquilo que eu quero salientar especialmente é que a unidade da virtude fica encerrada em si mesma de maneira tão abstrata, tão egoística, que se torna apenas aquele recife no qual as virtudes particulares, como veleiros bem carregados, encalham e se quebram. A virtude percorre, como um suave murmúrio, como um estremecimento, suas próprias determinações, sem que ela se torne perceptível, para nem dizer articulada, em alguma delas; é como se eu imaginasse que cada soldado esquecesse a palavra de ordem no mesmo instante em que a murmurasse ao ouvido de seu vizinho, e aí eu pensaria numa fileira infindável de soldados: é como se não existisse a palavra de ordem, e é assim aproximadamente, o que ocorre com a unidade da virtude. Em primeiro lugar, é claro que a determinação da virtude, de que ela é una no sentido em que Sócrates o afirma, não é propriamente nenhuma determinação, dado que é a enunciação assoprada da maneira mais fraca possível de sua existência, e nesta ocasião basta que eu recorde, para esclarecimento adicional, a aguda avaliação de Schleiermacher, que se encontra em sua *Dogmática*, sobre a significação da característica de Deus, de Ele ser uno; e em segundo lugar, aquela determinação é uma determinação negativa, dado que esta unidade que é estabelecida é tão insocial quanto possível. O *irônico* consiste em que Sócrates subtrai manhosamente a Protágoras toda e qualquer virtude concreta e à medida que deve reconduzi-la à unidade volatiliza-a completamente; o *sofístico* é o que lhe dá a força que o capacita para isso; e assim nós temos *ao* mesmo tempo a ironia sustentada pela dialética sofística e a dialética sofística repousando na ironia.

No que tange à segunda questão, se a virtude pode ser ensinada, conforme a opinião de Protágoras, ou não pode ser ensinada, conforme a opinião de Sócrates, aquele naturalmente insiste demais no momento discreto, ao fazer com que uma virtude se desenvolva totalmente às custas de outra, e, enquanto unidade, esteja presente no indivíduo respectivo, assim coroando alguém que ainda está correndo na pista. Sócrates, ao contrário, sustenta a unidade de um tal modo que ele, apesar de estar de posse de um enorme capital, continua pobre, dado que não o pode tornar fecundo. A proposição socrática, de que a virtude não pode ser ensinada, parece conter um alto grau de positividade, visto que reduz a virtude, ou a uma determinação natural, ou a algo de fatalístico. Mas a virtude concebida como harmonia imediata em sua fatalística *diáspora* é, de qualquer maneira, num outro sentido, uma *determinação* completamente *negativa*. Por outro lado, a tese de que a virtude pode ser ensinada deve ser compreendida de tal maneira, que um vazio original no homem seja preenchido pouco a pouco através de um ensino, mas esta é uma contradição, dado que algo que é absolutamente estranho ao homem jamais poderá ser introduzido nele; ou então essa tese é a expressão de uma determinação interna da virtude que se desenvolve gradualmente sob uma sucessão de ensinos, e pressupõe assim a sua presença original.

O equívoco do sofista está em que pretende introduzir algo no homem; o socrático, ao contrário, em negar em todo e qualquer sentido que a virtude possa ser ensinada. E assim é evidente que esta concepção socrática é negativa; com efeito, ela nega a vida, o desenvolvimento, em suma, nega a história em seu sentido mais comum e mais vasto. O sofista nega o original, Sócrates, a história subsequente. – Se perguntarmos além disso a que consideração mais geral deve reportar-se esta visão socrática, em qual totalidade ela se baseia, então é evidentemente a *reminiscência* no sentido que se atribui a ela; mas reminiscência é justamente o desenvolvimento retrógrado, regressivo, e com isso é a imagem oposta do que se chama estritamente desenvolvimento. Nós temos assim não apenas uma determinação negativa na proposição de que a virtude não pode ser ensinada, mas também uma determinação *ironicamente negativa*, que se move em direção completamente oposta. A virtude está tão longe de poder ser ensinada, que até, pelo contrário, situa-se bem para trás do indivíduo, tão antes dele, que até seria de se temer que ela estivesse esquecida. Em termos platônicos, isto significaria fortalecer a existência com o pensamento edificante de que o homem não é jogado fora de mãos vazias no mundo e que pela reminiscência ele pode tomar consciência de seu rico dote; em termos socráticos, isto significaria invalidar toda a realidade e remeter o homem a uma reminiscência que constantemente se retrai mais e mais rumo a um passado que recua ele mesmo no tempo, como a origem daquela nobre família que ninguém chegava a lembrar. É bem verdade que Sócrates não defende esta tese, mas nós veremos que o que ele coloca no lugar dela não é menos irônico. Que a virtude pode ser ensinada ou não o pode ser, até agora eu o concebi no sentido de fazer experiência, eu entendi a questão no sentido da escola da experiência, na qual a virtude é ensinada e aprendida. Nós já observamos que, enquanto o sofista leva os homens constantemente à escola, abandonando-os depois à própria sorte, de tal modo que a experiência frouxa e descontínua nunca os faz sábios, como na história do *dumme Gottlieb* (Teófilo, o bobo), Sócrates torna a virtude tão esquiva e retraída que eles, por esta razão, jamais chegam a fazer a experiência.

Sócrates faz, entretanto, uma tentativa ainda mais profunda para mostrar que a virtude é una, ou seja, ele quer descobrir "o outro", no qual todas as virtudes, por assim dizer, amam-se mutuamente, e é isto que vem a ser o conhecimento. Entretanto, este pensamento não é, de maneira alguma, levado a cabo até a profundidade do pelagianismo despreocupado característico da cultura grega, de sorte que o pecado se reduz a ignorância, equivocação, ofuscamento, e passa despercebido o momento da vontade que há no pecado: orgulho e obstinação. Aqui, porém, na medida em que, para apoiar-se em terra firme, Sócrates disputa e *concessis* (a partir de pontos concordados), ele apresenta o bem como sendo o agradável, e o conhecimento como a arte de comedir, uma apreciação refinada no terreno do gozo. Mas, no fundo, um tal conhecimento anula-se a si mesmo, na medida em que constantemente ele se pressupõe. Assim, a ironia de todo o diálogo, antes mencionada, mostra-se no fato de que Sócrates, que declarara não poder a virtude ser ensinada, mesmo assim a reduz ao conhecimento e comprova assim o oposto; e isto também acontece com Protágoras; mas esta ironia se faz notar por Sócrates apresentar um conhecimento que, como foi dito, finalmente suprime a si mesmo, na medida em que o cálculo infinito da relação de gozo impede e sufoca o próprio gozo. Vemos então: o bem é agradável, o agradável baseia-se no gozo, o gozo baseia-se no conhecimento, o conhecimento num infinito medir e pesar, quer dizer: o negativo consiste numa insatisfação desgraçada, necessariamente ligada a uma empiria sem fim; o irônico consiste naquele "faça bom proveito!" que Sócrates, por assim dizer, deseja a Protágoras. Deste modo, Sócrates retorna, num certo sentido, novamente para a sua primeira tese, a de que a virtude não pode ser ensinada, na medida em que a soma infinita da experiência, tal como um monte de consoantes, quanto mais se aumenta, tanto menos se deixa pronunciar. Na primeira potência, o irônico consiste portanto em apresentar uma tal doutrina do conhecimento que aniquila a si mesma; e na segunda potência o irônico leva Sócrates, como por uma casualidade, a defender a tese de Protágoras, embora, na verdade, com a sua própria defesa, ele a acabe aniquilando. Pois seria completamente absurdo, afinal, admitir que o Sócrates platônico pudesse estabelecer a tese de que o bem é o agradável e o mal é o desagradável por qualquer outra razão que não fosse para a aniquilar.

FÉDON

Passarei agora ao exame do *Fédon*, um diálogo, no qual o mítico é predominante, assim como o dialético se encontra mais puro no *Protágoras*. Nesse diálogo são dadas as provas da imortalidade da alma, e a esse respeito eu introduzirei preliminarmente uma observação de Baur (p. 112): "Esta crença (na sobrevivência da alma após a morte) fundamenta-se nas provas que Platão faz Sócrates desenvolver, mas estas mesmas provas, quando as olhamos mais de perto, nos remetem outra vez a algo de diferente, que se encontra na relação mais imediata com a pessoa de Sócrates".

No entanto, antes de passar à investigação da natureza dessas provas, eu darei a minha modesta contribuição para solucionar (besvare) a questão do *parentesco* entre o *Banquete* e o *Fédon*. Todos sabem que Schleiermacher e depois dele entre nós Heise colocaram estes dois diálogos na mais estreita vinculação ao admitirem que estes dois diálogos abarcavam toda a existência socrática, tanto como esta transcorreu no mundo quanto para além do mundo; e ao ordenarem esses diálogos no ciclo de todos os diálogos platônicos, acreditaram que esses forneciam o elemento positivo para o *Sofista* e o *Político* (na medida em que estes últimos diálogos, na opinião deles, não haviam atingido o que buscavam, isto é, apresentar a natureza e a essência do filósofo), e isto valeria especialmente a respeito da relação do *Sofista* para com esses diálogos, dado que o sofista justamente tinha de ser a negação do filósofo. Ast pensa diferente[37]: em sua obra *Platons Leben und Schriften* (Vida e escritos de Platão. Leipzig, 1816) situa o *Fédon* na primeira linha dos diálogos platônicos, os assim chamados socráticos, e que para Ast são quatro: *Protágoras, Fedro, Górgias* e *Fédon* (cf. p. 53). Ele observa, no tocante à relação entre esses quatro diálogos: "Certamente, se o *Protágoras* e *Fedro*, devido ao predomínio do mímico e do irônico, inclinam-se para o cômico, o *Fédon* é decididamente trágico: sublimidade e emoção são o seu caráter" (p. 157). Além disso, ele observa que Schleiermacher teria desconhecido completamente o espírito da composição platônica ao colocar o *Fédon* numa vinculação com o *Banquete*: "No *Banquete*, o sábio helênico é apresentado como um perfeito erótico; no *Fédon*, ao contrário, desaparece o helenismo sereno, de *beleza* celestial, e o Sócrates grego vem a ser idealizado como um brâmane hindu, que vive somente na nostalgia de uma reunificação com Deus, e cuja filosofia, portanto, é consideração da morte [...] Ele (o espírito) foge da sensualidade que perturba e prejudica o espírito, e suspira languidamente pela libertação das cadeias do corpo que o encarcera" (p. 157s.). – Que à primeira vista há uma diferença altamente significativa entre o *Fédon* e o *Banquete*, é óbvio; mas, por outro lado, não se pode aí negar de maneira nenhuma que Ast *isola* completamente o *Fédon*, e que a tentativa que faz para colocá-lo em vinculação com *Fedro*, *Protágoras* e *Górgias* ao qualificá-lo como trágico, onde o comovente predomina, não está propriamente de acordo com o que ele mesmo diz sobre a sombria mística oriental que forma o contraste com o luminoso helenismo, de beleza celestial, que forma como que a abóboda do *Banquete*; pois, se o *Fédon* é trágico, nem por isso o céu grego deixaria de iluminá-lo de bom grado com a mesma beleza e tranquilidade sem nuvens, já que afinal ele fora testemunha de tantas tragédias, sem que com isso ficasse cheio de nuvens ou então o ar se tivesse tornado opressivo e sufocante como nos orientais. Mas se ele não é grego, então se tentará em vão incorporá-lo a Platão, para nem falar da tentativa de alinhá-lo aos outros diálogos. No que tange, ao contrário, à concepção de Schleiermacher, não se pode negar que a visão da vida que é apresentada no *Banquete* e a visão da morte que é oferecida no *Fédon não se harmonizam totalmente*, o que já se pode observar pelo fato de que *Fédon* faz da morte o ponto de partida para a visão da vida, enquanto o *Banquete* sustenta uma visão da vida onde a morte não é assumida como momento.

Essas duas concepções não podem de maneira alguma ser pensadas como bem-conjugadas uma à outra de modo a poderem compenetrar-se mutuamente sem uma terceira concepção. Esta terceira concepção tem de ser uma consideração especulativa capaz de ultrapassar a morte ou então a ironia, que no *Banquete* fazia do amor o substancial na vida e, contudo, retirava com a outra mão o que havia dado, ao conceber negativamente o amor como nostalgia que considera a vida retrospectivamente e mergulha constantemente nos obscuros longes de onde a alma saiu, ou mais corretamente na transparência infinita e sem forma. A morte, no *Fédon*, é evidentemente concebida de maneira totalmente negativa. É certo que a morte é e continua sendo sempre um momento negativo, mas logo que ela é concebida apenas como momento, o positivo que há nela, a metamorfose libertadora, sobreviverá vitoriosamente ao negativo. Se então eu me declaro pela *ironia* (não obstante expressões tais como as da p. 27: "Pelo menos, se assim fizer – observou Sócrates –, talvez não haja ninguém, ao ouvir-me falar neste momento – ninguém, mesmo que seja um poeta cômico – para pretender que sou tagarela e que falo de coisas que não me dizem respeito", *Fédon*, 70 c), esta minha opção talvez pareça a um ou outro à primeira vista bastante absurda, mas depois de um exame mais pormenorizado talvez bem aceitável. De fato, a unidade especulativa não poderia estar presente de modo tão invisível e imperceptível, mas a irônica sim.

Quando eu digo que a *ironia* é um *elemento essencial* no *Fédon*, eu *não* estou pensando, naturalmente, nos *floreios* irônicos que se encontram espalhados por este diálogo, dado que, por mais importantes que possam ser e por mais abundantes que eles se tornem quando se observa com mais profundidade, eles só podem ser, no máximo, acenos para uma concepção definitiva que atravessa todo o diálogo. Quero introduzir alguns exemplos. A p. 42 (77 d-e): "Contudo, parece-me que gostarias, Cebes, e tu também, Símias, de aprofundar esta prova, pois estais dominados pelo medo pueril de que um vento qualquer possa soprar sobre a alma no momento de sua saída do corpo para dispersá-la e dissipá-la, sobretudo quando, por pura coincidência, há uma forte ventania no instante de morrermos". E à p. 119 (115 c-d): Sócrates censura Críton porque este lhe pergunta de que maneira quer ser enterrado, e acrescenta que provavelmente Críton acredita que tudo o que ele havia falado até ali sobre o modo como se encaminharia para a felicidade dos bem-aventurados, "seja ela qual for", só o fora dito para tranquilizar os discípulos e a si mesmo [...]". Sede, pois, meus fiadores junto a Críton, garantindo-lhe o contrário daquilo que ele afiançou aos juízes. Ele jurou que eu ficaria no meio de vós; vós, porém, afirmai-lhe que não ficarei entre vós quando morrer, mas que partirei, que me irei embora!" Não obstante, tais formulações irônicas ainda se deixariam compatibilizar com a suposta seriedade e a profunda emoção que devem impregnar todo o diálogo; mas é claro que também não se pode negar que estas expressões têm um efeito muito melhor quando se nota nelas a brotação tranquila e secreta da ironia.

A primeira contribuição que quero aportar para a sustentação de minha tese é, por outro lado, uma defesa de que o espírito deste diálogo é *autenticamente grego* e *não oriental*. De acordo com a ideia que eu posso ter da mística oriental, aquele "ir morrendo" de que aqui se fala consiste numa distensão do vigor da alma, num relaxar daquela tensão que é a consciência, numa dissolução e numa lassidão que afunda melancolicamente, num amolecer-se, pelo qual a gente não se torna mais leve e sim mais pesado, pelo qual a gente não se volatiliza, mas se amalgama caoticamente e, num movimento indeterminado, move-se numa massa nebulosa. O oriental pode, portanto, muito bem ser libertado do corpo e senti-lo como algo de opressivo; mas isto não é desejado propriamente para que ele se torne mais livre, e sim mais ligado, como se ele em vez da locomoção preferisse a vida calma e vegetativa da planta. Isto significa preferir, ao céu do pensamento, o gozo letárgico e nebuloso que o ópio pode proporcionar; e em vez da energia da ação, preferir um ilusório repouso, ligado a um *dolce far niente* (agradável ociosidade), num estado de acabamento. Mas o céu da Grécia é alto e abobadado, não é chato e opressivo, ele se eleva sempre mais, não se abaixa angustiado; seu ar é leve e transparente, e não nebuloso e sufocante. As aspirações e nostalgias de que se pode falar aqui dirigem-se, portanto, para um tornar-se sempre mais leve, para um concentrar-se num sublimado sempre mais volátil, e não para um evaporar-se numa lassidão entorpecente. A consciência não quer ser diluída em fluidas determinações, mas enrijecida mais e mais. Portanto, o oriental quer recuar para trás da consciência. Contudo, este totalmente abstrato, que o grego quer, torna-se finalmente o que há de mais abstrato, de mais leve, ou seja, o nada. E aqui chegamos a um ponto de coincidência para as duas concepções que procedem seja da mística subjetiva, seja da ironia. E, com certeza, será evidente para qualquer um que tenha lido este diálogo que a existência resultante daquele ir morrendo sucessivamente é concebida no *Fédon* de maneira *totalmente abstrata*. Entretanto, não pode ser fora de propósito examinar um pouco mais de perto este ponto. Em parte, isto se conseguiria quando se mostrasse como é que Sócrates *concebe a natureza da alma*, na medida em que, afinal de contas, a correta concepção da alma teria de conter propriamente em si, teria de estar impregnada pela verdadeira prova de sua imortalidade; e em parte, analisando com maior exatidão as diferentes expressões que se encontram referentes ao *futuro "como"* da alma. Para esta última investigação ainda recorrerei *subsidialiter* (subsidiariamente) à *Apologia*, que precisamente como um documento histórico deve poder guiar-nos em nosso caminho.

Antes de passar a estas investigações, eu quero ainda observar simplesmente que, levando-se em conta a importância que sempre deveria ter uma questão tal como a da imortalidade da alma, é muito grave o fato de o platonismo tratá-la apenas ocasionalmente, isto é, somente a respeito da morte de Sócrates. Passarei, pois, agora, à primeira investigação, ou seja, à questão do modo como Sócrates *concebe a essência da alma*, e isto nos introduz numa discussão mais pormenorizada das *provas apresentadas* por ele para a sua imortalidade[38].

Como *introdução* à argumentação propriamente dita, Sócrates explica primeiramente como se situa o desejo de morrer dos filósofos. Pois se a morte é, como se admite, uma separação de corpo e alma, e além disso o conhecimento verdadeiro se baseia numa abstração da percepção sensorial inferior, dado que jamais se atinge numa percepção sensível aquilo que constitui a essência da coisa, segundo a qual ela é o que é, como a grandeza, a saúde, a força etc. (cf. p. 17, *Féd.* 65 d-e), então é fácil ver como os filósofos precisam desejar (cf. p. 20, *Féd.* 66 d-e), ter a ver o mínimo possível com o corpo, sim, ser purificados e libertados, pela morte, da insanidade do corpo, para cumprir o que já aqui na vida tentaram (cf. p. 18, *Féd.* 65 e-66 a): perseguir com o pensamento puro a essência pura das coisas. Mas aqui, evidentemente, *a alma é concebida* de maneira tão *abstrata* quanto a essência pura das coisas, que constitui o objeto de sua atividade. E subsiste uma séria dúvida, por maior que seja o esforço da tentativa filosófica de arrancar a essência pura das coisas de todos os seus esconderijos, se aí verdadeiramente se mostrará algo de diferente do puramente abstrato (saúde, grandeza etc.) o qual, como tal, em sua oposição ao concreto, não é nada. Daí se segue, novamente, que a alma, em sua atividade cognoscitiva, mesmo para tornar-se congruente com o seu objeto, precisa tornar-se na mesma medida um nada (*blive til Intet*). Sim, a alma precisa tanto tornar-se sempre mais leve, que apenas as almas acostumadas a ter muito contato com o corpo são por este motivo (cf. p. 50. *Féd.* 81 b-c) tornadas pesadas e trazidas de volta para o lugar visível, porque elas temem o informe e o mundo do espírito e agora se movimentam como fantasmas sombrios ao redor dos monumentos fúnebres e das tumbas. Como tais imagens de sombras devem nos parecer aquelas almas que não se libertaram totalmente, mas ainda têm parte no sensível, razão por que elas podem também ser vistas. Não haveria nada a dizer contra a concepção dos espectros como existências imperfeitas, e contudo, quando se põe o "informe" como sendo o ideal, aí se vê de que maneira tão negativa tudo é concebido, e como *a alma se transforma em nada.* Se se quiser por isso dar razão a Sócrates no dilema que ele apresenta (cf. p. 20, *Féd.* 68 a-b), que se teria de admitir de duas uma, que nós jamais chegaremos ao conhecimento ou então só o alcançaremos depois da morte, então certamente se ficará bastante crítico em relação à saída socrática. Eu me demorei um pouco mais nessas investigações introdutórias porque elas dão uma ideia a respeito do que se pode esperar de toda a consideração subsequente. Colocar os argumentos particulares e depois percorrê-los um a um levaria longe demais; e aos leitores que desejam não persegui-los em seu surgimento ao longo da conversação, mas sim vê-los tanto quanto possível em um tratamento científico completo, eu quero indicar Baur e Ast.

Ao contrário, parece ser da maior importância observar que os *argumentos particulares* que são introduzidos nem *sempre* estão em *harmonia* uns com os outros. Quando, com efeito, o argumento tirado da consideração de que o oposto surge do seu oposto e de que entre os modos das oposições encontram-se duas correntes – a passagem do primeiro para o segundo e o retorno do segundo para o primeiro –, é vinculado com o argumento que procura deste modo assegurar a continuidade graças à doutrina da preexistência da alma, assim como esta se manifesta na natureza e na essência da reminiscência, então eu não posso entender senão que: ou o conceito de sua preexistência exclui a ideia de nascimento, ou, se se quer sustentar a preexistência em harmonia com a visão do devir, é preciso neste caso admitir ter Sócrates demonstrado a ressurreição dos corpos. Porém, isto está, sem dúvida, em completa contradição com o resto de sua teoria. Um desacordo permanecerá sempre, certamente, entre estes dois argumentos, e não poderá ser removido apenas graças à falta de clareza sobre o que seja propriamente a morte, que se encontra no primeiro deles, ou com a pressuposição sub-reptícia, que Baur critica com toda razão, de que a morte não é interrupção da vida, mas apenas uma outra espécie de existência (cf. p. 114). Quando então Baur recusa força probatória a esses argumentos e é da opinião de que eles são somente uma exposição analítica do conceito da alma, e que, portanto, a imortalidade só pode seguir deles na medida em que ela já está pressuposta no conceito da alma, pode-se estar tranquilamente de acordo com ele; mas não se deve deixar passar despercebido que o endurecimento que a alma toma aqui, como de resto também o bem, o belo etc., não é um ponto de partida, mas sim um resultado, e que é justamente ao querer aquela doutrina captar a essência da alma que esta se mostra como impenetrável, e que não é em virtude desta impenetrabilidade da alma que se parte para a multiplicidade dos argumentos. Este é, pois, um resultado negativo, e o outro é uma pressuposição positiva, que eu aqui preciso novamente salientar.

Se perguntarmos qual deve ser a natureza ou a constituição da alma e qual a existência específica que ela deve ter, na medida em que a resposta a esta questão puder ser extraída da ideia que repousa sobre o *argumento* em favor da imortalidade a partir da *natureza* e da essência *da reminiscência*, eis que chegaremos às determinações mais *abstratas*. Com efeito, quando o homem *recebe* impressões sensoriais, ele refere essas impressões sensoriais a certas representações gerais, como por exemplo a do igual (p. 33s., *Féd.* 73s.), do belo, bom, justo e piedoso em si e para si etc., e em geral a tudo aquilo "que caracterizamos, tanto em nossas perguntas quanto em nossas respostas, como o que é" (cf. p. 37, *Féd.* 75 d). Essas ideias universais não são adquiridas pelas percepções fragmentárias da experiência, nem pelas usurpações da indução: muito pelo contrário, elas se pressupõem a si mesmas constantemente. "Portanto, ou nascemos com estes conhecimentos e nós os possuímos todos ao longo de nossa vida, ou então aqueles, de quem dizemos que aprendem algo, no fundo apenas se recordam daquilo, e neste caso a instrução seria uma reminiscência" (p. 38. *Féd.* 76 a). A síntese do temporal e do eterno, especulativamente não explicada, e, como tudo o que é especulativo, à primeira vista decerto paradoxal, aqui encontra repouso poético e religioso. Não é a eterna pressuposição de si mesmo da autoconsciência, que faz o universal abraçar-se estreitamente, densamente, ao particular, ao individual, o que encontramos aqui, muito pelo contrário: o universal revoluteia solto ao redor dele.

O *punctum saliens* (ponto capital) na argumentação é propriamente o seguinte: do mesmo modo como as ideias existem antes da coisa sensível, assim também a alma existe antes do corpo. Isso parece em si e por si perfeitamente aceitável, mas enquanto não estiver esclarecido de que modo (hvorledes) as ideias existem antes das coisas, e em que sentido, dá para ver que o "do mesmo modo", ao redor do qual tudo gira, continua sendo o abstrato sinal de igualdade entre duas grandezas desconhecidas. Na medida em que, investigando mais pormenorizadamente as grandezas dadas num dos lados do sinal de igualdade, poder-se-ia esperar obter algum esclarecimento mais próximo, e esta crença se sentiria reforçada com o pensamento de que aí se trata do bem em si e para si, do belo, do justo, piedoso, toda esta expectativa é novamente sufocada quando leva em conta que ao mesmo tempo é o igual etc., de cuja preexistência depende a preexistência da alma. Pois se quanto à preexistência da alma as coisas não vão melhor do que com tais ideias universais, então é fácil de ver que estas desaparecem do mesmo modo como aquela nesta infinita abstração. A partir deste ponto seria possível certamente, quer sob forma de uma especulação vitoriosa, quer sob a de uma perdição da fé, fazer uma transição para uma concepção positiva, mas não é isso o que acontece; e aquilo que o leitor deve assumir em si como um eterno *in mente* (algo sempre presente à mente), até mesmo na avaliação mínima de toda esta investigação, este ponto não é o nada de onde se parte, mas o nada ao qual se chega através dos incômodos da reflexão. E é possível ir mais adiante. Suposto que se deixasse vincular uma representação a esta existência das ideias fora de toda e qualquer concreção, ainda se teria que perguntar: em que relação com tal representação dever-se-ia pôr a alma preexistente? A atividade desta, em sua vida terrena, consistiria em reconduzir o singular àquele geral; mas evidentemente não se tratava aí da relação concreta do individual ao universal como é dada em e com a individualidade. A ligação entre essas duas potências, realizada pela alma, seria pura e simplesmente transitória, não duradoura. Neste sentido, precisaria também a alma em sua existência anterior ter-se volatilizado no mundo das ideias, e a este respeito é feliz a expressão de Platão, de que a alma ao passar para a vida sensível esquece essas ideias, pois este esquecimento é justamente a noite que precede o dia da consciência, é aquele ponto de equilíbrio, que naturalmente é infinitamente evanescente, um nada, a partir do qual o universal se determina rumo ao particular. Esquecimento é, portanto, a pressuposição eternamente limitante, que é negada sem cessar pela pressuposição eternamente vinculante da reminiscência. Mas o fato de que a doutrina platônica necessite dos dois *extremos* da *abstração*, a preexistência totalmente abstrata e a igualmente abstrata pós-existência, isto é, imortalidade, demonstra justamente que a alma precisa ser *concebida* de modo *totalmente abstrato* e negativo também em sua existência temporal. O fato de que a vida terrena, segundo Platão, desvaneça-se (esta palavra tomada tanto no sentido pictórico quanto no musical, como desbotar e esmorecer) nas duas direções, poderia levar-nos a crer que iria conduzir à concepção de que a vida terrena fosse o ponto médio pleno, mas não é, absolutamente, esse o caso no *Fédon*. Muito pelo contrário, esta vida é o imperfeito, e é pelo "informe" que aspira a nostalgia[39].

Chegaremos a *resultados* igualmente *abstratos* se examinarmos por dentro as *demais provas*, à procura da concepção da essência da alma que as fundamenta. O *não composto* não pode dissolver-se e *perecer*. Pelo contrário, é próprio do composto dissolver-se na mesma maneira como ele é composto. Dado que a alma pertence ao não composto, daí se conclui que ela não pode dissolver-se. Entretanto, todo este raciocínio é de ponta a ponta ilusório, dado que se move propriamente sobre o fundamento inconsistente da tautologia. Precisamos, portanto, seguir Sócrates esclarecendo as analogias. O não composto é aquilo que sempre se comporta da mesma maneira. Essa essência mesma, diz ele (p. 44, *Féd.* 78 d), à qual nós em nossas perguntas e respostas atribuímos propriamente o ser, comporta-se sempre do mesmo modo, identicamente, ou ora de um modo, ora de outro? Pode-se admitir que o igual em si, o belo em si, a realidade em si, tudo seja suscetível de uma mudança qualquer? "Essas coisas são sempre iguais a si mesmas, são informes e não podem ser vistas". A alma tem então a máxima semelhança com o divino, o imortal, o racional, o homogêneo, o indissolúvel e o que mantém sempre a mesma identidade; o corpo, pelo contrário, tem a máxima semelhança com o humano, mortal, irracional, heterogêneo, dissolúvel e jamais idêntico (p. 47, *Féd.*, 80 a-b). Mas aqui nós chegamos a uma concepção da existência da alma e de sua relação com o corpo *igualmente abstrata*. Este modo de considerar as coisas não pode ser, com efeito, acusado de assinalar, de maneira material, à alma um lugar determinado no corpo, mas não percebe, por outro lado, qualquer relação da alma com o corpo, e, em vez de deixar a alma mover-se livremente no corpo produzido por ela mesma, esforça-se constantemente para escapulir-se dele. A imagem, que Cebes mais tarde utiliza para uma objeção contra a imortalidade da alma – se se deduz esta última da consideração de que o corpo, afinal o mais fraco, subsiste, e assim também a alma, o mais forte, precisaria subsistir, isto corresponderia, segundo Cebes, a dizer de um velho tecelão já falecido: o homem não está morto, e deve, isto sim, estar em algum lugar, e como prova disto alegar que a roupa que ele vestia e que ele mesmo tecera estava conservada em bom estado e não destruída (p. 61, *Féd.*, 87 d) –, esta imagem, digo eu, corretamente utilizada, sublinhando-se a engenhosa comparação da alma com o tecelão, já conduziria a ideias muito mais concretas. Que a alma não seja composta, pode-se de bom grado conceder; mas enquanto não for dada uma resposta mais exata à questão, em que sentido ela não é composta e, não obstante, num outro sentido é uma soma de determinações, a determinação permanece naturalmente *totalmente negativa*, e a sua imortalidade tão *langweilig* (tediosa, aborrecida) quanto a eterna unidade.

As coisas não vão melhor no tocante ao *último argumento*, baseado sobre a proposição de que o que subsiste só subsiste graças à sua *participação na ideia*, e de que toda ideia *exclui* de si o contrário

(p. 97, *Féd.*, 104 c: "Ou acaso não devemos dizer que o três se destruiria ou sofreria qualquer coisa de preferência a tornar-se par?"), como também esta exclusão não se dá somente com a ideia, mas com tudo o que é propriedade da ideia. A alma é o princípio da vida, mas a vida é o contrário da morte, e portanto, a alma jamais poderá admitir em si o contrário (isto é, a morte) da ideia (isto é, da vida); e, portanto, ela é imortal. Mas aqui também a concepção se afunda sempre mais *gerade ins Blaue hinein* (nos nebulosos meandros) da abstração. Pois enquanto não estiver esclarecido qual é a relação de oposição que ocorre entre vida e morte, também a relação da alma com o corpo será concebida de maneira totalmente *negativa*, e a vida da alma fora do corpo permanecerá em todos os casos completamente sem predicados e indeterminada.

Mas se a essência da alma é concebida de maneira tão abstrata, podem-se já previamente calcular quais os esclarecimentos a respeito da questão do "como" da *existência futura da alma*. Com isto eu não estou me referindo aos aspectos corográficos e estatísticos do mundo ulterior, nem às desordens fantásticas, mas sim à transparência especulativa no que se refere a esta questão. Afinal de contas, também o Apóstolo João declara que não sabemos como haveremos de ser, mas isto é dito naturalmente com referência a uma experiência do além. Pelo contrário, um ensinamento especulativo de que há uma ressurreição do corpo era evidente para ele, não para eludir uma dificuldade, mas sim porque ele próprio encontrava repouso em tal explicação. Em oposição a isto, declara-se até na parte mítica deste diálogo que *a ressurreição dos corpos* ou a sua sobrevivência era algo que somente os ímpios tinham de *temer*, enquanto, por outro lado, os que se tinham purificado suficientemente pela filosofia haveriam de viver no tempo futuro *completamente sem* corpo (p. 117, *Féd.*, 114 c). A única tentativa efetuada para prevenir contra o salto desenfreado da abstração partindo rumo "ao vasto mundo" e para conseguir uma existência real que não permite ao pensamento soçobrar e nem à vida volatilizar-se é a harmonia ética, a melodia moral que fornece a lei natural constituinte de tudo na nova ordem das coisas, e para dizê-lo de maneira árida, com uma palavra, a justa retribuição que será o princípio animador de tudo. E em verdade, se este modo de ver é respeitado e acatado, a imortalidade não se torna uma existência de sombra e a vida eterna não fica um *Schattenspiel an der Wand* (jogo de sombras sobre o muro). Mas nem mesmo na parte mítica do diálogo isto ocorre plenamente. Mais tarde se deverá investigar até que ponto isto se dá; por agora basta recordar que é só na parte mítica do diálogo que isto é tentado. – O pensamento pode então agora retornar ao ponto que por um instante foi deixado de lado, o *negativo "o quê"* e o igualmente *negativo "como"* que, no desenvolvimento dialético em *Fédon*, anunciam-se como sendo a resposta positiva à questão sobre a essência da alma, na medida em que tal questão inclui em si a demonstração da imortalidade.

O fato de que toda esta consideração (*Betragtning*) resulte negativa, que a vida se perca num ressoar que vai morrendo à distância (eu preferiria dizer num *Nachhall*), poderia ter a sua razão no ponto de vista subjetivo do platonismo, que, descontente com a imediatidade da ideia na existência assim como esta se dá na bem-aventurada satisfação do clássico, agora buscava captá-la em sua reflexividade, e, por isso, abraçou a nuvem em vez de Juno. Este ponto de vista subjetivo não deu ao platonismo mais do que o anterior (clássico) já possuía, porém, ainda lhe roubou algo: a realidade. Rosenkrantz observou corretamente em algum lugar que, quanto mais plena é a vida, quanto mais frondosa se abre, tanto mais pálida e etérea é a imortalidade. Os heróis de Homero suspiram até pelas posições mais humildes na vida real e trocariam por estas o reino das sombras subterrâneo. Em Platão, a imortalidade se torna ainda mais inconsistente, quase pode ser assoprada como uma poeira, e não obstante o filósofo deseja abandonar a realidade, sim, na medida do possível já estar morto durante a vida. Pois é esta a triste autocontradição do ponto de vista subjetivo.

Com isso, porém, ainda não chegamos a *ver o irônico*, e é isto, afinal, na medida do possível, o que estou tentando mostrar. Que a ironia possa assemelhar-se muitíssimo a esse ponto de vista e num relance até ser confundida com ele, isto o admitirá qualquer um que saiba que tipo de personagem, tão pequena e invisível é a ironia. E este é novamente um dos pontos de coincidência entre Platão e Sócrates. Por isso alguém, acentuando o *pathos* que frequentemente se apresenta neste diálogo, pode então atribuir tudo a Platão, ao entusiasmo, que sem dúvida, quanto ao resultado, fica mal pago. Mas, por outro lado, não se há de negar que neste diálogo predomina uma certa *insegurança*, que indica que de um jeito ou de outro a ironia está agindo. Pois, por mais insignificante que seja o resultado, ele poderia muito bem ser proclamado com toda a convicção do entusiasmo. Notam-se os vestígios desta insegurança em várias passagens do *Fédon*, e essas ganham maior importância quando relacionadas com a *Apologia*; a qual, enquanto documento histórico, *merece* exatamente um lugar de destaque quando se pretende descobrir o puramente socrático.

Contudo, antes de passar a esta documentação, eu devo ainda deter-me para examinar um pouco mais de perto *a nostalgia pela morte* que aqui no *Fédon* é atribuída ao filósofo. Pois a concepção segundo a qual a vida consiste propriamente em ir morrendo pode ser entendida (*opfattes*) em parte moralmente, em parte intelectualmente. A concepção *moral* é própria do cristianismo, que então neste ponto não se deteve no meramente negativo; pois na mesma medida em que o homem vai morrendo para uma coisa, a outra recebe um incremento divino, e quando esta outra coisa por assim dizer se embebeu e se apropriou, e com isso se enobreceu, do poder germinativo que havia no corpo do pecado, que devia ser morto, aí também este corpo se encolheu e secou, e em se rompendo e consumindo, permite que daí surja o homem de Deus amadurecido, criado segundo Deus na justiça e na santidade da verdade. E enquanto o cristianismo também admite um conhecimento mais completo ligado com aquele renascer, isto é apenas secundário e acontece sobretudo na medida em que o conhecimento anterior também estivera submetido ao contágio do pecado. A concepção estritamente *intelectual desta* morte é própria do mundo grego (Graeciteten), onde se reconhece também imediatamente o pelagianismo despreocupado do paganismo. Seja-me permitido, por uma questão de precaução, salientar algo que a maioria dos leitores de resto provavelmente já percebe. Por um lado, aquilo a que se deve morrer, no cristianismo, é concebido em sua positividade, como pecado, como um reino que proclama sua validade da maneira mais convincente àqueles que suspiram sob sua lei; por outro, o que deve nascer e ressuscitar é concebido de maneira igualmente positiva. Pela morte intelectual, aquilo a que se deve morrer é algo de indiferente, e aquilo que deve surgir em seu lugar é algo de abstrato. A relação entre estas duas grandes concepções (*Anskuelser*) é mais ou menos a seguinte. Uma delas diz que a gente deve abster-se de alimentos nocivos, dominar o apetite, e assim a saúde se desenvolverá; a outra diz que a gente deve deixar de lado a comida e a bebida, que aí então se poderá cultivar a esperança de pouco a pouco ir se transformando em nada. Daí se vê que o grego era mais rigorista do que o cristão, mas é por isso que sua concepção (*Anskuelse*) era também malsã. Segundo a visão cristã, portanto, o instante da morte é a última luta entre o dia e a noite; a morte é, como na Igreja já se chamou tão belamente, o nascimento. Em outras palavras, o cristão não se deixa retardar pelo combate, pela dúvida, pela dor, pelo negativo, mas se regozija com a vitória, com a certeza, com a felicidade, com o positivo. O platonismo quer que morramos ao conhecimento sensível para nos dissolvermos através da morte no reino da imortalidade, onde o igual em si e para si, o belo em si e para si etc., vivem num silêncio de morte. Isto se exprime de maneira ainda mais forte no dito de Sócrates, de que a aspiração do filósofo consiste em morrer e *estar morto*. Mas desejar a morte assim em si e para si, isto não pode estar baseado no entusiasmo, enquanto se quiser respeitar esta palavra e não a utilizar, por exemplo, para designar aquele desvario com o qual a gente bem pode ver um homem desejar virar em nada; isto tem de estar baseado numa espécie de desgosto pela vida. Enquanto ainda não se puder dizer que se percebe corretamente o que há no fundo deste desejo, ainda poderá aí existir o entusiasmo; ao contrário, porém, quando o desejo tem o seu fundamento numa certa indolência, ou quando aquele que o deseja está consciente daquilo que deseja, aí então o predominante é o desgosto da vida. Aos meus olhos, o conhecido epitáfio de Wessel, "por fim ele não tinha mais nenhum *prazer* de viver", contém a visão que a ironia se faz da morte. Mas aquele que morre porque não gosta mais de viver, certamente não deseja de jeito nenhum uma nova vida, pois isso seria afinal uma contradição. Aquela lassidão que neste sentido deseja a morte é evidentemente uma doença aristocrata, que só habita as esferas mais altas e, quando totalmente sem mistura, ela é tão forte quanto o entusiasmo que vê na morte a transfiguração da vida. Estes são os dois polos entre os quais se move a vida humana comum de maneira sonolenta e obscura. A ironia é, com efeito, uma saúde, na medida em que ela liberta a alma dos enganos do relativo; é uma doença, na medida em que ela não pode suportar o absoluto senão sob a forma do nada, mas esta doença é uma febre que depende do clima, e que só raros indivíduos contraem, e mais raros ainda são os que a superam.

Para a ironia do *Fédon*, é preciso naturalmente preservar aquele momento em que ela, enquanto concepção, arromba a fortificação que separa as águas do céu e as da terra e se reúne com a ironia *total* que aniquila o indivíduo. Este ponto é tão difícil de ser fixado quanto o ponto entre o descongelamento e o congelamento, e no entanto o *Fédon*, se se quiser empregar os padrões de *point de vue* (ponto de vista) que apresentei, situa-se entre essas duas determinações da ironia. Vou agora passar a documentar, na medida em que isto é possível. A propósito disso, de maneira alguma é minha intenção (*min Mening*) ocultar que uma tal documentação comprobatória sempre pressupõe algo, a totalidade deste modo de ver (*det Anskuelsens Totale*) que vai além das particularidades, o *fiat* da criação, que em todas as obras humanas só se revela ao final, no instante em que o invisível se torna perceptível no visível. Com efeito, se fosse por um misticismo subjetivo que Sócrates estava, não digo imbuído (pois esta expressão já denotaria alguma consciência), mas inundado, por assim dizer, com sua enchente fertilizadora, nós certamente não perceberíamos então nisto tudo um cálculo de probabilidades hesitante e inseguro. – Mas ninguém vai querer negar, depois de ler atentamente o *Fédon*, que é este caso, e menos ainda o negará aquele que tiver dado ao menos uma lida superficial na *Apologia*. Fica ao critério de cada um resolver se tais expressões podem ser postas em harmonia com o *pathos* de um Platão ou, o que vem a dar no mesmo, se podem combinar-se com Sócrates identificado até o extremo com Platão, ou quem sabe elas não apontariam antes para uma diferença que no mesmo grau é tão desigual quanto igual, e no mesmo grau é tão igual quanto desigual. Pois que é este o caso com uma especulação e uma ironia imediatas, já foi indicado anteriormente, e a isso nossa investigação ainda retornará várias vezes. Sócrates diz mesmo no *Fédon* que a finalidade principal de seus esforços para mostrar a imortalidade da alma está em se persuadir ele mesmo de que as coisas são assim, e acrescenta: "Vê, pois, caro amigo, como eu calculo, e de que maneira tão egoísta. Se é verdade o que afirmo, então é excelente estar convencido disso; se, pelo contrário, não sobra nada para quem morre, eu, pelo menos, neste tempo antes de minha morte, não serei tão molesto aos meus amigos com lamentações; mas não estarei muito tempo errando – pois isto seria certamente um mal –, mas em pouco tempo isto se dissipará" (cf. Trad. de Heise, p. 69, *Fédon* 91 b). Tais palavras ecoam como que de um outro mundo, e certamente não é apenas a exclamação "vê de que maneira tão egoísta" que encerra em si a ironia. O pensamento de que com a morte se seria reduzido a simplesmente nada ("não sobra nada para quem morre"), *sin post mortem sensus omnis atque ipse animus exstinguitur* (se após a morte todo sentido e o próprio espírito se extinguem), não lhe inspira nenhum horror, mas por outro lado ele não assume este pensamento para em seguida, apavorado com suas consequências, expulsá-lo como excêntrico, porém, até se diverte com ele, e, caso estivesse enganado, melhor seria ser logo libertado deste errar – "pois permanecer nele seria certamente um mal" – e com isso ser completamente aniquilado. Mas o que exatamente *caracteriza a ironia* é a *escala abstrata* com que ela nivela tudo, com que ela domina todo sentimento exagerado, e, portanto, não opõe ao temor da morte o *pathos* do entusiasmo, mas acha, isso sim, que deve ser um experimento bem curioso este de ser reduzido a simplesmente nada. Este deve ser, portanto, um *locus clas-*

sicus (texto capital) do *Fédon*, e os demais indícios de semelhante espécie, que se encontram dispersos aqui e ali, nos levariam muito longe, exigindo um tratamento maior do que eu poderia empreender. E, além disso, a *Apologia* está a exigir agora a nossa atenção.

A APOLOGIA

A *Apologia* deve ser utilizada com uma *dupla* intenção: em parte, para, com as expressões aí contidas a respeito da imortalidade da alma, reforçar nossa argumentação sobre o *Fédon*, que procurava fazer o dialético deste diálogo arredondar-se em ironia; e em parte para, a partir de sua estrutura total, fazer o ponto de vista de Sócrates evidenciar-se como ironia.

Se não se quer admitir com Ast que a *Apologia* não é de Platão e sim de um orador desconhecido, então é bastante indiferente para esta investigação que se seja de opinião, com Schleiermacher, que a defesa foi pronunciada tal e qual por Sócrates[40], ou que se pense, com Stallbaum, que ela pode muito bem não ter sido tal e qual, mas que Platão, ao elaborar este discurso, procurou aproximar-se tanto quanto possível do Sócrates histórico. Stallbaum diz (*Praefatio ad Apologiam Socratis*, p. 4): "Se esta tese é exata, sou da opinião de que ninguém se admirará de que Platão neste livro não tenha mostrado a mesma sublimidade de palavras e pensamentos que mostra em outros. Pois se lhe parecia que ele só poderia defender bem Sócrates fazendo-o falar diante do tribunal tal qual ele fora em sua vida, então não lhe era lícito agir arbitrariamente, mas ele devia, isto sim, ver o que convinha ao engenho e aos costumes de Sócrates, e o que devia ser acomodado às exigências de lugar e tempo". Se alguém desejar travar conhecimento com o grande número de autores que se declararam contra Ast, poderá conferir facilmente seus nomes reunidos na obra de Stallbaum. O que para mim é o ponto capital, é que se pode ver na *Apologia* um retrato confiável do Sócrates real. Ast, que considerou a sublimidade e a emoção como predominantes no *Fédon*, naturalmente não pode deixar de indignar-se com a maneira como Sócrates se comporta aqui, e é por isso, entre outras razões, que declara a Apologia apócrifa. Quando então se quer, com a maior parte, sim, com a absoluta maioria dos comentadores, admitir a autenticidade da *Apologia*, precisa-se procurar um expediente diferente do que geralmente se emprega, isto é, que a gente não se limite a ficar assegurando que na *Apologia* nada há que não combine com o espírito de Platão, quer essas asserções procurem firmar-se apresentando-se como questionamentos, quer como exclamações. As objeções levantadas por Ast são verdadeiramente importantes demais para poderem ser despachadas desta maneira[41], e se ele tem razão, a gente é tentado a lhe dar razão também na sua preferência pela *Apologia* de Xenofonte frente à de Platão.

Aqui, entretanto, ainda não se trata de discutir a *Apologia* como um todo, mas apenas aquelas passagens onde Sócrates desenvolve sua concepção da *morte*. À medida que cresce a dificuldade de interpretar tais passagens de maneira platônica, aumenta simultaneamente a probabilidade de se ter de procurar na *ironia* a justa explicação. Pois todas essas passagens mostram *a total insegurança de Sócrates*, mas, bem-entendido, não como se esta insegurança o tivesse intranquilizado, não, muito pelo contrário, este jogo com a vida, esta vertigem, à medida que a morte se mostra ora como algo de infinitamente importante, ora como nada, é isto mesmo o que o compraz. No primeiro plano, portanto, Sócrates, não como aquele que levianamente afasta de si o pensamento da morte, e cheio da angústia se agarra à vida, nem como aquele que cheio de entusiasmo vai ao encontro da morte e magnânimo oferece a vida em sacrifício; não, mas como aquele que se deleita com a alternância de luz e sombra que proporciona um silogístico *aut-aut* (dilema para o raciocínio) ao mostrar quase simultaneamente o dia mais luminoso e a noite mais escura, e ao mostrar o real infinito e o nada infinito, e se diverte também às custas dos ouvintes, vendo que estes dois pontos, assim como o agradável e o desagradável, estão reunidos no ponto culminante (cf. *O Banquete*); e durante tudo isto, contudo, ele não ambiciona (attraaer) a sabedoria com uma aspiração íntima da alma, mas sim, com uma certa curiosidade, aspira pela solução deste enigma. Sócrates percebe muito bem que os seus silogismos não têm nada de exaustivo para a solução (*Besvarelsen*) do problema (*Spørgsmaalet*); só o diverte a velocidade com que a oposição infinita se mostra e desaparece. O plano de fundo, que recua infinitamente, é formado pela possibilidade infinita da morte.

Por isso, na *Apologia*, as exclamações mais patéticas são seguidas por uma argumentação que assopra para longe as escumas da eloquência e mostra que essas não escondem absolutamente nada. Sócrates observava quão insensato seria para ele, que fora designado pelo deus para viver como amante da sabedoria e para então se examinar e provar, a si mesmo e aos outros, quão insensato seria da parte dele, por temor à morte, desertar de seu lugar. E agora vem a razão: "Pois temer a morte, Senhores, é o mesmo que acreditar ser sábio e não sê-lo, posto que é acreditar saber aquilo que não se sabe" (cf. Ast, p. 126, 29a). Neste aspecto Sócrates acredita também ter uma vantagem sobre os outros homens, pois não teme a morte, dado que ele simplesmente não sabe nada a respeito dela. Isto não é somente um sofisma, mas é também uma *ironia*. Pois, ao libertar o homem do temor da morte, ele lhes dá em troca a ideia angustiante de algo inevitável a respeito do qual não se sabe pura e simplesmente nada; e a gente precisa, realmente, estar acostumado a deixar-se edificar com o consolo que há no nada, para poder encontrar repouso no que Sócrates propõe. Por isso, seria, como ele observa numa outra passagem, absurdo da parte dele optar por uma outra coisa, da qual ele sabia com certeza que era um mal (p. ex., a prisão), por temor de que lhe acontecesse aquilo que Meleto acreditava ele ter merecido, "e que eu digo não saber se é bom ou mau" (cf. Ast, p. 146, 37 b).

Na conclusão da *Apologia* é feito, entretanto, um ensaio para mostrar que morrer é um bem. Mas esta consideração é novamente um *aut-aut* (uma alternativa), e dado que aí, em companhia com um dos *aut*, aparece a concepção de que a morte não é pura e simplesmente nada, fica-se então certamente com alguma dúvida sobre até que ponto se pode partilhar aquela alegria que como o oceano abraça estas duas partes do mundo (cf. Ast, p. 154, 40, c-d-e): "Mas vejamos a coisa também deste ponto, pelo qual tenho grande esperança que morrer seja um bem. Morrer é uma destas duas coisas: ou não ser mais nada e quem morreu não tem sentimento de mais nada, ou ainda, como dizem alguns, é uma espécie de mutação e de migração da alma deste lugar para um outro. Ora, se morrer equivale a não mais ter sensações e é como um sono sem sonhos, é um ganho maravilhoso, a morte. Porque penso que se alguém tivesse conseguido em sua própria memória uma tal noite em que se tivesse adormecido tão profundamente a ponto de não ter nem sombra de sonho e depois, comparadas a esta todas as noites e outros dias em sua vida, devesse dizer quantos dias e noites em todo o decurso de sua vida viveu mais felizmente e mais agradavelmente que naquela noite, eu penso que ele, fosse não um indivíduo, mas até mesmo o grande Rei, encontraria muito poucos desses dias e noites em comparação com outros dias e noites. Se a morte é isso, então digo que é um ganho, porque toda a duração do tempo não parece realmente mais longa que uma única noite. Por outro lado, se a morte é como a mudança daqui para um outro lugar e se é verdade que nesse lugar, como contam, podem ser reencontrados todos os mortos, qual bem, ó juízes, poderá ser maior do que este?" Esta última alternativa podia ser também agradável pela razão de que assim se escaparia desses juízes que se apresentam como sendo juízes, e se iria ter com juízes tais como Minos, Radamanto, Éaco e Triptolemo, que com justiça merecem ser tais. No que tange, portanto, à primeira alternativa do dilema, Sócrates acredita aí que, pela morte, tornar-se simplesmente nada é "um ganho maravilhoso", sim, seu discurso adquire um colorido muito quente, quando ele observa que não apenas um homem particular, mas até o grande Rei da Pérsia, só teriam poucos dias comparáveis a isto. Um tal sono da alma e um *tal nada* só podiam mesmo agradar mais do que qualquer outra coisa o *irônico*, que possui aqui, aliás, o absoluto frente à relatividade da vida, mas um absoluto tão leve que ele não tem dificuldades para segurá-lo, dado que o possui sob a forma do nada. No que tange à segunda alternativa do dilema, Sócrates aí expõe o quão maravilhoso seria, nos infernos, ir disputar com aqueles grandes homens do passado, de uma maneira agradável conversar com eles sobre seus destinos, mas sobretudo interrogá-los e examiná-los[42], expressões estas, cujo *carácter irônico* eu já mencionei acima. Agora, então, só mais duas observações. É claro, com efeito, que estas expressões não se deixam harmonizar facilmente com as expectativas contidas no *Fédon*, de despir-se totalmente do corpo, e, por outro lado, também é claro que toda esta alegria é bastante hipotética, já que afinal a outra possibilidade está igualmente próxima, quer dizer, por um fio de cabelo; pois a hipótese, em sua totalidade, é um movimento no ar, e Sócrates não faz nenhuma tentativa para tornar uma das alternativas mais real do que a outra. As palavras do *Fédon* citadas mais acima contêm decerto uma tentativa nesta direção, na medida em que Sócrates opina que o mais vantajoso está no seu discurso, dado que não se fica desagradável para os amigos; mas nesta observação o leitor descobrirá certamente uma sabedoria de vida e *uma ironia* que assume o risco de fazer de boba a morte. Por fim, a *Apologia* se encerra com a *mesma* ambiguidade (Ast p. 158, 42 a): "Mas eis que é chegada a hora de partirmos, eu para morrer e vós para viver. Mas quem de nós caminha para o melhor, isto é segredo para todos, menos para a divindade". Se as coisas se passam assim até com a visão da morte na *Apologia*, então aumentam as possibilidades para a minha concepção do *Fédon*, na medida em que se queira estabelecer uma possibilidade de que o *Fédon* possa ser ao mesmo tempo socrático e platônico.

Passarei agora a uma consideração mais especial da *Apologia* para mostrar que ela é, em *sua totalidade*, ironia. Para tal fim, quero por um instante deixar o próprio Ast falar, e eu espero que com a ajuda da enorme pressão que o peso de suas observações necessariamente exercerá, a alma do leitor haverá de ganhar suficientemente elasticidade para permitir que a ironia venha à tona. "O orador exagerou tanto esta firmeza viril de Sócrates" (que Ast encontra na exposição de Xenofonte) "que ela se manifesta como a indiferença mais desprovida de espírito e de sensibilidade. Com efeito, após a condenação, ele faz Sócrates admirar-se não da sentença dos juízes, mas do número dos votos dos dois lados, e apresentar com sangue-frio o cálculo de que teria escapado se apenas três votos fossem diferentes, e de que Meleto teria tido de pagar mil dracmas se Anito e Lícon não tivessem reforçado a sua acusação, pois Meleto não teria obtido a quinta parte dos votos. Esta indiferença se salienta ainda mais lá onde Sócrates fala sobre a morte;

ele assegura sempre que não teme a morte, mas em que se fundamenta esta ausência de temor? Em nada; portanto, é pura fanfarronice [...] Poderia Platão, o autor do *Fédon*, fazer Sócrates falar deste jeito sobre a morte, atribuindo-lhe uma tal indiferença verdadeiramente vulgar, privada de espírito e de sensibilidade, sim, quase ridícula [...] E apesar de tudo, este Sócrates tão sem sensibilidade e afeto ainda quer bancar o exaltado e entusiasmado, a ponto de se meter a profetizar" (p. 487, 488). Toda esta concepção de Ast não deve ficar largada aqui, como uma citação solta e ociosa; muito pelo contrário, eu espero que ela se torne um diligente operário da vinha, na medida em que conto com a perspectiva rebratada sob a qual a ironia em parte se mostrará para um ou outro leitor e em parte se apresentará com um melhor aspecto. Com efeito, na medida em que a seriedade que impera em Ast avança livremente com seu passo medido, na direção de uma *Apologia* neutra, a *ironia* fica silenciosamente à espreita e vigia com seus olhos que jamais se fecham, em movimento contínuo, participando de cada lance, mesmo que o leitor talvez não o perceba, até o momento em que então ela joga sua malha sobre ele e o aprisiona.

Por isso, se a minha exposição fosse uma rede tecida com malhas tão amplas que o leitor facilmente pudesse evadir-se por entre elas, ou tão fraca que não conseguisse retê-lo, então algumas das passagens citadas por Ast seriam especialmente apropriadas, ao mesmo tempo uma malha fina e suficientemente forte, e o que há de retumbante nas demais partes da citação também teria sua grande importância, na medida em que aquele alarido perseguisse o leitor até aquele ponto onde ele acaba capturado. A passagem, por exemplo, "e apesar de tudo, este Sócrates tão sem sensibilidade e afeto ainda quer bancar o exaltado e entusiasmado, a ponto de se meter a profetizar", ultrapassa não apenas toda a minha exposição em capciosa astúcia e força braçal, mas eu a considero mesmo como absolutamente irresistível para todo aquele que não concorda com Ast em rejeitar a *Apologia*. Também várias outras observações particulares de Ast serão reconfortantes para o leitor hesitante e inseguro, e perigosas para todo aquele que ainda faz o sinal da cruz diante do pensamento de que deveria ser a ironia o que explica a *Apologia*. P. 488: "Também na exposição o orador se trai, não somente na oposição dos pensamentos (como: 'vivo numa pobreza extrema, por estar ao serviço do deus', onde o vulgar e o elevado, o tom de lamentação e os sentimentos de orgulho contrastam tanto que quase nos forçam a um sorriso), mas também na oposição das palavras; pois os oradores daquela época se compraziam no jogo das antíteses, seguindo o exemplo de Górgias e de Lísias".

Assim, parece agora correto passar a examinar o *ataque* contra a *concepção irônica*, lançado por Ast em páginas anteriores da mesma investigação. Com efeito, a observação de que não poderia ser platônica a ironia que se encontrava na *Apologia*, eu não posso deixar passar assim sem discussão. O intérprete atento de Platão encontrará nele, de fato, duas espécies de ironia. A primeira delas é a potência estimuladora, inerente à investigação; a outra é aquela que, quanto possível, erige-se a si mesma como senhora. Se se encontra então ironia na *Apologia*, não se pode, sem mais, como Ast, rejeitá-la só porque esta não é uma ironia platônica, dado que sempre restaria a possibilidade de a ironia de Sócrates ser diferente da de Platão, e, portanto, com referência à *Apologia*, a possibilidade de esta ser um documento histórico. Se agora eu passar, portanto, a um exame mais detalhado da tentativa que Ast empreende para mostrar que aquela ironia que se encontra na *Apologia* não é platônica, ou, como se deveria antes dizer, no caso de se querer dar razão a Ast, que não se encontra pura e simplesmente nenhuma ironia na *Apologia*, eu preciso, naturalmente, no que se refere à minha maneira de considerar as coisas, chamar a atenção para o quão desvantajoso é para mim o fato de que a ironia tenha sido tratada deste modo sob uma rubrica própria, e o fato de que Ast não tenha deixado suas diferentes operações de ataque se esclarecerem reciprocamente e se concentrarem sobre um único ponto, numa batalha principal, a de saber se há ironia na *Apologia*, não neste ou naquele ponto, mas em sua totalidade.

Que significação Sócrates podia atribuir a uma acusação diante do tribunal popular ateniense, e que representação ridícula ele precisava ligar ao pensamento de dever defender-se diante de tais juízes, eis o que uma expressão do *Górgias* nos permite suspeitar (Heise, p. 188, 521 e): "e o que eu dizia a Polo poderia ser aplicado a mim, pois eu serei julgado como seria, entre crianças, um médico acusado por um cozinheiro". Ficou acima indicado de que modo a *Apologia*, justamente em *sua estrutura*, precisa ser considerada como ironia, dado que, afinal de contas, as mais pesadas acusações a respeito de todas aquelas novas doutrinas que Sócrates teria introduzido em Atenas tinham de vir a constituir uma *relação bem propriamente irônica* e extremamente estranha com a sua defesa, de que não sabia nada, e por conseguinte era-lhe impossível introduzir novas doutrinas. A ironia consiste, evidentemente, em que simplesmente não há nenhuma conexão entre o ataque e a defesa. Se Sócrates tivesse tentado mostrar que ele se atinha ao antigo, ou que, na medida em que introduzia algo novo, este novo era verdadeiro, tudo estaria completamente em ordem. Sócrates, contudo, não refuta os acusadores, mas lhes arrebata a própria acusação, de modo que se mostra que tudo era alarme falso, e os canhões de mil libras dos acusadores que deveriam pulverizar completamente o acusado haviam disparado em vão, dado que não há simplesmente nada aí que possa ser aniquilado. Toda esta situação recorda por isso tão vivamente uns versos de Baggesen, profundamente espirituosos[43]. Mas também a partir de um outro ângulo se mostrará a estrutura irônica na *Apologia*. Para Sócrates, que estava acostumado a se ater à questão, com uma obstinação que angustiava os sofistas e com uma coragem igualmente imperturbável, desafiando-lhes as tergiversações e intimidações, tinha mesmo que se mostrar como um *argumentum ad hominem altamente ridículo* esta invenção dos atenienses de querer condená-lo à morte. De acordo com a visão socrática, os acusadores naturalmente tinham de convencê-lo de que ele estava errado, ou então tinham de se deixar convencer; e ao contrário, à questão se ele devia ser condenado a morrer ou não, ou ao menos ser multado ou não, era algo que nada tinha a ver com o verdadeiro problema, e assim mais uma vez não se encontra aqui nenhuma ligação racional entre o crime e o castigo. Se a isso ainda se adiciona a circunstância de que esta questão completamente estranha ao verdadeiro problema precisava ser resolvida de acordo com um procedimento completamente exterior, pela soma de votos, um modo de decisão que sempre tinha sido objeto de uma predileção especial de Sócrates, pois neste assunto, como ele observava em alguma passagem, ele mesmo era completamente ignorante, assim a gente é obrigado certamente a lhe dar razão *nesta ironia* que é glacial, embora aparente credulidade e benevolência, ironia glacial com que ele, sem respeitar aquele terrível argumento, fala com os atenienses da maneira mais amigável sobre as probabilidades de ele vir a ser absolvido, e até, o que também lhe pareceria naturalmente ridículo do mesmo modo, de Meleto ser condenado a pagar uma multa.

Por isso, é apenas mais uma *nova ironia*, quando ele, na conclusão, deseja dirigir algumas palavras àqueles que o haviam absolvido; pois estes, evidentemente, afinal de contas também haviam votado, tanto quanto os outros. Todavia, existe na *Apologia* uma ironia ainda mais alta do que as anteriores, uma ironia que atinge o próprio Sócrates; pois a circunstância de que Sócrates insistia tão unilateralmente no conhecimento, e por causa disso para ele todo crime se reduzia a um erro, a um engano, e consequentemente toda e qualquer pena ou castigo se convertia em algo completamente heterogêneo em relação àquilo, e a força polêmica com que ele fizera valer esta visão das coisas vingam-se dele de *maneira altamente irônica*, na medida em que o fazem sucumbir de um certo modo a um argumento tão ridículo como é a condenação à morte.

Que então tudo isso aqui descrito configure certamente situações irônicas, e que com certeza qualquer um que tenha lido a *Apologia* partindo do pressuposto de que Sócrates jamais existiu e que simplesmente algum poeta tinha pretendido ilustrar o que há de picante numa tal acusação e num tal julgamento, perceberá a ironia, quanto a isto eu não tenho dúvidas; mas dado que, ao contrário, aqui temos a ver com acontecimentos históricos, alguns leitores decerto não terão coragem para ousar acreditar que assim seja.

Agora, porém, que devo passar à exposição daquela ironia que se encontra *espalhada pela Apologia*, fico um pouco embaraçado. Eu poderia tentar sair caçando por todos os cantos e reunindo uma multidão delas; mas sem falar de quanto seria cansativa para o leitor uma extensa argumentação necessária para cada ponto, eu creio também que toda esta seção, contrariamente à natureza da ironia, provocaria uma sensação de zumbido nos ouvidos, em vez daquela impressão de um suave sussurro, como é próprio da ironia. Pretender demonstrar a ironia através de uma investigação de cada ponto particular roubaria, naturalmente, da ironia, o que ela tem de surpreendente, de contundente, dito numa palavra, a enervaria. Ela precisa do rude contraste, e se perderia completamente numa companhia tão aborrecida como é a argumentação. Eu quero por isso, mais uma vez aqui, citar literalmente Ast, dado que ele captou com extraordinária certeza todos os *pontos ambíguos* para com eles dar o maior susto nos leitores, e por esse meio demonstrar a inautenticidade da *Apologia*; e na medida em que irei colocando no meu texto o seu *pathos*, vou me permitir a cada passo uma pequena alusão nas notas de pé de página, que espero seja suficiente para o leitor. Há uma gravura que representa a assunção da Madona. Para elevar o céu tanto quanto possível, foi colocada na base do quadro uma linha escura, apoiando-se na qual dois anjinhos espiam para cima na direção dela. Do mesmo modo, eu também quero, ao reproduzir no corpo do meu texto as palavras de Ast, elevar sua palavra tão alto quanto possível, e para fazer o seu *pathos* ficar ainda mais elevado, quero colocar um traço de pé de página a partir do qual aqui ou ali o rosto travesso da ironia se permitirá dar uma espiada para cima. Ast, p. 477s.: "A franqueza com que ele faz Sócrates falar não é aquela franqueza nobre, que brota da consciência da inocência e da honestidade, e que, incitada pela calúnia, anuncia-se como orgulho, mas é, isto sim, jactanciosa exaltação de si; pois Sócrates só se rebaixa para indiretamente se exaltar ainda mais". (Numa nota a este respeito observa Ast: "O autor da *Apologia* não consegue furtar-se a sugerir isso: 'Peço-vos para não causar balbúrdia, ó cidadãos de Atenas, mesmo que vos pareça que pronuncio palavras demasiado fortes'".)[44]

Isto não é ironia platônica, e sim menosprezar os outros com a vaidosa finalidade de se exaltar a si próprio. Sócrates diz, por exemplo, na *Apologia* 17 b, que se chama de orador, mas não da mesma espécie que os outros (subentendendo assim que ele é um autêntico e verdadeiro orador, enquanto os outros, ao contrário, oradores de aparência). Igualmente contêm as palavras "meu modo de falar poderá ser melhor ou pior" (18 a), um autoelogio mascarado. Mais inconfundível ainda é a falsa ironia na passagem 20 c – 23, onde Sócrates procura demonstrar a veracidade da sentença do oráculo, que o tinha proclamado o mais sábio de todos[45]; a vaidade e a jactância se encontram já na minuciosidade com que Sócrates fala disto. Igualmente Sócrates declara ser um homem famoso e excelente (20 c, 23 a, 34 e), e que sua vocação (destinação) é divina[46] (31 a), e que ele é o maior de todos os benfeitores da cidade[47] (30 a, 30 e, 36 d): é por isso que sou caluniado e invejado (28 a). Além disso ele se atribui sabedoria[48] (20i d, 20 e, 21 b s.), e fala da sabedoria dos sofistas num tom cético[49], que só indica soberba. Pois o que significa, quando a gente se humilha, mas simultaneamente rebaixa os outros, senão uma retórica exaltação-de-si, a qual, se considerada como tendo uma finalidade séria, aparece como jactância vã e, se considerada como franqueza despreocupada e não deliberada, trai uma ingenuidade que quase atinge o cômico, graças ao contraste não intencionado de autoexaltação e auto-humilhação[50] (quando Sócrates, por exemplo, declara-se ignorante, mas ao mesmo tempo mais sábio do que todos os outros e, portanto, eleva-se a si mesmo, o ignorante, como sendo o mais sábio). Portanto, se o autor da *Apologia* teve a intenção de descrever Sócrates como irônico, acabou transformando-o no contrário do Sócrates platônico, num sofista jactancioso; mas se ele queria emprestar-lhe uma franqueza despreocupada e não deliberada, exagerou na ingenuidade e falhou na sua intenção, porque a contrapartida da auto-humilhação, a autoexaltação, ficou demasiado saliente e gritante para permitir que se acredite que a auto-humilhação era levada a sério; aquela modéstia é, por isso, somente afetada, e a auto-humilhação meramente aparente, porque ela é superada pela autoexaltação que lhe segue. É neste simulacro precisamente que melhor reconhecemos o orador que, habituado ao jogo das antíteses, costuma abolir novamente o primeiro elemento por meio de um segundo oposto a ele.

Assim também o nosso apologeta transformou justamente o que havia de mais belo em seu discurso e que se apresentava a ele como um fato, ou seja, aquelas expressões da nobre e orgulhosa franqueza e grandeza de alma de Sócrates, em aparência ilusória, na medida em que as supera pelo seu contrário; este contrário é o receio de deixar zangados os juízes[51], de cuja disposição favorável tudo dependia; eis por que ele explica a toda hora tão prolixamente e com um cuidado quase angustiado os motivos de suas declarações, sim, para não dizer nada que não estivesse bem-fundamentado e pudesse voltar contra ele os juízes. Este receio e temor, que sempre vão de encontro à franqueza, não acabam por aboli-la e transformá-la em aparência ilusória? O homem verdadeiramente livre e de ânimo forte, sem levar em consideração qualquer coisa que não seja a verdade de suas declarações, e sem se preocupar sobre o como elas serão recebidas, há de falar somente de acordo com sua consciência e seus conhecimentos. Mas Sócrates também reconhece que teme seus acusadores e adversários (*Apol.* 18 b, 21 e). Será que ainda reconhecemos aí a grandeza de alma socrática e seu amor pela verdade, que não se deixa assustar por nada, assim como ele os revelava, por exemplo, nas conversações com Crítias e Cáricles, que queriam desgraçá-lo, como nos relata Xenofonte? (*Mem.* I, 2, 33s.). Sócrates se apresenta, além disso, como se ele não estivesse falando em sua própria defesa, mas apenas com a intenção de convencer os juízes a não o condenarem para então não pecarem contra o presente da divindade (*Apol.* 30 d). E ele acrescenta (*Apol.* 31 a): "se desejais ouvir-me, me pouparei". Quem é que não percebe aí a tirada retórica? O pedido e o desejo de ser absolvido vem ocultado e só aparece como conselho bem-intencionado de não cometerem sacrilégio contra os deuses e não desprezarem o presente deles. Por conseguinte, aquela declaração de Sócrates de que ele não fala em seu próprio favor (a fim de obter a absolvição) e sim em defesa dos próprios atenienses, é igualmente pura retórica, isto é, aparência ilusória e fraude[52].

O MÍTICO NOS PRIMEIROS DIÁLOGOS PLATÔNICOS COMO INDÍCIO DE UMA ESPECULAÇÃO MAIS ABUNDANTE

Cheguei agora ao final de minha exposição do dialético em Platão assim como era necessário para a presente investigação. Eu me empenhei em fazer toda esta consideração culminar com a *Apologia* para com ela obter uma consolidação do que havia de inseguro e vacilante no andamento da argumentação anterior. O mítico se tornará agora objeto de nosso exame, e assim como procurarei esquecer a intenção com que o todo é levado a cabo, para que o exame possa ficar tão solto quanto possível, também preciso solicitar ao leitor que na mesma proporção não se esqueça de que a duplicidade que há na discrepância entre o dialético e o mítico é um dos indícios, um dos vestígios que oxalá conduzirão à diferenciação daqueles dois lados que pela força do tempo e da intimidade se tornaram aparentemente indissociáveis.

Pode-se encarar este *mítico*, em primeiro lugar, com um olhar mais indiferente; pode-se considerá-lo *como uma mera* mudança na exposição, como uma outra espécie de discurso, sem que por isso a relação entre essas duas formas de discurso seja uma relação essencial; sim, até poderia parecer encontrar-se em uma ou outra expressão de Platão um aceno neste sentido. Protágoras, por exemplo, ao preparar-se para demonstrar que a virtude pode ser ensinada, diz: "Está bem, Sócrates, eu não guardarei isto só para mim; mas devo demonstrá-lo assim como os velhos, quando falam com os mais jovens, revestindo a prova com as formas de um mito, ou devo expô-la numa dissertação?" (Heise, p. 130, 320 c). E observa, ao terminar: "Assim, Sócrates, demonstrei, de ambas as formas, com um mito e com razões, que a virtude pode ser ensinada" (p. 145, 328 c). Vemos com isto que aqui a exposição mítica se diferencia daquela que investiga as razões quanto ao seguinte aspecto: a mítica é considerada como algo de imperfeito e destinado aos mais jovens. E vemos que essas duas espécies de exposições não estão em relação entre si, dado que a necessidade delas só se tornaria compreensível numa unidade superior, na qual elas, mesmo como momentos discretos, seriam aparentes e reais. Estas duas espécies de exposição não são vistas em relação à ideia, mas sim em relação aos ouvintes, e são como que duas linguagens, uma das quais é menos articulada, mais infantil e frouxa, e a outra mais desenvolvida, com arestas mais aguçadas e sólidas; mas como elas não são vistas em relação à ideia, poder-se-ia então imaginar uma terceira linguagem, uma quarta etc., e todo um sortimento de tais formas de exposição.

Acrescente-se a isso que, segundo esta concepção, o mito está completamente sob o domínio do expositor, pois é livre criação dele; ele pode deixar de lado ou acrescentar qualquer coisa, conforme lhe pareça ser mais proveitoso aos ouvintes. Mas não é possível colocar as coisas assim no que se refere ao mítico em Platão. O mítico tem aqui uma significação muito mais profunda, e a gente se convencerá disto logo que observar que *a forma mítica tem uma história em Platão*. Nos primeiros diálogos, mais antigos, o mítico está ausente de todo, e neste caso o seu contrário domina sozinho, ou então está presente em ligação com este, e contudo, num outro sentido sem ligação com este seu contrário, o abstrato. Depois, o mítico desaparece completamente durante todo um ciclo de diálogos, nos quais o dialético está presente, embora o esteja num sentido completamente diferente daquele dos diálogos mais antigos; e finalmente o mítico torna a emergir nos últimos trabalhos platônicos, porém, numa ligação mais profunda com o dialético. No que tange ao mítico em Platão, eu devo, portanto, primeiramente retornar àqueles diálogos que acabei de deixar. Nestes, com efeito, o mítico se encontra vinculado ao seu oposto, ou seja, com a dialética abstrata. Assim, por exemplo, em *Górgias*, onde, depois que os sofistas combateram com a fúria do desespero, cada vez com menos "acanhamento", onde então, depois de Polo ter superado Górgias, e Cálicles Polo em impertinência, tudo se encerra com uma exposição mítica do estado (da alma) após a morte[53]. Mas então como se comporta aqui este mítico? Pois é evidente que nesses diálogos não se trata tanto de uma livre invenção de Platão, submissa e obediente ao autor, quanto de algo que o sobrepuja, de modo que não se deve considerar esta exposição como subordinada e para jovens ou para ouvintes menos capazes, mas antes como um pressentimento de algo superior.

Stallbaum[54] situa-se, em sua concepção do mítico, manifestamente no ponto de vista sugerido acima. Em parte ele o considera uma acomodação, ou, para utilizar uma expressão certamente característica neste contexto, uma condescendência, já que esta palavra indica que Platão, com o mítico, desce ao nível dos ouvintes, enquanto nós admitimos que o mítico é algo de superior, sim, algo até situado acima da autoridade subjetiva de Platão; e em parte ele coloca o mítico em ligação com a consciência popular, a qual, antes de Platão, guardava a ideia num tal invólucro. Entretanto, nenhuma destas suas interpretações é levada a cabo com suficiente agudeza até uma diferenciação significativa entre o que foi concebido através de conclusões racionais e o que foi pressentido, ou até uma decisão verdadeiramente satisfatória dos conflitos de fronteira entre a tradição e Platão. Baur (p. 90-98) vê neste mítico o tradicional, e dá razão a Ackermann quando este coloca os poetas e os oráculos na mesma relação para com Platão, como os profetas no Antigo Testamento, com referência aos apóstolos e evangelistas. Por um lado, seria preciso ver no mítico de Platão a devota veneração, a piedade filial com que ele abraçava a consciência religiosa do passado de sua pátria; por outro lado, ver uma nobre e momentânea desconfiança frente às construções produzidas por ele, razão por que, aliás, na *República*, ele não quer de maneira alguma dar nenhuma lei ao culto divino, deixando isto por conta do Apolo délfico. Ast[55] tem uma concepção mais completa, só que, propriamente, não está fundamentada em observações, e não apresenta tanto o caráter de uma aquisição quanto o de um simples desejo.

Tanto Ast quanto Baur parecem ter negligenciado a *história interna* que o mítico tem em Platão. Pois enquanto nos primeiros diálogos o mítico entra em cena em oposição ao dialético, na medida em que o dialético silencia e o mítico se faz ouvir (ou melhor, ver), nos últimos diálogos, ao contrário, o mítico está numa relação mais cordial com o dialético, isto é, Platão se assenhora dele, quer dizer, o *mítico se torna o figurado*. E não adianta, como Baur, explicar sem mais o mítico como sendo o tradicional, e mostrar Platão procurando um ponto de partida numa autoridade superior que haveria na poesia e no oráculo, para as verdades ético-religiosas; pois nos primeiros livros da *República* é recusada toda validade aos enunciados dos poetas, com os quais se polemiza fortemente e dos quais se rejeita a concepção poética, dando-se preferência à pura e simples narrativa; sim, no décimo livro da *República*, Platão até quer ver os poetas longe do Estado. Portanto, assim sem mais nem menos, esta explicação não adianta. Seu corretivo necessário está contido, entretanto, na observação da *metamorfose do mítico* em Platão. É nos primeiros diálogos que isto se apresenta mais nitidamente. Enquanto aqui a dialética dá um resultado completamente abstrato e às vezes negativo, o mítico pretende fornecer muito mais. Mas se perguntarmos, afinal de contas, o que é o mítico, será preciso responder que ele é o estado de exílio da ideia, sua exterioridade, isto é, sua temporalidade e espacialidade imediatamente como tal. O mítico nos diálogos traz também de ponta a ponta este caráter. Os grandes espaços de tempo que a alma percorre segundo a exposição do *Fedro*, a infinitude espacial ilustrada no *Górgias* e no *Fédon*, enquanto exposição da existência da alma após a morte, são mitos. É fácil explicar isto. O dialético desembaraça o terreno de tudo o que lhe é estranho e se esforça então por escalar até a ideia, e como não tem sucesso, a fantasia reage. Cansada do trabalho dialético, a fantasia se deixa sonhar, e daí surge o mítico. Durante este sonho, a ideia flutua, transitando velozmente numa sucessão infinita, ou estaciona e se expande infinitamente presente no espaço. Deste modo, o mítico é o entusiasmo da *fantasia* ao serviço da especulação e, até um certo grau, o que Hegel chama de panteísmo da fantasia[56]. Ele tem validade no instante do contato e não é posto em relação a nenhuma reflexão. A gente se convencerá disso quando observar o *Górgias* e o *Fédon*. A exposição da existência da alma após a morte não é relacionada nem a uma reflexão histórica que busca saber se as coisas ocorrem realmente assim, e se Éaco, Minos e Radamanto lá se encontram num tribunal e julgam, e nem a uma reflexão filosófica que pergunta pela verdade disto tudo. Se se pode caracterizar a dialética que corresponde ao mítico, designando-a como atração, desejo, como aquele movimento do olhar que encara a ideia para atraí-la, então o mítico é o abraço fecundo da ideia. A ideia desce e fica flutuando baixo sobre o indivíduo como uma nuvem carregada de bênçãos.

Mas se no estado deste indivíduo se encontra, em algum momento, uma fraca indicação, um longínquo pressentimento de uma consciência, um misterioso e quase inaudível sussurro, nesta medida subsiste aí, a qualquer instante, uma possibilidade de que o mítico sofra uma metamorfose.

Com efeito, tão logo surge a consciência, mostra-se que estas miragens não eram, de qualquer modo, a ideia. Na medida então que a fantasia, depois que a consciência despertou, aspira novamente a retornar a estes sonhos, o *mítico* aparece sob uma *nova forma*, isto é, *como imagem*. Pois ocorreu agora uma mudança: a consciência assumiu que o mítico não é a ideia e sim apenas um reflexo da ideia. É assim, creio eu, que se passam as coisas com as exposições míticas nos diálogos construtivos. Primeiramente o mítico é assimilado ao dialético, não mais está em conflito com este, não mais se fecha em si mesmo de maneira sectária; ele alterna com o dialético[57], e deste modo, tanto a dialética quanto o mítico são elevados a uma ordem de coisas superior. O mítico bem pode, por isso, conter algo de tradicional. O tradicional é como que a canção de ninar, que constitui um momento que pertence ao sonho; mas, bem rigorosamente, ele é mítico justamente nos instantes em que o espírito se afasta para longe e ninguém sabe de onde vem ou para onde vai.

Pode-se também chegar a uma consideração semelhante do mítico, partindo-se do *figurado*. Com efeito, quando, numa época reflexiva, a gente vê numa exposição reflexiva aparecer o figurado bem mais raramente e despercebido, como um fóssil antediluviano a lembrar uma outra espécie de forma de vida, agora varrida para longe pela dúvida, a gente aí talvez se admire que o figurado tenha podido desempenhar algum dia um papel tão grande. Mas à medida que a imagem se propaga mais e mais e inclui em si sempre mais coisas, convida o espectador a repousar nela e a antecipar um gozo que a reflexão incansável talvez viesse a lhe proporcionar após longos rodeios. E quando então finalmente a imagem adquire uma tal amplitude que toda a existência se torna visível (perceptível) nela, aí temos então o *movimento regressivo* rumo *ao mítico*. Disto dá exemplos frequentemente a filosofia da natureza, e assim é, por exemplo, o prefácio de H. Steffens ao seu *Karikaturen des Heiligsten* (Caricaturas do Santíssimo) uma tal imagem grandiosa, onde a existência natural se torna um mito sobre a existência do espírito. A imagem subjuga deste modo o indivíduo, que perde sua liberdade, ou melhor, mergulha num estado em que não há mais realidade, pois agora a imagem não é o livremente produzido, criado artisticamente. E por mais ocupado que o pensamento esteja procurando visualizar os pormenores, por mais engenhoso que seja para combiná-los, por mais agradável que seja a existência que ele aí se organiza, mesmo assim ele não está em condições de dissociar o todo de si mesmo, deixando-o mostrar-se leve e volátil na esfera da pura criação poética. Isto foi para mostrar de que modo o mítico também se pode fazer valer num indivíduo isolado. O protótipo disso deve, naturalmente, ter-se feito valer no desenvolvimento das nações, mas é preciso lembrar que isto apenas continua sendo um mito enquanto este mesmo processo se repete na consciência das nações, as quais, sonhando, reproduzem o mito de seu passado. Cada tentativa de tomar o mito como história acaba mostrando que a consciência já despertou e acaba matando o mito. Assim como o conto, o mito só impera no lusco-fusco da fantasia, ainda que naturalmente elementos míticos possam muito bem conservar-se durante um período de tempo, depois que o interesse histórico já tenha despertado e que o interesse filosófico já tenha chegado à plena consciência.

Se é isso o que ocorre com o mítico em Platão, então não é difícil responder à questão: Pertence o mítico a Platão ou a Sócrates? Eu creio poder responder, em meu nome e no dos leitores: ele não Pertence a Sócrates. Se a gente lembrar, ao contrário, o que a Antiguidade aliás testemunha, que foi de uma produtiva vida poética que Sócrates tirou Platão aos vinte anos, chamando-o para um abstrato conhecimento de si[58], então decerto se torna bem natural pensar que o poético em sua ativa passividade e em sua passiva atividade tinha de se fazer valer em oposição àquela faminta dialética socrática, e que isto tinha de se apresentar mais forte e isoladamente naquela produtividade que, ou era contemporânea de Sócrates, ou pelo menos o seguiu logo após. Ora, é este também o caso; pois o mítico é mais obstinado e recalcitrante em afirmar seu direito nos primeiros diálogos, enquanto nos diálogos construtivos se submete ao suave regime de uma consciência abrangente. Por isso, aqueles que têm um conhecimento um pouco mais aprofundado de Platão certamente também haverão de me dar razão quando coloco o início do *desenvolvimento platônico*, num sentido mais estrito, na dialética que aparece no *Parmênides* e nos diálogos que pertencem a este ciclo e que desemboca nos construtivos. Mas já foi observado que a dialética contida nestes últimos é essencialmente distinta da dialética descrita até aqui. O mítico nos primeiros diálogos, em relação a todo o desenvolvimento platônico, deve ser encarado, portanto, como uma espécie de preexistência da ideia, e se se recolher o que foi ressaltado aqui, talvez se deva chamar o mítico, nos diálogos mais antigos, o fruto não amadurecido da especulação, e dado que a maturação é um processo de fermentação, bem que a autêntica dialética platônica posterior poderá ser comparada adequadamente com este processo. Entretanto, a razão por que o fruto da especulação jamais amadurece totalmente em

Platão consiste em que o movimento dialético jamais se acaba completamente.

Devo agora percorrer rapidamente *a parte mítica* de alguns diálogos. Será supérfluo lembrar que não se pode chamar tal parte de mítica só porque aí são feitas referências a um ou outro mito, pois não é pelo fato de se introduzir um mito numa exposição que esta exposição se torna mítica, e muito menos pelo fato de se utilizar um mito, pois isto prova justamente que se está acima e por cima dele; e ela não se torna mítica, de jeito nenhum, quando se transforma o mito num objeto de fé, pois o mítico não se dirige primeiro ao conhecimento, e sim à fantasia, ele exige que o indivíduo nele se perca, e é somente quando a exposição oscila entre a produção e a reprodução da fantasia que a exposição é mítica. No *Banquete*, admite-se que a exposição mítica inicia-se com a narrativa de Diótima. Esta não é mítica porque aí se faz referência ao mito de Eros como gerado por Poros e Penia; pois também nos discursos anteriores não haviam sido negligenciadas as sagas sobre a origem de Eros.

Entretanto, a determinação que aqui é dada de Eros é negativa, Eros é um ente intermediário, não é rico nem pobre. Até aí, ainda não fomos mais além do que no desenvolvimento socrático. Mas este negativo, que é a inquietude eterna do pensamento, que diferencia e vincula, e que o pensamento por isso não pode sustentar, porque é aquilo que impulsiona o pensamento, este negativo detém-se aqui e descansa diante da fantasia e se expande pela intuição. Nisto consiste o *mítico*. Todo aquele que já se entregou ao pensar abstrato terá percebido quão sedutor é querer fixar ou sustentar o que propriamente não é, a não ser na medida em que é superado. Esta, porém, é uma tendência mítica. O que acontece, com efeito, é que a ideia é fixada sob determinações de tempo e espaço, estas tomadas num sentido totalmente ideal[59]. Portanto, o que a exposição mítica proporciona a mais do que o movimento dialético descrito até aqui é que ela faz o negativo *ser visto*. Com isto, ela proporciona então, num certo sentido, menos, ela retarda o desenvolvimento racional e se manifesta, não como uma plenitude de um processo começado, mas sim como um começo totalmente novo. Quanto mais quer estender a contemplação, quanto mais plena quer fazê-la, tanto mais ela mostra sua oposição àquela dialética meramente negativa, mas também tanto mais ela se distancia do pensamento propriamente dito, encanta o pensamento, deixa-o mimado e relaxado. O segundo ponto, com o qual a parte mítica deste diálogo proporciona algo mais do que a parte dialética, é que ela apresenta o *belo* como *objeto do Eros*. Deste modo, temos agora uma autêntica dicotomia platônica que, como já foi observado antes, padece de todas as dificuldades das dicotomias, na medida em que ela tem o negativo fora de si, e a unidade, que é alcançada, jamais pode hipostasiar-se. Se se observar mais de perto o que ocorre com o belo, percebe-se como ele se despoja de uma quantidade de determinações ao longo de um movimento dialético. O objeto do amor é, sucessivamente: belos corpos – belas almas – belos comentários – belo conhecimento – o belo. O belo então é determinado não apenas negativamente como aquilo que se mostrará numa luz mais gloriosa do que o ouro, os vestidos, os belos meninos e jovens, porém Diótima ainda acrescenta: "Que pensamos então que aconteceria se alguém conseguisse contemplar o próprio belo, nítido, puro, simples, e não repleto de carnes humanas, de cores e outras muitas ninharias mortais, mas o próprio belo divino em sua forma única essencial?" (Heise, p. 81, *Banq.* 211 e). O mítico consiste manifestamente em que o belo em si e para si deva *ser contemplado*. E não obstante a expositora já tenha renunciado a todas as futilidades efêmeras e a todo aparato figurativo, é evidente, mesmo assim, que ela quer exatamente retornar ao mundo da fantasia e fornecer o drapejamento mítico. Assim ocorrerá sempre com *das Ding an sich* (a coisa em si), se não se puder rejeitá-la e relegá-la ao livro do esquecimento, e em vez disso, tendo-a deixado fora do pensamento, se quiser fazer a fantasia compensar e indenizar a perda.

Este ponto de vista lembra, naturalmente, bastante o kantiano. Em poucas palavras procurarei apenas assinalar *a diferença*. É bem verdade que Kant estacionou nesta coisa *an sich* (em si), mas ou ele persistia infatigável, com a ajuda do pensamento subjetivo, na tentativa de captá-la, e uma vez que era algo impossível, restava-lhe a grande vantagem, aliás bastante irônica, de continuar esperando para sempre; ou ela a rejeitava e tratava de esquecê-la. Quando, ao contrário, quer às vezes mantê-la, ele desenvolve o mítico, e assim, por exemplo, toda a sua concepção do "mal radical" é propriamente um mito. O mal, com efeito, que o pensamento não pode dominar, é deixado fora dele e transposto para a fantasia. Na parte mítica do *Banquete*, portanto, o poeta Platão imagina em sonhos tudo aquilo que o dialético Sócrates procurava; no mundo dos sonhos o amor infeliz da ironia encontra o seu objeto. O fato de Platão colocar na boca de Diótima esta exposição não é suficiente, decerto, para transformá-la numa exposição mítica; mas por outro lado é próprio do mítico, como agrada aliás à fantasia, que o objeto seja deixado do lado de fora, seja afastado para ser trazido de novo de volta, assim como a gente não gosta de ter vivenciado pessoalmente um conto, mas o empurra para bem longe de si e com a oposição ao intervalo do tempo se esforça para tornar o presente da fantasia tanto mais atraente. Também Ast observa, aliás, que esta história de Diótima não passa de mera invenção, e a consideração de Baur, de que Platão teria optado pela forma de exposição mítica para dar ao seu filosofema um apoio positivo numa forma familiar à consciência popular, explica certamente demasiado pouco, e concebe a relação do mítico com Platão de maneira totalmente exterior.

Se analisarmos a exposição mítica do estado da alma após a morte, tal como é descrita no *Górgias* e no *Fédon*, encontraremos até certo ponto uma desigualdade entre as duas concepções. No *Górgias*, Sócrates enfatiza em muitas passagens[60] que acredita nisto, e reconhece sua fé nisto em oposição àqueles que talvez veriam aí "meros contos da carochinha e o desprezariam"; contudo, também se percebe nas expressões seguintes que o que mais lhe importava era sustentar a ideia da justiça, mais do que conservar o mito, já que ele mesmo concebe ser natural desprezar tais narrativas se se consegue algo melhor e mais verdadeiro através da investigação. Mais uma vez, o mítico não reside tanto na referência à saga de Minos, Éaco e Radamanto quanto na afirmação do julgamento perceptível à fantasia, tal como ela o representa para si. No *Fédon*, ao contrário, o próprio Sócrates sugere o que se passa com toda esta concepção: "Entretanto, pretender que essas coisas sejam na realidade exatamente como as descrevi, eis o que não será próprio de um homem de bomsenso; mas crer que é uma coisa assim ou semelhante o que se dá com nossas almas e suas moradas – porque a alma é evidentemente imortal –, eis uma opinião que me parece boa e digna de confiança. Belo será ter esta coragem! É preciso repeti-lo como uma fórmula mágica e é – palavra! – por isso que há muito estou a falar nessa lenda mitológica" (Heise, p. 117, *Féd.*, 114 e). Aqui é empregada também a expressão correta, a de que é um ato de coragem crer nessas coisas e de que é preciso repeti-lo para si como uma evocação mágica; pois a representação dos espaços de tempo numerosos e longos que a alma deve percorrer conforme sua condição, o espaço enorme do mundo subterrâneo em que se vê a alma desaparecer, conduzida por seu demônio, a natureza diferenciada das pousadas, as ondas do Tártaro, que jogam a alma no Cocito ou no Periflegetonte, a reunião dessas almas no Lago Aquerúsia, de onde chamam e gritam àqueles que mataram ou trataram com violência – tudo isso é bem propriamente mítico; mas o mítico reside no poder que ele adquire sobre a fantasia, quando, querendo-se formular palavras mágicas, evocam-se as visões que sobrepujam a gente. O pensamento especulativo que por assim dizer põe um pouco de ordem e clareza neste lusco-fusco é a ideia da justiça divina, da harmonia no mundo do espírito, da qual a lei natural do universo é uma imagem.

LIVRO I DA REPÚBLICA

Antes de passar a justificar a escolha desses diálogos que examinei, eu ainda preciso fazer mais uma escolha. Antes de abandonar o detalhe em Platão, o primeiro livro da *República* ainda deve tornar-se objeto de uma investigação mais pormenorizada. Schleiermacher, em sua introdução à *República*, faz algumas considerações a respeito da relação deste diálogo com os precedentes diálogos éticos: "Se queremos compreender perfeitamente a opinião de Platão, não podemos perder de vista que toda esta semelhança da nossa obra com os diálogos éticos mais antigos também desaparece ao final do primeiro livro [...] Também o método se altera completamente; Sócrates não aparece mais perguntando como o ignorante que investiga apenas a serviço do deus a ignorância ainda maior, porém, como um homem que já encontrou, ele leva consigo, à medida que vai progredindo, os conhecimentos já adquiridos numa estreita conexão. Sim, mesmo quanto ao estilo, somente os primeiros discursos dos dois irmãos, enquanto constituem a transição, comportam uma semelhança com a parte anterior; depois do que, não há nada mais do esplendor dialógico e da ironia encantadora, enquanto apenas vence o conciso rigor. Todo aquele aparato da virtuosidade mais juvenil brilha aqui ainda uma vez no começo, e se extingue então para sempre, para reconhecer de maneira tão clara quanto possível que todo o belo e o agradável desta espécie só tem o seu lugar no terreno da filosofia, nas investigações preparatórias, que mais estimulam e incitam do que fazem progredir e satisfazem; e que, porém, onde deve ser dada uma exposição coerente dos resultados da investigação filosófica, tais ornamentos iriam ter um efeito que mais distrairia do que faria progredir" (Obras de Platão, de Schleiermacher, 3ª parte, t. I, p. 9 e 10). Será então proveitoso ainda uma vez nos demorarmos nos exames da natureza da exposição[61] e *in specie* (em particular) de sua relação para com a ideia. Se não se pode negar, com efeito, que há uma diferença essencial entre este primeiro livro da *República* e os seguintes, se se está de acordo com Schleiermacher nas observações feitas por ele, então o pensamento retorna mesmo àqueles primeiros diálogos e à forma deles, que seguramente foram influenciados por Sócrates, e esta seção da *República* fornecerá a ocasião para ratificar *in compendio* (resumidamente), se possível, as inspeções anteriores. Duas coisas devem ser observadas aí especialmente: o primeiro livro não acaba simplesmente *sem* resultado, conforme a opinião de Schleiermacher, mas antes com um resultado *negativo*; e *a ironia é*, aqui mais uma vez, um momento essencial.

Podemos agora, para completar, considerar a ironia, em parte em suas manifestações isoladas, e em parte em seu esforço definitivo. Este último é naturalmente o ponto capital; mas não obstante, não será sem importância constatar que mesmo suas manifestações isoladas não se encontram em nenhuma relação com a ideia e que a aniquilação do falso e do unilateral não acontece para permitir que a verdade apareça, e sim para começar de novo com outra coisa torta e unilateral. Será importante, para constatar que mesmo *as manifestações isoladas da ironia* não renegaram sua origem e filiação, e que são zelosos escudeiros, espiões astutos e denunciantes insubornáveis, trabalhando a serviço de sua senhora. Mas esta senhora não é ninguém mais do que *a ironia total* que, depois que as pequenas batalhas foram combatidas até o fim, depois que todas as elevações foram arrasadas, percorre com o olhar o nada total, toma consciência de que nada mais restou, ou melhor, que só restou o nada. Este livro I da *República* recorda de maneira muito viva os primeiros diálogos. O final do diálogo lembra o *Protágoras*, o arranjo interno lembra o *Górgias*, e há uma semelhança que salta aos olhos entre Trasímaco e Cálicles. A insolência, que Sócrates no *Górgias* louva no comportamento de Cálicles, o qual afirma terem sido vencidos Górgias e Polo por não terem tido suficiente atrevimento para dizer que a maioria dos homens compartilhava sua visão de que é melhor cometer injustiça desde que daí se tire vantagens, mas que se tem uma certa vergonha de expressar isto, e de que também foram os mais fracos que inventaram tais manobras de defesa – esta insolência vamos reencontrar toda inteira no comportamento de Trasímaco[62]. A maneira como Trasímaco, que por muito tempo aguardara impaciente a ocasião de tomar a palavra, finalmente avança qual uma tempestade, lembra os assaltos impetuosos de Polo e Cálicles, e a primeira parada irônica de Sócrates – "ao ouvir isto, fiquei estarrecido; volvi os olhos na sua direção, atemorizado, e parece-me que, se eu não tivesse olhado para ele antes de ter ele olhado para mim, teria ficado sem voz. Mas neste caso, quando começou a irritar-se com a nossa discussão, fui eu o primeiro a olhá-lo, de maneira que fui capaz de lhe responder. Disse, pois, a tremer: Ó Trasímaco, não te zangues conosco" (*Rep.* 336, d e) – recorda uma postura semelhante no *Górgias*. A maneira mordaz com que Sócrates evasivamente ilude a proposição de Trasímaco, de que "a justiça não é outra coisa do que a conveniência do mais forte", ao levantar a pergunta cética "se Polidamas, o lutador de pancrácio, que é mais forte que nós, se a ele convém, para o seu físico, comer carne de vaca, tal alimento será também para nós, que lhe somos inferiores, conveniente e justo ao mesmo tempo?" (*Rep*. 338 c), é uma analogia indubitável com a maneira com que Sócrates ridiculariza a proposição de Cálicles de que o mais forte (isto é, o de melhor entendimento, isto é, o melhor) deve receber a parte maior[63]. A ironia neste primeiro livro da *República* é a tal ponto extremada e irrefreada, jorra com uma tal exuberância, revoluteia tão travessa e indômita, que faz pressentir quão enorme vigor tem de possuir aquela dialética que pretenda contestá-la; contudo, dado que todos estes esforços não estão em nenhuma relação para com a ideia, os sofistas e as evoluções dos raciocínios em todo este primeiro livro têm uma certa semelhança com as figuras grotescas que a gente pode ver num *Schattenspiel an der Wand* (jogo de sombras). E, apesar de tudo, os sofistas conduzem todo este caso com uma seriedade e um tal dispêndio de forças que formam um gritante contraste com a nulidade (*Intethed*) do resultado, e será impossível deixar de rir quando se ouve Sócrates dizer "Trasímaco, então, concordou com tudo isto, não com a facilidade com que agora estou a contá-lo, mas arrastadamente e a custo, suando espantosamente, tanto mais que era no verão" (*Rep*. 350 c d). As manifestações isoladas da ironia não estão aqui, naturalmente, a serviço da ideia, não são seus enviados, encarregados de reunir numa totalidade as partes dispersas; não reúnem, mas dispersam, e cada novo início não é o desdobramento da parte anterior, nem uma aproximação à ideia, mas fica sem conexão mais profunda com a parte anterior e sem relação com a ideia.

No que tange agora ao conteúdo deste primeiro livro, procurarei dar um panorama tão completo quanto necessário e tão compacto quanto me for possível. Sócrates e Gláucon haviam descido até o Pireu, para estarem presentes à Festa das Bendideias. Quando retornavam, o velho Céfalo mandou convidá-los para uma visita. Sócrates aceita o convite e logo se desenvolve um diálogo entre ele e Céfalo. Esta passagem é muito tocante por seus tons idilicamente graciosos. Sócrates exprime sua gratidão pelo fato de o ancião querer ocupar-se com ele, posto que àquele que já trilhou um longo caminho da vida deve necessariamente poder esclarecer em muitos aspectos os que apenas estão começando a trilhá-lo. A propósito do fato de que Céfalo em parte herdara e em parte adquirira uma fortuna nada desprezível, Sócrates atrai a atenção para a questão seguinte: se a justiça em geral consiste na verdade e em restituir aquilo que se deve a alguém, ou que sabe não se daria o caso em que seria injusto restituir o que a gente deve. (Assim, se alguém quisesse devolver a um amigo enlouquecido aquela espada que ele emprestara quando ainda estava no uso de sua razão.) Aqui Céfalo interrompe e passa a conversa aos outros, e com isto Polemarco, seu filho e herdeiro (o herdeiro da discussão), retoma o fio. Ele apresenta a proposição: "que é justo restituir a cada um o que se lhe deve", precisando ainda que isto significa fazer bem aos amigos e mal aos inimigos, e interpreta "o que é devido" como "o que convém a cada um". Esta expressão "o que convém" dá ocasião a Sócrates para desenvolver toda uma posição cética, tomada do mundo do conhecimento, e à medida que se mostra que o dar a cada um o conveniente é uma questão de competência (conhecimento técnico), o território da justiça fica delimitado de maneira muito restrita. Após isto, ele vira a discussão de tal modo que se vê que a justiça só é utilizável no não utilizável. Trasímaco ficara até agora silencioso, mas aguardava impaciente a oportunidade para irromper na discussão, e agora então arremete com a violência de um louco contra Sócrates, e depois de desabafar toda a sua irritação pelas troças de Sócrates, declara: "Afirmo que a justiça não é outra coisa senão a conveniência do mais forte". Sócrates aparentemente se desconcerta, mas depois de algumas burlarias, especialmente destinadas a afastar a atenção de Trasímaco da questão principal, inicia a mesma tática que fora empregada com tanto sucesso contra Polemarco. Mais uma vez Sócrates se refugia no domínio do conhecimento. A palavra "o mais forte" torna-se aqui a pedra de tropeço. Com efeito, quando isto é compreendido como o mais poderoso, sem levar em conta se aí se trata de uma pessoa particular ou do poder do Estado, dado que em ambos os casos a lei do Estado só conta em função da vantagem própria, seria bem possível, dado que os legisladores não são infalíveis, que as leis, em vez de concorrerem para o maior bem dos poderosos, acabem sendo-lhes prejudiciais. Entretanto, Trasímaco acredita poder afastar esta objeção, desde que se reflita sobre o seguinte: que assim como um médico não é médico no que se refere aos seus erros, mas sim no referente às suas ações corretas, assim também um governante, no verdadeiro sentido desta expressão, saberá dar tais leis que em verdade servem à sua vantagem própria. Trasímaco não fala portanto de um dominador puro e simples, mas sim daquele que num sentido estrito, sim, no sentido mais estrito, é dominador ("no sentido rigoroso – o governante no sentido mais rigoroso do termo").

Contudo, justamente isto, que o conceito seja tomado *sensu eminentiori* (no sentido mais rigoroso), dá a Sócrates ocasião para uma nova dúvida; pois com a arte do comando ocorre o mesmo que com qualquer outra arte, quando ela é exercida em sua verdade: ela não reconhece nenhuma finalidade estranha a ela, e se dirige firme e inquebrantável ao seu objetivo, e também, de maneira alguma, olha de esguelha para a sua vantagem. Até aí Sócrates tinha levado a discussão, e não se pode negar a correção de sua concepção própria do andamento da investigação: "a definição da justiça se tinha voltado ao contrário" (*Rep.* 343 a), quando então Trasímaco é tomado por um novo ataque de fúria e como um possesso, perdido egocentricamente numa vertente de palavras monológica, desabafa numa nova torrente de insolência, como diria Sócrates, e cujo conteúdo essencial consiste em que, quando ele fala de cometer injustiça, ele não quer dizer com isso que tal deve acontecer nas coisas miúdas, muito pelo contrário, quanto maior a injustiça feita, quanto mais completa ela for, tanto mais vantajosa ela será para aquele que comete injustiça. Depois de ter acabado esta diatribe, ele pretendia ir embora, quando então os presentes o impediram de sair. Sócrates retoma mais uma vez sua concepção anterior de que toda arte deve ser concebida em seu esforço ideal e de que é preciso afastar dela os parasitas da teleologia finita que procuram agarrar-se a ela. Cada arte tem sua finalidade específica, sua utilidade, que não é outra senão contribuir para o bem daqueles que são confiados aos seus cuidados. Trasímaco mantém sua posição e ainda esclarece que a justiça não é outra coisa senão ingenuidade, enquanto a injustiça é inteligência. Sócrates leva então Trasímaco a estabelecer que a injustiça é sabedoria e virtude. Depois, Sócrates orienta seu desenvolvimento na direção da proposição de que a injustiça é sabedoria, e por meio de algumas analogias da esfera do conhecimento desaloja mais uma vez Trasímaco da trincheira em que ele se situara por trás de seu atrevido paradoxo. O justo não quer ter mais do que o justo, mas quer, isto sim, ter mais que o injusto; o injusto quer ter vantagens frente a ambos, frente ao justo e ao injusto. Um artista não quereria tirar vantagem frente a um outro artista, mas terá vantagem sobre quem não o seja; um médico não quereria exceder outro médico, mas sim o que não é médico, e de um modo geral um homem competente não quererá ter preferência sobre outro homem competente, mas sim, perfeitamente, sobre um leigo. O leigo ou incompetente, pelo contrário, pretenderá ter vantagem tanto sobre o competente quanto sobre o incompetente. E, portanto, o justo é sábio e bom, o injusto é insensato e mau.

Agora as coisas entraram nos trilhos, e o que segue neste livro não é parco no predicar tudo o que é possível dizer de bom a respeito da justiça. Tais predicados, no entanto, descrevem mais de um modo exterior, devem ser encarados como os retratos falados dos procurados para prisão, que devem ajudar a encontrar as pegadas, mas não contêm determinações conceituais. Por isso, embora eles coloquem o pensamento em movimento, deixam-no flutuar no abstrato e não o levam a repousar na plenitude positiva. Por isso, quando Sócrates na conclusão quer fazer Trasímaco ratificar o resultado: "Então jamais a injustiça será mais vantajosa do que a justiça, ó bem-aventurado Trasímaco", num certo sentido se pode desculpar Trasímaco por sua resposta desdenhosa: "Regala-te lá com este manjar, ó Sócrates, para o Festival das Bendideias". Mas Sócrates tem clareza demais sobre o andamento do diálogo para não perceber que todo o modo do procedimento foi bastante dessultório. Por isso, ele termina com a observação: "Mas parece-me que fiz como os glutões, que agarram numa prova de cada um dos pratos, à medida que os servem, antes de terem gozado suficientemente o primeiro; também eu, antes de descobrir o que procurávamos primeiro – o que é a justiça – largando esse assunto, precipitei-me para examinar, a esse propósito, se ela era um vício e ignorância, ou sabedoria e virtude; depois, como surgisse novo argumento – que é mais vantajosa a injustiça do que a justiça – não me abstive de passar daquele assunto para este; de tal maneira que daí resultou para mim que nada fiquei a saber com esta discussão. Desde que não sei o que é a justiça, menos ainda saberei se se dá o caso de ela ser uma virtude ou não, e se quem a possui é ou não feliz" (*Rep.* 354 b c).

Se levarmos em consideração o movimento realizado ao longo de todo este primeiro livro, qualquer um há de conceder que este movimento *não* é a dialética da ideia, mas antes se poderia dizer que a questão se dialetiza a partir dos disparates dos debatedores, e que este primeiro livro luta por conquistar a possibilidade de conseguir responder, com energia especulativa, a questão: o que é a justiça. É preciso então dar razão a Schleiermacher quando ele diz que este primeiro livro termina sem resultado. Entretanto, isto poderia parecer algo de completamente contingente. Com efeito, se uma obra como a *República* de Platão, composta de dez livros, nos quais o desenvolvimento da ideia da justiça é um objeto principal, não fornecesse imediatamente o resultado, já no primeiro livro, nada mais natural.

Mas a coisa não é assim. A grande diferença que se dá entre o primeiro livro e os seguintes, a circunstância de que o segundo livro volta ao início, inicia com o início, não podem ser perdidas de vista. Adicionemos a isto o fato de que o primeiro livro toma consciência de não ter chegado a um resultado e não foge desta consciência, mas se agarra a ela e repousa nela, então não pode ser negado, de jeito nenhum, que este primeiro livro não apenas termine sem resultado[64], mas sim termine com um *resultado negativo*. E como isto é irônico em si e por si mesmo, assim também a observação final de Sócrates traz um *cunho irônico* inconfundível. Se eu então até aqui não fiquei dando golpes no ar, a interpretação deste primeiro livro encontrará sustentação em tudo o que foi dito até agora, assim como também tudo o que foi dito antes, na medida em que ainda estava flutuando, encontrará um apoio firme nesta última investigação; e toda a minha construção não precisará por isso, de maneira nenhuma, ficar ameaçada de desmoronar, dado que uma parte ao mesmo tempo se apoia na outra e a sustenta.

Entretanto, eu preciso dar a este primeiro livro da *República* um peso todo especial. Platão, de uma ou outra maneira, deve ter tomado consciência da diferença entre este primeiro livro e os seguintes, porém, como todo um ciclo de diálogos intermediários não apresenta nenhuma semelhança com o livro I, Platão certamente tinha uma intenção, qualquer que fosse, ao escrevê-lo. Isto, por um lado. E por outro: este primeiro livro recorda justamente os primeiros diálogos, os quais, num sentido completamente diferente dos posteriores, devem ter estado sob a influência e a atuação pessoal de Sócrates. O resultado disto é que nós podemos abrir caminho, através *desses* primeiros diálogos e *deste* primeiro livro da *República*, da maneira mais segura, para uma *concepção de Sócrates*.

Retrospectiva justificativa

No que concerne à escolha dos diálogos, tive constantemente em vista apenas uma finalidade, qual seja, apoiar-me naqueles diálogos que, de acordo com a *opinião geralmente aceita*, pudessem-me abrir uma perspectiva, ainda que parcial, para ver o *Sócrates real*. A maior parte dos estudiosos tem então, e para mim isto é o principal, em sua divisão dos diálogos uma primeira classe, que todos eles colocam em estreito contato com Sócrates, não apenas porque lhe são temporalmente mais próximos, já que isto afinal seria uma determinação completamente exterior, mas também porque estes, quanto ao espírito, são considerados os mais aparentados, sem que por isso todos os estudiosos os chamem, como Ast, diretamente *socráticos*[65]. Ademais, nem todos os estudiosos estão de acordo a respeito de quais diálogos deveriam ser agrupados nesta primeira classe, ainda que todos considerem *Protágoras* como um destes, e a maioria também *Górgias*, o que para mim é suficiente. Ast localiza igualmente

Fédon entre estes primeiros. Quanto a isto, a maioria está contra ele. Em compensação, a maior parte está de acordo, por sua vez, em atribuir ao *Banquete* e ao *Fédon* uma importância toda especial no que se refere à concepção de Sócrates. Enquanto Ast se declara contra o que antes foi apresentado de Schleiermacher, contra aquela visão sobre a vinculação entre o *Banquete* e o *Fédon*, que já foi tocada em seu respectivo lugar nesta nossa análise, ele coloca, decerto, com seu protesto, um obstáculo em seu caminho; mas dado que ele conta o *Fédon* entre os diálogos "socráticos", eu posso, com alguma modificação, neste ponto seguir Schleiermacher e aqueles que se ligam a ele. À *Apologia* – neste ponto a maior parte dos estudiosos está de acordo – é atribuída uma significação histórica em sentido mais rigoroso, e eu também atribuirei a ela, como aliás já fiz, um peso todo especial. Enfim, sob os auspícios de Schleiermacher, procurei garantir uma importância própria, para esta investigação, ao *primeiro livro da República*.

Se eu então, por um lado, na escolha dos diálogos tive diante dos olhos os resultados dos pesquisadores científicos, acomodei-me a eles tanto quanto me era possível, busquei arrimo neles tanto quanto me permitiram, por outro eu também me esforcei para, através de uma observação imparcial de uma grande parte de Platão, certificar-me pessoalmente da correção desses resultados. Que ironia e dialética são as duas grandes potências em Platão, todos hão de conceder; mas que nele se encontram uma *dupla espécie de ironia* e uma *dupla espécie de dialética*, também não se pode negar, de jeito nenhum. Há uma ironia que é apenas um *stimulus* para o pensamento, que o impulsiona quando ele se torna sonolento, e o disciplina quando se torna desenfreado. Há uma ironia que é ela mesma o operante e ainda é o *terminus* ao qual se visa. Há uma dialética que em movimento ininterrupto sempre vigia para que a questão não se deixe cativar por uma concepção casual, e, infatigável, está sempre disposta a fazer o problema vir à tona quando ele é posto a pique, em suma, que sempre sabe mantê-lo em suspenso, e justamente por meio disso e com isso quer solucionar o problema. Há uma dialética que, partindo das ideias mais abstratas, quer levá-las a se desenvolverem em determinações mais concretas, uma dialética que com a ideia quer construir a realidade. Finalmente, há ainda um elemento em Platão que é um suplemento necessário para aquilo que falta naquelas duas grandes potências. É o *mítico* e *o figurado*. À primeira espécie de ironia corresponde a primeira espécie de dialética, à segunda espécie de ironia, a segunda espécie de dialética; às duas primeiras, o mítico; às duas últimas, o figurado, todavia de tal modo que o mítico não está numa relação necessária para com as duas primeiras e menos ainda para com as duas últimas, mas antes é como uma antecipação provocada pela unilateralidade das duas primeiras, ou como um momento de passagem, um *confinium*, que propriamente nem pertence a uma parte e nem a outra.

Duas suposições são aqui possíveis. De acordo com a primeira, é preciso supor que estes pontos de vista situam-se *dentro* do registro *platônico*, e que Platão primariamente experimentou em si o primeiro estádio, deixou que este se desenvolvesse em si até o segundo estádio começar a se afirmar, e depois de se ter aí desenvolvido sucessivamente, acabou por desalojar completamente o primeiro; pois o primeiro estádio não é assumido no segundo; no segundo, tudo é novo. Se se quiser atribuir a Platão ambos os pontos de vista, será preciso caracterizar o primeiro como ceticismo, como uma espécie de introdução, que no entanto não conduz para dentro da coisa, como um impulso, que no entanto não atinge a meta. Acrescente-se a isto que desta maneira não se faz justiça ao primeiro ponto de vista, pois não se permite que este se consolide interiormente, e se o suprime tão logo quanto possível, para executar a transição ao segundo tanto mais facilmente. Mas ao fazer isto se altera o fenômeno, e, não o fazendo, fica tanto maior a dificuldade de dar a ambos um lugar primitivo em Platão. Além disso, a significação de Sócrates fica completamente deixada de lado e esta hipótese de interpretação entraria em choque com a história, já que deste modo tudo o que Platão teria por agradecer a Sócrates seria o nome de Sócrates, o qual certamente desempenha em Platão um papel tão essencial como, a seguirmos essa concepção, representaria um papel puramente casual. Ou *então* é preciso supor que um destes pontos de vista pertence *primariamente a Sócrates* e secundariamente a Platão, e que portanto Platão meramente o reproduz. – Qual desses dois pontos de vista pertenceria então a Sócrates, sobre isto não pode haver nenhuma dúvida. Tem de ser o primeiro. Suas características específicas são, conforme já foi indicado mais acima, a ironia em seu *empenho total*[66], *a dialética* em sua atividade *negativamente libertadora*[67].

Se por acaso, então, nas páginas anteriores, ainda não me foi possível justificar suficientemente este ponto de vista a partir de Platão, a razão – além naturalmente daquilo que se deve à minha própria falta de aplicação – está em que Platão apenas *reproduz* este ponto de vista. Entretanto, quanto maior fosse a influência exercida necessariamente pela ironia sobre uma sensibilidade poética como a de Platão, tanto mais difícil seria para ele explicar-se esta influência e reproduzir a ironia em sua totalidade, e nesta reprodução abster-se de todo acréscimo de um conteúdo positivo e assegurar-se de que ela não se tornaria neste ponto de vista aquilo que ela mais tarde é nele, uma potência negativa ao serviço de uma ideia positiva. Se as coisas são assim como digo, também se perceberá como foi correto o procedimento, anteriormente sugerido, de interpretar aquelas expressões dos primeiros diálogos que oscilam entre um ponto de vista positivo e um negativo como *centelhas provisórias* ainda ambíguas, e a parte mítica desses diálogos como uma *antecipação*, e de afirmar que o *platonismo propriamente dito* começa com aquele ciclo de diálogo a que pertencem o *Parmênides*, o *Teeteto*, o *Sofista* e o *Político*.

Uma dificuldade que ainda subsiste para mim é que, naturalmente, só através de uma observação refletida é possível conceber corretamente o primeiro ponto de vista, posto que a reprodução platônica não está totalmente isenta de uma certa elucidação dupla. Isto se deixa explicar tanto mais facilmente quanto ocorre entre ironia e um pensamento subjetivo uma enganadora semelhança. No que tange, em primeiro lugar, a uma personalidade e à sua relação com uma outra personalidade, na medida em que esta é libertadora, é evidente que tal relação pode ser em parte negativamente e em parte positivamente libertadora, como já foi mostrado antes. Na medida em que a ironia corta as amarras que retinham a especulação, ajuda a empurrá-la para fora dos bancos de areia empíricos e a fazer com que ela se aventure mar afora, temos aí uma atuação negativamente libertadora. A ironia *não está nem um pouco* interessada na expedição. Na medida, porém, que o indivíduo especulante sente-se libertado e uma grande riqueza se apresenta diante de seus olhos, facilmente ele *poderá vir a crer* que tudo isto também é devido à ironia, e a gratidão que ele sente pode desejar que ele se considere devedor à ironia por tudo. Até um certo ponto há alguma verdade nesta confusão, na medida em que naturalmente toda propriedade espiritual só existe em relação com a consciência que a possui. Tanto no ponto de vista da *ironia* como também no do pensamento *subjetivo*, uma *personalidade* permanece um *ponto de partida necessário*; em ambos os casos, a atuação desta personalidade vem a ser liberadora, mas a atuação da ironia é negativa e, ao contrário, a do pensamento é positiva. Por isso, Platão exerceu uma influência liberadora junto aos seus discípulos num sentido diferente da de Sócrates junto a ele; contudo, também para os discípulos de Platão havia uma necessidade de incluí-lo em seu pensar, porque a especulação dele ficou unicamente subjetiva, e ele não se recolheu à sombra para deixar que a ideia se movesse a si própria diante dos ouvintes. No entanto, esta relação entre Platão e Sócrates não perdurou sempre; mais tarde ele não continuou tanto sendo libertado por Sócrates quanto se libertou a si mesmo, embora sua memória fosse fiel demais, sua gratidão demasiado ardente para que ele pudesse jamais esquecê-lo. Todavia, embora Sócrates ainda permaneça a personagem principal nos diálogos construtivos, este Sócrates é somente uma sombra daquele que aparece nos primeiros diálogos, uma recordação e, por mais cara que ela seja, Platão agora paira livremente sobre ela e ele a cria livre e poeticamente.

No que tange à forma, o *diálogo* é igualmente necessário *para ambos os pontos de vista*. Com efeito, ele indica o eu e sua relação para com o mundo, mas no primeiro caso trata-se do eu que constantemente devora o mundo, e, no segundo, do eu que quer assumir o mundo; no primeiro caso, seus discursos o afastam constantemente do mundo, e no segundo o introduzem constantemente nele; no primeiro ponto de vista ele é uma pergunta que consome a resposta; no segundo, uma pergunta que desenvolve a resposta. Quanto ao método, temos aqui o dialético: em *ambos* os pontos de vista, uma *dialética abstrata*. Como tal método, a dialética naturalmente não esgota a ideia. O que resta ao final é, num dos pontos de vista, o nada, isto é, a consciência negativa na qual a dialética abstrata é assumida; e no outro, um além, uma determinação abstrata, mas sustentada positivamente. Pelo que, a ironia está para além do pensamento subjetivo, ultrapassou-o na medida em que ela é um ponto de vista acabado que se volta para si mesmo; ao contrário, o pensamento subjetivo tem uma fragilidade, uma fraqueza, através da qual um ponto de vista superior tem de se elaborar. Num outro sentido a ironia é um ponto de vista subordinado, na medida em que carece da possibilidade, na medida em que permanece inacessível a qualquer convite, não quer vir a comprometer-se com o mundo, mas se basta a si mesma. Posto que ambos os pontos de vista são pontos de vista subjetivos, ambos se situam naturalmente, até um certo ponto, na esfera da "filosofia da aproximação", só que sem se perderem nisto, com o que aliás se rebaixariam a pontos de vista completamente empíricos. Entretanto, aquilo pelo qual um dos pontos de vista ultrapassa a realidade é o negativo, é a negação, assumida na consciência, da validade da experiência; o outro tem um positivo em forma de uma determinação abstrata. Um deles retém para trás a recordação, negativamente, em oposição ao movimento da vida; o segundo mantém a recordação diante de si jorrando sobre a realidade[68].

Ora, vendo-me tão ocupado em mostrar a possibilidade deste mal-entendido, em desenvolver minha investigação a partir desta má-compreensão, talvez um ou outro leitor venha a pensar, com um pouquinho de ironia, que tudo isto é um *mal-entendido* da *minha parte* e que tudo não passa de alarme falso. A dificuldade que um tal leitor tem em mente é, decerto, a de explicar como se poderia pensar que Sócrates tivesse mistificado Platão, de modo a este compreender seriamente o que Sócrates dissera ironicamente. Sim, poderiam colocar-me dificuldades ainda maiores, trazendo à lembrança que Platão, afinal de contas, entendia realmente muito de ironia, o que seus últimos escritos bem mostram. No que tange a esta *última objeção*, responderei que aqui naturalmente não se trata de manifestações particulares da ironia, mas sim da ironia socrática em seu empenho total. Mas para poder conceber a ironia deste tipo, há que ter uma disposição espiritual *sui generis* que se distingue qualitativamente de qualquer outra. Em especial, um ânimo poético rico está muito pouco preparado para compreendê-la, da maneira como ela se apresenta assim *sensu eminentiori* (no sentido mais forte), enquanto, ao contrário, uma tal disposição espiritual pode muito bem sentir-se tocada por suas manifestações particulares, sem pressentir a infinitude que aqui se oculta, pode brincar com elas sem nem de longe imaginar o demônio monstruoso que habita os sítios desertos e áridos da ironia.

Quanto à *primeira objeção*, eu responderia, em parte, que sempre seria muito difícil para um Platão entender completamente Sócrates, e em parte – e é a minha resposta principal –, que não se deve afinal procurar em Platão uma reprodução pura e simples de Sócrates, e que isto não terá ocorrido a nenhum leitor de Platão. Mas se Platão, conforme concorda a maioria dos estudiosos, não apresenta uma mera reprodução de Sócrates, e sim uma criação poética desta figura, então aí já está tudo o que se pode desejar para descartar aquela dificuldade. Pois, se da circunstância de que Platão nos diálogos da velhice põe as palavras na boca de Sócrates, não se pode de maneira nenhuma concluir que a dialética de Sócrates era realmente da mesma natureza daquela que se encontra no *Parmênides*, ou que seu desenvolvimento conceitual fosse do mesmo tipo do que se encontra na *República*, tampouco se estaria autorizado a concluir, partindo da exposição que se encontra nos primeiros diálogos, que o ponto de vista de Sócrates na realidade tenha sido exatamente igual ao que está escrito – Alguns leitores já estariam em condições de reconhecer isto, talvez até aguardando um tanto impacientemente que eu trate de terminar logo estas considerações, para me poderem aplicar uma *nova objeção*. Se eu, com efeito, esforcei-me na investigação precedente por demonstrar nos diálogos particulares este empenho total da ironia, Platão também o deve ter compreendido, posto que isto se deixa descobrir em sua exposição. Que o seguinte sirva de resposta: em parte, eu apenas procurei, com a investigação precedente, *tornar possível* minha concepção de Sócrates. Por isso, em muitas passagens, mantive em suspenso a concepção, indicando que a coisa também poderia ser pensada de outra maneira. E, em parte, argumentei *principaliter* (principalmente) com a *Apologia*. Mas nesta se tem, de acordo com a opinião da maioria, uma reprodução histórica da realidade de Sócrates; e contudo, ainda no que tange a ela, eu precisei como que evocar o espírito da ironia, fazer com que ele tomasse forma e se mostrasse em sua totalidade.

XENOFONTE E PLATÃO

Se a gente quisesse expressar em poucas palavras a concepção de Sócrates segundo *Platão*, poder-se-ia dizer que este lhe dá a ideia. Onde termina a empiria é que Sócrates começa, sua atividade consiste em trazer a especulação para fora das determinações da finitude, perder de vista a finitude e navegar rumo ao alto-mar, lá onde o esforço ideal e a infinitude ideal não reconhecem nenhuma consideração alheia, mas são para si mesmos o fim infinito. Assim como por isso a percepção inferior empalidece ao lado daquele conhecimento superior, e se torna mesmo um engano, um desengano em comparação com ele, assim também qualquer consideração com um fim finito tornase uma depreciação, uma profanação do sagrado. Em suma, Sócrates *ganhou a idealidade*, conquistou essas imensas regiões que até então eram uma *terra incognita* (terra desconhecida). Ele *despreza* por isso o proveitoso, é indiferente com a ordem estabelecida, um inimigo decidido da mediocridade que, no nível da empiria, é objeto de uma devota veneração como o que há de mais alto para esta, mas que para a especulação é um monstrinho que os duendes deixaram no lugar da criança. Se a gente lembrar agora, por outro lado, o resultado a que chegamos através do estudo de Xenofonte, e que aí encontramos Sócrates numa assídua atividade como um apóstolo da *finitude*, como um zeloso propagandista da mediania, infatigavelmente recomendando seu evangelho terrestre, fora do qual não há salvação, e que aí encontramos em vez do verdadeiro a ordem estabelecida, em vez da simpatia o lucro, em vez da unidade harmônica a sobriedade prosaica, a gente há de conceder então que estas duas concepções não se casam bem. Ou se precisaria acusar Xenofonte de uma total arbitrariedade, de um ódio incompreensível a Sócrates, que buscava uma satisfação numa tal maledicência; ou se precisaria atribuir a Platão uma idiossincrasia igualmente enigmática em relação ao seu oposto, que se realizaria de maneira igualmente inexplicável em transformando este seu contrário num seu semelhante. Se quisermos agora por um instante deixar a realidade de Sócrates como uma grandeza desconhecida, pode-se dizer quanto a estas duas concepções que Xenofonte, como um dono de mercearia, oferece o seu Sócrates mais barato e que Platão, como um artista, cria o seu Sócrates em dimensões sobrenaturais. Contudo, como foi Sócrates realmente, qual foi o ponto de partida para a sua atividade? A resposta a esta questão naturalmente precisa ajudar-nos ao mesmo tempo a sair de um aperto em que até agora estivemos trancados. A resposta é a seguinte: *a existência de Sócrates é ironia*. Assim como esta resposta, segundo creio, suprime a dificuldade, assim também a circunstância de ela suprimir a dificuldade faz com que ela seja a resposta correta, de modo que ela se mostra ao mesmo tempo como hipótese e como o verdadeiro. Pois o ponto, o traço que faz com que a ironia seja ironia é extremamente difícil de captar. Com Xenofonte pode-se por isso de bom grado admitir que Sócrates gostava de perambular e falar com todo tipo de gente, porque qualquer coisa ou evento exterior serve de pretexto ou ocasião para aquele irônico que tem sempre uma resposta pronta; com Platão, pode-se de bom grado deixar Sócrates tocar a ideia, só que a ideia não se abre para ele, sendo, pelo contrário, um limite. Cada um destes dois apresentadores procurou, naturalmente, *completar o que faltava* em Sócrates, Xenofonte puxando-o para baixo até as paragens rasteiras do utilitário, Platão elevando-o até as regiões supraterrestres da ideia. Mas o ponto que se situa no meio, imperceptível e extremamente difícil de fixar, é a ironia. Por um lado, justamente a multiplicidade da realidade é o elemento próprio da realidade, etéreo, constantemente ele apenas toca a terra; mas dado que o reino propriamente dito da realidade ainda lhe é estranho, ele ainda não emigrou para este reino, mas está, por assim dizer, a todo instante pronto para marchar. *A ironia oscila* entre o eu ideal e o eu empírico; um faria de Sócrates um filósofo; o outro, um sofista; mas o que o faz ser mais do que um sofista é o fato de que seu eu empírico tem validade universal.

ARISTÓFANES

A concepção de Aristófanes fornecerá exatamente o contraste necessário à de Platão, e justamente com este contraste concretizará a possibilidade de um novo caminho para nossas ponderações. Sim, seria mesmo uma grande lacuna se nos faltasse sua avaliação de Sócrates; pois assim como todo desenvolvimento em geral acaba por parodiar a si mesmo, e uma tal paródia é a certeza de que este desenvolvimento sobreviveu a si mesmo, assim também a concepção cômica é um momento, de muitas maneiras um momento infinitamente retificador dentro da total visualização de uma personalidade ou de uma tendência. Por isso, se se carece também do testemunho imediato sobre Sócrates, e se se carece até de uma concepção totalmente confiável dele, tem-se pelo menos, em compensação, todas as diversas nuances de mal-entendidos, e, no caso de uma personalidade tal como a de Sócrates, eu creio que com isto estamos muito bem-servidos. Platão e Aristófanes têm, então, isto em comum: suas exposições são *ideais*, mas em relação recíproca, inversa, pois Platão tem a idealidade *trágica*, e Aristófanes a *cômica*. O que teria movido Aristófanes a conceber Sócrates desta maneira, e se ele teria sido subornado para fazer isto pelos acusadores de Sócrates, se ele teria ficado amargurado devido à relação de amizade que Sócrates mantinha com Eurípedes, se ele teria combatido nele as especulações de Anaxágoras sobre a natureza, se ele o teria identificado com os sofistas, em suma, se ele teria tido algum motivo finito e terreno que o determinou a fazê-lo, tudo isto não tem absolutamente nada a ver em nossa investigação; e na medida em que esta devesse dar uma resposta a tais questões, precisaria ser naturalmente uma resposta negativa, dado que nossa investigação se declara convencida de que a concepção de Aristófanes é ideal, com o que ele está livre de toda e qualquer consideração deste tipo, não rasteja pela terra, mas sobrevoa livre e leve. Conceber apenas a realidade empírica de Sócrates, apresentá-lo na cena tal qual ele era na vida, teria estado abaixo da dignidade de Aristófanes e teria transformado sua comédia num poema satírico; por outro lado, idealizá-lo numa tal medida que ele afinal se tornasse irreconhecível, teria ficado completamente fora do interesse da comédia grega. Que esta segunda hipótese não ocorreu, a própria Antiguidade nos testemunha, pois ela relata que a apresentação das *Nuvens* foi honrada com a presença do crítico que neste assunto era o mais rigoroso, o próprio Sócrates, o qual, para diversão do público, levantou-se durante a representação, a fim de que a multidão reunida no teatro pudesse convencer-se da semelhança devida. Que uma tal concepção apenas excentricamente idealizada não conviria de maneira alguma ao interesse da comédia grega, quanto a isto também se dará razão[69] ao perspicaz Rötscher, que descreveu de maneira tão excelente como a essência da comédia residia justamente em conceber *idealmente a realidade*, em colocar em cena uma personalidade real, porém de tal maneira que ela fosse vista como representante da ideia, razão por que, aliás, em Aristófanes se encontram os três grandes paradigmas cômicos, *Cleonte, Eurípedes, Sócrates*, cujas pessoas representam comicamente as tendências do seu tempo em sua tríplice direção.

Por isso, como a concepção da realidade, exata até os menores detalhes, preenchia a distância entre os espectadores e o teatro, assim também a concepção ideal tornava a afastar essas duas potências entre si, como, aliás, sempre deve ter feito na arte. Que Sócrates então realmente em sua vida deve ter oferecido muitos aspectos cômicos, que ele, para dizer de uma vez a palavra, até um certo ponto fora um *Sonderling*[70] (um tipo original) não se pode negá-lo; que nisto já havia uma justificativa para um poeta cômico, não dá para negar de maneira alguma; mas também é inquestionável que isto teria sido muito pouco para Aristófanes. Se não posso, portanto, fazer outra coisa senão aderir com toda modéstia ao merecidamente triunfante Rötscher que com tanto sucesso faz a ideia efetivar-se a partir e através de sua luta contra os mal-entendidos das concepções anteriores, se não posso fazer outra coisa senão estar de acordo com ele em que só na medida em que Aristófanes vê em Sócrates o representante de um novo princípio, só nesta medida ele se torna para Aristófanes uma figura cômica, ainda assim, porém, seria uma outra questão saber se a seriedade que Rötscher reivindica em tão alto grau para esta peça não o coloca um pouco em desacordo com a ironia que ele de resto atribui a Aristófanes. E além disso, resta ainda a questão de saber se Rötscher não teria visto demais em Sócrates e por isso feito Aristófanes ver também demais. Representante de um novo princípio pode-se muito bem chamá-lo, em parte porque a sua atividade liberadora tinha de necessariamente evocar um novo princípio; mas daí não se segue, de jeito nenhum, que não se possa afinal, no interior desta concessão, limitar Sócrates um pouco mais.

Com a concepção de Rötscher, Sócrates se torna tão grande, que a gente simplesmente não vê Platão. Todavia, mais adiante teremos ocasião de falar disso tudo. Entretanto, caso se queira admitir que *a ironia* era o que constituía a vida de Sócrates, decerto se há de conceder que esta oferecia um aspecto muito *mais cômico* do que no caso de se pretender que o princípio socrático era o *da subjetividade*, da inferioridade, com toda a riqueza de pensamentos que aí se encontra, e de se procurar a autorização de Aristófanes na seriedade com que ele, como adepto da antiga cultura grega, precisava esforçar-se por aniquilar esta desordem moderna. Pois esta seriedade é pesada demais, assim como também limita a infinitude cômica que, como tal, não conhece nenhum limite. Ao contrário, a ironia é um ponto de vista novo, e, enquanto tal, absolutamente polêmico frente à antiga cultura grega, e ao mesmo tempo é um ponto de vista que constantemente se suprime a si mesmo, ela é um nada que devora tudo, e um algo que jamais se pode agarrar, que ao mesmo tempo é e não é; mas isto é uma coisa cômica em seu mais profundo fundamento. Assim como a ironia derrota portanto tudo, ao ver em cada coisa a sua discrepância para com a ideia, assim também ela se situa abaixo de si mesma à medida que se supera a si mesma e contudo permanece nela.

O que é importante em primeiro lugar é estar convencido de que foi o Sócrates *real* que Aristófanes pôs em cena. Assim como se é reforçado nesta convicção pela tradição da Antiguidade, assim também se encontra nesta peça uma multiplicidade de traços que, ou são historicamente certos, ou pelo menos se mostram como completamente análogos àquilo que a gente sabe por outras fontes a respeito de Sócrates. Süvern, com grande erudição filológica e muito bom gosto, esforçou-se por demonstrar a identidade entre o Sócrates apresentado por Aristófanes e o Sócrates real, por meio de uma tal sucessão de traços individuais[71]. Também Rötscher forneceu, ainda que não na mesma medida, uma coleção destes dados suficiente para esta investigação. Isto se encontra na obra citada, p. 277s. O que a seguir se torna importante é ver o princípio, *a ideia* que Aristófanes nos faz entrever em Sócrates, ideia da qual ele é apresentado como o representante transparente.

Todavia, para alcançar isto, torna-se necessário dar um *breve panorama da* própria *peça*, da sua estrutura e de seu andamento. Eu posso entrar nesta investigação com muita confiança, porque tenho à minha frente um hegeliano, e é preciso sempre convir, em relação a eles, que os hegelianos possuem um dom extraordinário para abrir espaço, uma autoridade de policial, que num instante sabe fazer dispersar todo tipo de ajuntamento erudito e de conspiração histórica suspeita. No que tange então em primeiro lugar ao *coro*, este, que como tal representa a substância ética, reveste-se, em nossa peça, de um *símbolo*[72]. Rötscher procura a ironia no fato de que o coro tem consciência de seu papel simbólico, e ele mesmo, por assim dizer, a cada instante está pronto para pular fora deste esconderijo, o que afinal também ocorre de fato na conclusão, quando escarnece de Estrepsíades, que ele enganara. Se é nisto então que consiste a ironia, se esta seriedade[73] que luta por afastar a consciência substancial do

Estado da vacuidade da desordem moderna não limita a infinitude e a brutalidade poética da ironia, se toda a conclusão da peça, ainda que seja um justificado destino, não aconteceria às custas da ironia – a não ser que se quisesse admitir, coisa que, quanto eu sei, até hoje ninguém enfatizou, que exatamente a vingança tomada por Estrepsíades, ao pôr fogo a casa (*frontístérion*, pensatório, v. 94), era em sua incongruência um novo motivo cômico, e que suas réplicas[74], não desprovidas de espirituosidade, que seguramente num certo sentido até são boas demais para Estrepsíades, deveriam ser interpretadas como uma espécie de extática demência, réplicas nas quais ele fantasiava fora de si e com cômica crueldade aniquilava e exterminava a doença que o havia aprisionado – de todas estas questões eu não posso me ocupar aqui[75]. Mas se deixamos de lado tais questões, torna-se então ainda mais importante demorarmo-nos na consideração daquele símbolo, com o qual o poeta revestiu o coro, ou seja, *as nuvens*.

Naturalmente estas não podem ter sido escolhidas por acaso, e por isso é importante descobrir a ideia do autor com respeito a elas. As nuvens ilustram, pois, manifestamente, toda a atividade vazia e sem conteúdo que se desenrola no pensatório, e há portanto uma profunda ironia quando Aristófanes, na cena em que Estrepsíades deve ser iniciado nesta sabedoria, faz Sócrates invocar as nuvens, que são o reflexo aéreo do seu próprio interior vazio. Nuvens denotam, pois, de maneira excelente, o movimento do pensar carente de todo e qualquer ponto firme[76], que em contínuo ondular, sem ponto de apoio e sem lei imanente do movimento, configura-se de todas as maneiras possíveis com a mesma inconstância desregrada das nuvens, que ora se assemelham a mulheres mortais, ora a um centauro, uma pantera, um lobo, um touro etc., e se assemelham, mas, bem-entendido, não são tais, dado que afinal de contas nada mais são do que bruma ou a possibilidade infinita, que se move obscuramente, de se tornar naquilo que ela deve ser, e que contudo é impotente para fazer com que algo fique subsistente, aquela possibilidade que tem uma abrangência infinita e por assim dizer contém em si o mundo inteiro, e contudo não possui nenhum conteúdo, pode assumir tudo, mas nada pode segurar. Pelo que, é naturalmente uma pura arbitrariedade quando Sócrates predica das nuvens que elas são deusas, e Estrepsíades se mantém naturalmente muito mais razoável ao aceitar que são apenas bruma, orvalho e fumaça (cf. v. 330). Mas assim como esta ausência de conteúdo se mostra nelas, assim também se mostra na comunidade, no Estado, que elas nutrem e protegem, e que o próprio Sócrates descreve como sendo um amontoado de desocupados, de homens ociosos que costumam cantar louvores às nuvens[77]. Sim, esta relação correspondente entre as nuvens e o mundo ao qual elas pertencem, exprime-se – e os comentadores, segundo me parece, negligenciaram isto até agora –, de maneira ainda mais determinada, quando aí é dito: "Elas se transformam em tudo o que desejam", de modo que, quando veem um fulano de longa cabeleira, tomam forma de um centauro, e quando veem um ladrão dos bens públicos tomam a forma de um lobo (v. 350, 351, 352). Pois, apesar de que isto seja descrito como uma onipotência das nuvens, e apesar de que o próprio Sócrates observa que elas assumem tais formas para ridicularizar, mesmo assim isto deve ser encarado como uma impotência delas, e a ironia aristofânica consiste indubitavelmente na recíproca impotência: do sujeito, que, quando quer ter o objeto, obtém apenas sua própria semelhança, e das nuvens, que apenas captam a semelhança do sujeito, porém só as produzem enquanto estão vendo os objetos. E certamente ninguém há de negar que com isso está excelentemente caracterizada a dialética meramente negativa, que constantemente permanece em si mesma, sem avançar nas determinações da vida ou da ideia, e por isso goza de uma liberdade que se ri das cadeias que a continuidade impõe[78], aquela dialética que no sentido mais abstrato apenas é uma potência, um rei sem terra, que se deleita com a mera possibilidade de renunciar a tudo no aparente instante da posse de tudo, embora tanto a posse quanto a renúncia sejam ilusórias; uma dialética que não se sente constrangida pelo passado, nem coagida por sua férrea consequência, não se sente angustiada pelo futuro, porque ela é tão rápida em esquecer que mesmo o futuro já está quase esquecido antes de ser vivenciado; uma dialética que de nada carece, nada deseja, se basta a si mesma, leviana e inconstante salta sobre tudo como uma criança sem rumo.

A consciência desta nulidade, que consiste em que o coro ao mesmo tempo é símbolo e contudo está consciente ironicamente de estar para além disto e de ter uma realidade totalmente outra, Rötscher atribui então somente ao coro, ao poeta e aos espectadores iniciados, e acrescenta, à p. 325: "Ao contrário, àquele que não sabe desta oposição, o verdadeiro sentido está ocultado, e ele percebe nelas apenas o símbolo, toma esta figura, em que elas se escondem cientemente, por sua essência verdadeira, e se abandona cheio de confiança e ingenuidade, sem pressentir que se trata apenas de uma aparência oferecida no lugar da verdade. Mas a culpa do sujeito consiste em ele se abandonar ingenuamente a estas potências enganadoras e em ignorar a essência da qual procede esta ilusão". Porém, isto se refere mais a toda a economia interna da peça, enquanto aqui é mais importante ver se não se consegue perscrutar o símbolo do coro, as nuvens, tal como ele é representado, para descobrir um pouco mais a respeito de sua natureza, que nele é caracterizada figuradamente. O coro representa nuvens, mas as nuvens representam por sua vez diversos objetos e têm no início da peça a forma de mulheres.

Mas sobre estas formas das nuvens fala Sócrates manifestamente de uma maneira bastante jocosa, e isto mostra suficientemente que elas não têm *nenhuma validade para ele*. O que ele, portanto, adora, e a quem ele aplica o predicado de "deusa", é a massa brumosa informe, que Estrepsíades muito corretamente denomina de vapor, orvalho e fumaça. O que ele, portanto, retém é *o informe propriamente dito*. Por isso, todas as figurações que as nuvens assumem são, por assim dizer, todos os predicados que se deixam proferir de tal modo que, em conjunto, todos se coordenam uns aos outros, lado a lado, mas sem vinculação uns com os outros, sem sucessão interna, sem que daí se constitua algo, em suma, como todos os predicados que podem ser recitados como numa ladainha. Como nós já vimos em nossa investigação que Sócrates atingiu a ideia, porém de tal modo que nenhum predicado menifestava ou traía o que ela propriamente era, mas todos os predicados apenas eram testemunhas que se calavam diante de sua magnificência, assim também me parece que o mesmo é indicado por Aristófanes na relação de Sócrates com as nuvens. Com efeito, o que sobra depois que desaparecem as diferentes figurações das nuvens é a própria massa brumosa, que é uma caracterização muito boa da ideia socrática. As nuvens se mostram constantemente em uma figura, mas Sócrates sabe que esta forma é o acidental, e que o essencial é aquilo que jaz por detrás da figura, assim com a ideia é o verdadeiro, e o predicado como tal nada tem a significar. Mas o que é verdadeiro deste modo jamais vem à luz em algum predicado, jamais *é*[79]. Se considerarmos agora além disso o símbolo de coro, as nuvens, e se virmos neste símbolo objetivados[80] os pensamentos de Sócrates (objetivamente visualizados), os veremos decerto como produzidos pelo indivíduo, e no entanto, também como adorados por ele enquanto pensamentos objetivos (divinos), de modo que é justamente pelo flutuar das nuvens sobre a terra, por sua multiplicidade de formas e figurações que é indicada a oposição entre o subjetivo e toda a antiga objetividade grega, para a qual o divino a rigor tinha os pés bem firmes sobre a terra, em formas determinadas, firmemente marcadas e eternas. Portanto, há uma *harmonia* de um *sentido muito profundo* entre *as nuvens*, potência objetiva que não pode encontrar um lugar para ficar aqui na terra, e cuja aproximação a esta sempre significa ainda uma distância, e por outro lado o sujeito, Sócrates, o qual, flutuando por sobre a terra suspenso num cesto, esforça-se para se elevar a estas regiões, temendo que a força da terra lhe possa sugar seus pensamentos ou, se suprimirmos a imagem, que a realidade venha a absorver, venha a esmagar a frágil subjetividade[81]. Todavia, sobre isto se há de falar mais tarde, quando nós, partindo não do coro, mas da personagem agente, esclareceremos mais de perto o que há de relevante para a ideia na estranha situação de Sócrates.

No coro, pois, torna-se visualizável toda a nova ordem de coisas que queria desalojar a antiga cultura grega, e consequentemente aqui se pode resolver da melhor forma a questão de Aristófanes pretender na *máscara de Sócrates ridicularizar os sofistas*. Em hipótese alguma isto pode ser interpretado no sentido de que Aristófanes tivesse retido apenas o nome de Sócrates e de resto fornecido uma caracterização que nem se parecesse com ele, isto é o óbvio. Mas se nos lembrarmos de que Sócrates e os sofistas num certo sentido ocupavam a mesma posição e que propriamente foi ao levar às últimas consequências a posição comum, foi ao aniquilar as meias-verdades com as quais os sofistas se tranquilizavam, foi assim que Sócrates solapou-os, de modo que num certo sentido foi assim que Sócrates derrotou os sofistas, sendo ele mesmo o maior dos sofistas[82], então já se pode ver aí uma possibilidade para

Aristófanes identificá-lo com os sofistas. Esta identificação também se realizou com uma profunda ironia. Pois com certeza seria uma ironia digna de Aristófanes conceber Sócrates, o mais encarniçado inimigo dos sofistas, não como adversário deles, mas como seu mestre, o que, aliás, num certo sentido ele também era. E a *estranha confusão* que faz de alguém que combate uma tendência, justamente porque num certo sentido ele também pertence a ela, ser ele mesmo representante da tendência, esta confusão guarda em si tanta ironia proposital ou não proposital, que a gente não pode descartá-la *completamente*. Mas isto deve bastar por enquanto. E também é só quando se coloca o coro como ponto de referência que Sócrates desaparece entre os sofistas; quando seguirmos a descrição da personagem que esta peça contém, aí ele se destacará de maneira bem marcante.

Quanto ao *argumento da peça*, ele pode ser apresentado resumidamente, sobretudo na presente investigação, pois aqui só interessa, afinal, reproduzi-lo à medida que a estrutura que assim se manifesta lança uma luz sobre a concepção aristofânica de Sócrates. Um camponês de boa conduta, Estrepsíades, foi parar em dificuldades financeiras devido a um casamento insensato. Seu filho Fidípides, com sua paixão pelos cavalos, tinha ajudado muito a arruinar o pai. Estrepsíades, continuamente agitado com o pensamento no dinheiro, continuamente preocupado em se livrar das dívidas, procura por toda parte, em vão, uma saída, até que de repente o pensamento da *nova sabedoria*, que começava a se afirmar em Atenas, e de sua força para conquistar ou afastar o que se quisesse através da disputa, desperta nele, com uma alegria surpreendente, a esperança de encontrar sua libertação. Sua primeira intenção é, pois, fazer Fidípides gozar dos frutos deste moderno ensino, mas já que este não está muito disposto a isto, ele se decide a encaminhar-se pessoalmente ao pensatório. Encontra um discípulo, que então lhe transmite as impressões mais favoráveis sobre a escola. Vários traços espirituosos de Sócrates, várias questões e respostas sutis provocam nele, como honesto camponês, grande espanto; mas uma argumentação magistral de Sócrates, extremamente próxima de suas ideias, acaba com toda a hesitação, e com entusiasmo impaciente ele deseja ser conduzido a Sócrates[83]. Após um exame preliminar, no qual se tenta arrancar de Estrepsíades os raciocínios agora caducos, nos quais Estrepsíades ainda se movimenta (o que é caracterizado tão espirituosamente pela ordem de se despir de seu manto[84], para poder ingressar no pensatório (*frontistérion*), após uma solene iniciação que, na medida em que pode causar uma impressão em Estrepsíades, necessariamente tem de confundir todos os seus conceitos, dá-se-lhe permissão para ingressar no pensatório, e se lhe indica o mesmo caminho para o conhecimento da verdade que Sócrates tinha seguido: sem prestar atenção ao que está ao redor, *aprofundar-se em si mesmo*[85] o que naturalmente para Estrepsíades se torna uma dieta extremamente frugal, tão pouco saciante como a refeição para a qual a cegonha convidou a raposa o foi para esta, que ficou apenas uma testemunha em jejum a olhar como sua anfitriã, à maneira das cegonhas, ia ao fundo da garrafa de gargalo comprido. Por isso, logo Estrepsíades é declarado incapaz de se orientar num caminho novo, depois do que ele é demitido. Mas com isso ele não perdeu, de jeito nenhum, a esperança de realizar seus desejos por esta via. Modesto demais para acreditar que a falha pudesse estar no mestre, ele a procura em si mesmo e se consola depois com a lembrança de seu filho promissor Fidípedes, o qual, embora um pouco desconfiado com as provas da sabedoria que Estrepsíades apresenta, acaba por aceder aos votos de seu pai e se faz admitir no pensatório. O filho se sai melhor do que o pai, e este traz a Sócrates presentes para agradecer pelos grandes progressos do filho.

Entretanto, a realidade ameaçadora se aproxima cada vez mais, e acaba emergindo na figura séria de dois credores. Fora de si de alegria pelo poder dialético de Fidípedes de remover as barreiras dos limites[86], e confiando no engenhoso perguntar e responder, que ainda não esquecera, e que ele próprio tinha aprendido no pensatório, ele se atreve a afrontar esses dois representantes fatais de uma realidade acabrunhante. Pásias e Amínias são, no entanto, acima de tudo *homens do dinheiro*, demasiado experientes para se deixarem servir com espertezas, têm ainda tanta confiança na *realidade* que nada temem, e se não puderem chegar ao que interessa através da dialética, o conseguirão pelo caminho do direito. Mas se Estrepsíades por um instante pode entregar-se à alegria de ter chegado à meta de seus desejos, o poeta ainda lhe reserva um pequeno acréscimo, uma superfluidade totalmente inesperada que resulta dos grandes progressos que Fidípedes fez nos ensinamentos socráticos. Uma realidade bem diferente da realidade dos vencimentos, e que entretanto Estrepsíades não pode desejar ver abalada, também esta Fidípedes superou. O *respeito filial* e a *obediência* diante do pai, com a ajuda da dialética, seguem o mesmo caminho dos vencimentos. Estrepsíades não pode resistir ao poder dos silogismos de Fidípedes, os quais, assim como anteriormente se mostraram como aqueles que aniquilavam a realidade, agora se mostram da maneira mais enfática que há no mundo, como aqueles que põem uma realidade; pois as pancadas são, como se diz, mercadorias palpáveis, e se demonstram de um modo que não deixam surgir nenhuma dúvida. E assim como Fidípedes anteriormente se mostrara suficientemente inescrupuloso para apoiar o pai na recusa a devolver o dinheiro devido, assim também ele desenvolve agora uma escrupulosidade quase exagerada para devolver algo do dinheiro, da ração de pancadas com que antes o seu amado pai o tinha cumulado. Tarde demais descobre Estrepsíades o que havia de prejudicial na nova sabedoria: *a vingança despertou*, ela se atira sobre a sua presa, que por sua vez se lança como um furacão sobre o pensatório, incendiando-o, e com isto se encerra a peça.

Eis aí uma resenha tão breve quanto possível desta peça. O *cômico* consiste, evidentemente, *naquele algo* que Estrepsíades cobiça como fruto de especulação, aquele algo que segundo seus conceitos precisa resultar de todos estes movimentos. Com efeito, assim como na própria esfera da inteligência os movimentos executados por Sócrates mostraram-se como sendo sem significação, mostraram-se como aqueles que não têm suficiente fortuna para "pôr" algo, assim também manifesta-se o mesmo de uma maneira ainda mais clara no mundo de Estrepsíades, que chegou a conceber a desesperada ideia de que, no sentido finito e mundano, daí devia provir algo[87], e ele esperava –, para recordar um tópico da filosofia moderna –, apropriar-se pela especulação dos cem táleres de Kant, ou, na falta disto, escapar, pela especulação, de suas dívida[88].

A ironia se baseia *naquele algo* que ele quer ganhar com a especulação, senão imediatamente, ao menos mediatamente através de Fidípedes: as pancadas conscientes que, por mais inesperadas que sejam, chegam com uma necessidade que não pode ser eludida. Estrepsíades bem pode por um instante deleitar-se com todos estes movimentos engenhosos, mas o que atrai mesmo sua alma terra a terra é *die Nutzanwendung* (a aplicação prática), a qual não deixa de se apresentar, sem dúvida, ainda que ela chegue onde não era esperada. Mas se examinarmos qual é o ponto de vista que transparece nesta paródia, não se pode dizer que é *o da subjetividade*, pois afinal de contas este sempre proporciona alguma coisa, proporciona o universo todo da idealidade abstrata, enquanto o que aqui é assinalado é um *ponto de vista puramente ne-*

gativo, que não proporciona absolutamente nada. As profundas considerações que são feitas dissolvem-se como um estampido num nada, enquanto são seguidas, como por uma sombra parodiante, pelo fato de que Estrepsíades quer ter algo, mas bem-entendido algo de finito, uma vantagem finita, que este ponto de vista é tão incapaz de trazer quanto aquele ganho espiritual que finge produzir. Se se admite, portanto, que toda a atuação de Sócrates era ironizante, então se entenderá também que Aristófanes, ao ter procurado concebê-lo à maneira cômica, procedeu de um modo totalmente correto; pois, logo que a *ironia* é posta em relação ao *resultado*, ela se mostra *comicamente*, embora num outro sentido ela liberte o indivíduo do cômico. A dialética, da qual são dadas tantas e tantas amostras, não é, de maneira alguma, uma dialética propriamente filosófica; não é uma dialética tal como aquela que já vimos ser característica de Platão, mas sim uma *dialética meramente negativa*. Pois se Sócrates tivesse tido aquela *dialética subjetiva* platônica, teria sido completamente errado da parte de Aristófanes – e não seria cômico ainda que fosse ridículo – concebê-lo daquela maneira (pois o cômico também precisa, naturalmente, ter uma verdade); e ao contrário, se a dialética de Sócrates tivesse sido em parte armada de sofismas e dirigida polemicamente contra os sofistas e em parte voltada negativamente contra a ideia, então a concepção aristofânica seria correta precisamente enquanto cômica. O mesmo vale, naturalmente, também quanto ao símbolo do coro, as nuvens. Se elas devessem assinalar a riqueza ideal do *subjetivo*, então seria errado, não obstante a concepção aristofânica ser cômica, fazer o indivíduo relacionar-se com elas tão levianamente como Aristófanes o faz, porém o *irônico*, evidentemente, leva as coisas pelo lado mais leve, e até mesmo a ideia, e se sente livre em alto grau nisto tudo, porque o absoluto para ele é um nada.

Passemos agora ao outro momento da peça, às *personagens*, e àquela com quem temos mais a ver, *a pessoa de Sócrates*, e logo se verá que Aristófanes *não o identificou* com os sofistas, e isto não apenas porque ele pintou Sócrates de maneira tão reconhecível graças a uma multiplicidade de pequenos traços (o que foi enfatizado especialmente por Rötscher), mas também e principalmente porque seu ponto de vista é descrito como um ponto de vista de isolamento completo. E isto, por certo, também está completamente correto. Pois é bem verdade que, na peça, Sócrates tem discípulos, como Sócrates os tinha na vida, mas estes não estão em relação nenhuma com ele, ou, dito mais corretamente, ele não está em nenhuma relação com eles[89], ele não se entrega a eles, e sim, de maneira análoga à sua relação anteriormente descrita com Alcebíades, está constantemente e livremente flutuando, suspenso sobre eles, misteriosamente atraindo e repelindo. A significação de seu aprofundar-se em si mesmo sempre permanece inexplicável para eles; pois as sutilezas que se esforçam para revelar algo daí não estão em nenhuma relação com aquilo. Aristófanes resumiu assim tudo o que pertencia a diversos períodos da vida de Sócrates, e dessa maneira também vêm a desempenhar aí um papel as especulações anaxagóricas sobre a natureza, com as quais Sócrates, segundo Fédon, tinha se ocupado durante algum tempo, porém, abandonado mais tarde. Uma porção de cenas[90] que apenas contêm sutilezas imbecis ou prestidigitações de comicidade grosseira e aquelas fanfarronices que pertencem a tais artes, em suma, uma porção daquelas passagens que se poderiam designar pelo nome coletivo de piadas, eu vou deixar de lado, porquanto aí de fato não se encontra nenhum vestígio da ideia. As observações ateístas sobre a natureza, que bastante frequentemente produzem um efeito altamente cômico por seu contraste com a fé popular[91] bastante ingênua de Estrepsíades, terão mais adiante uma certa importância. Mas o que, pelo contrário, é da *maior importância*, é em parte a concepção de Sócrates como uma *personalidade*, e em parte a caracterização daquilo que vem a ser o principal em seu ensinamento, o *dialético*, e por fim a descrição de seu *ponto de vista*.

No que tange ao *primeiro* destes pontos: aqui já se encontra uma comprovação de que Aristófanes não identificou Sócrates com os sofistas; pois a sofística é aquele "pula-pula" selvagem e desenfreado do pensamento egoístico, e o sofista é o sacerdote, de fôlego curto, deste ritual. E do mesmo modo como na sofística o eterno pensar se dissolve numa infinitude de pensamentos, assim também este pulular de pensamentos se torna visível numa multidão correspondente de sofistas[92]. – Com outras palavras, nenhuma necessidade nos obriga a pensar um sofista como "um", mas ao contrário um irônico é sempre "um", porque o sofista cai sob o conceito de espécie, gênero etc., o *irônico*, ao contrário, sob a determinação de *personalidade*. O sofista está sempre em atividade agitada, tenta sempre alcançar alguma coisa que jaz diante dele; ao contrário, o irônico a cada momento individual reconduz aquilo para si mesmo; mas este reconduzir e este refluxo produzido assim é justamente a determinação da personalidade. O sofisma é por isso um elemento que serve à ironia; e quer o irônico com o sofisma se liberte a si mesmo, quer graças a ele surrupie algo de um outro, em todo caso ele assume ambos os momentos em sua consciência, isto é: ele goza. Mas gozo é precisamente uma determinação da personalidade, ainda que o gozo do irônico seja o mais abstrato de todos, o mais vazio de conteúdo, um mero contorno, a mais fraca indicação daquele gozo ao qual é próprio o conteúdo absoluto, isto é, a felicidade. Enquanto, portanto, o sofista se agita como um comerciante atarefado, o irônico pavoneia-se e anda ensimesmado – gozando. E isto também é sugerido por Aristófanes; pois ao fazer o coro contar que Sócrates é objeto de sua especial atenção, ele leva o coro, simultaneamente, a diferenciar Sócrates de um outro favorito privilegiado pela sorte, Pródico. O coro faz então a seguinte distinção: ele se submete a Pródico por causa de sua sabedoria e inteligência, e a Sócrates, pelo contrário, "porque se pavoneia pelas estradas, lança os olhos de lado, anda descalço, suportando muitos males, e nos dirige um olhar metido a importante"[93]. Que ele então em Aristófanes se torne uma personalidade cômica, tudo bem, mas não lhe falta, contudo, de jeito nenhum, *aquela plástica* que é característica de uma personalidade, aquele acabamento em si mesmo, que por isso não precisa de nenhum acompanhamento, mas é um monólogo apresentado diante dos olhos. Todos percebem, certamente, que não foi uma realidade contingente o que Aristófanes quis apresentar-nos: como, por exemplo, o corpo agrandalhado de Sócrates, seus famosos pés grandes, e que o próprio Sócrates considerava terem sido concedidos a ele com uma rara predileção pela natureza, pois eram tão apropriados para o manterem de pé, ou seus olhos encovados que se prestavam tão bem, conforme ele mesmo observava, para que ele pudesse olhar ao redor, ou o seu exterior desfavorável com que a natureza tão ironicamente o tinha equipado, e que o próprio Sócrates, por sua vez, concebia com tanta ironia; não se trata, portanto, de nada disso, mas o que Aristófanes queria dar a entender com essas palavras do coro era uma ideia. No entanto, uma personalidade tão marcante *também não é nenhuma* indicação de uma *especulação*, mesmo que meramente *subjetiva*, onde justamente, enquanto o eu empírico desaparece e se desenvolvem as determinações do puro eu, o indivíduo desaparece até certo ponto. O *irônico*, ao contrário, é uma profecia ou uma *abreviatura* de uma *personalidade completa*.

No que tange, a seguir, à *dialética* socrática, como ela é descrita na peça, há que se recordar que aqui, naturalmente, só se pode tratar dela na medida em que se deixa conceber no nível puramente intelectual, e, ao contrário, nós nada temos a ver com toda a conduta imoral a que uma tal dialética, posta a serviço de uma vontade corrompida, pode sujeitar-se como ativa cúmplice. Também Aristófanes deve ter-se dado conta disto, até um certo ponto, e se não fosse esse o caso, então eu realmente não entendo de que maneira se poderia salvar Aristófanes da antiga acusação de ter caluniado Sócrates. Pois, por mais que Sócrates tivesse sido concebido por Aristófanes como um representante de um princípio que ameaçava a antiga cultura grega com a ruína – e por mais razão que este tivesse neste ponto –, ainda permaneceria sempre uma injustiça inculpar Sócrates por corromper os costumes da juventude, por introduzir uma vida dissoluta e frívola, o que necessariamente seria abominável tanto para a antiga quanto para a moderna cultura grega; permaneceria uma injustiça não apenas porque Sócrates adquirira a fama de ser o homem mais honesto da Grécia, mas principalmente porque o ponto de vista de Sócrates era sem a menor dúvida a tal ponto *abstratamente intelectualista* (algo que se mostra de maneira mais do que suficiente em sua conhecida concepção do pecado como ignorância), que eu acredito que até seria mais correta uma concepção onde se renunciasse um pouco a tudo o que há de bombástico a respeito de sua virtude e seu nobre coração, mas ao mesmo tempo também se considerasse sua vida como indiferente a todas as imputações de corrupção dos costumes. Rötscher pode então enfatizar tanto quanto quiser a seriedade com que Aristófanes nas *Nuvens* compreendia a sua tarefa, e nem por isso Aristófanes estará justificado, a não ser que se quisesse enfatizar o cômico que residiria no fato de Aristófanes ter levado tão a sério algo que somente graças a uma equivocação posterior poderia vir a ser tão ruinoso como veio a ser. Uma tal neutralidade intelectual, Aristófanes também parece atribuir a Sócrates, pois, quando Fidípedes deve ser iniciado nos ensinamentos socráticos, ele faz a probidade e a improbidade entrarem em cena como duas potências que se afrontam, mas deixa Sócrates ficar exterior a ambas como sendo ele a possibilidade indiferente. A dialética aqui descrita é evidentemente um vagabundo ocioso, que ora investiga com muita minuciosidade as coisas mais ineptas e sacrifica seu tempo e sua força nas mais idiotas argúcias verbais ("as sutilezas das palavras precisas", v. 130), às vezes ele fica a tal ponto inerte e apático, que antes assume a figura de um engenhoso adivinhador de charadas ou de um espertalhão dado às experimentações, que costuma ser objeto de admiração insípida de cabeças ociosas e vazias, sim, até com uma certa seriedade mórbida se perde em tais futilidades – motivo por que se emprega para toda a escola o predicado "pensadores meditabundos" (v. 101); e ora ele quer alcançar algo de grandioso e importante, e contudo, justamente no instante em que isto se mostra, se escapa daquilo num pulo[94]. Entre estes pontos extremos situa-se a atividade dialética, cuja validade se realiza no dividir. Com efeito, enquanto a dialética especulativa, propriamente filosófica, é unificante, *a dialética negativa*, ao renunciar à ideia, é um corretor que faz suas transações numa esfera inferior, ou seja, é divisora[95]. Ela pressupõe, portanto, no discípulo apenas duas qualidades, sobre as quais, aliás, Sócrates se informa[96]: se Estrepsíades possui uma boa memória e se tem aptidão natural para falar[97].

Estrepsíades responde à primeira questão dizendo que possui duas espécies de memória: quando alguém lhe deve algo, ele tem uma memória especialmente boa, mas quando ele mesmo deve algo a alguém, então ele é muito esquecido. Esta resposta contém realmente uma caracterização plástica e muito certeira desta espécie de dialética. Mas esta dialética, naturalmente, ao mesmo tempo não tem nenhum conteúdo, e isto é caracterizado de modo excelente pelo fato de Sócrates encarecer a Estrepsíades que ele deve, em vez de crer nos deuses, acreditar apenas no grande espaço vazio e na língua, e isto exprime de maneira primorosa o palavrório ruidoso que no entanto não se sente em casa em nenhum lugar, e até me recorda uma expressão de Grimm, em suas *Irische Elfenmärchen*, onde ele fala de gente que tem uma cabeça vazia e uma língua semelhante ao badalo de um sino de igreja.

Finalmente, no que tange ao *ponto de vista* de Sócrates, Aristófanes concebeu sua dificuldade específica de maneira muito correta. Ele nos fez entender com que ênfase Sócrates podia ter dito: "dai-me um ponto de apoio". Ele colocou, por isso, no pensatório, Sócrates num cesto suspenso (v. 218), para grande espanto de Estrepsíades. De fato, quer ele esteja dependurado num cesto perto do teto, quer se absorva em si mesmo à maneira de um onfalópsico e com isso até certo ponto se liberte da gravidade terrestre, em ambos os casos ele está em suspenso. Mas exatamente *este flutuar* é extremamente característico, ele é a ascensão aos céus esperada e que só se realiza na medida em que toda a região do ideal se eleva, na medida em que este ensimesmar-se fixamente faz desenvolver-se o eu rumo ao eu universal, o pensamento puro com o seu conteúdo. *O irônico* bem que é mais leve do que o mundo, mas por outro lado ele ainda pertence ao mundo; ele flutua como o esquife de Maomé entre dois polos magnéticos. Se acaso o ponto de vista de Sócrates tivesse sido o *da subjetividade*, o da inferioridade, teria sido, mesmo na perspectiva cômica, incorreto concebê-lo assim como Aristófanes o fez; pois é certo que a subjetividade, em relação à substancialidade da antiga cultura grega, permanece em suspenso, mas ela fica infinitamente em suspenso, e teria sido em termos cômicos mais correto apresentar então Sócrates desaparecendo no infinito, e ressaltar a comicidade no fato de Estrepsíades não poder enxergá-lo de jeito nenhum, em vez de apresentá-lo suspenso num cesto, pois o cesto é por assim dizer aquela base da realidade empírica de que o irônico precisa, enquanto ao contrário a subjetividade em sua infinitude gravita rumo a si mesma, isto é: ela flutua infinitamente.

Para resumir agora o que aqui foi desenvolvido com referência às *Nuvens* de Aristófanes, eu creio que, se se der razão a Rötscher no caracterizar o *ponto de vista* de Sócrates como *o da subjetividade*, achar-se-á a concepção de Aristófanes mais comicamente verdadeira e, portanto, mais justificada[98], assim como a gente também se verá em condições de afastar uma parte das dificuldades, se se definir mais exatamente este *ponto de vista* como o da *ironia*, isto é: caso não se deixe a subjetividade desabrochar em sua riqueza, mas, antes que isto aconteça, faça-se a subjetividade encerrar-se egoisticamente em ironia.

XENOFONTE, PLATÃO E ARISTÓFANES

No que tange à relação de Aristófanes com Xenofonte e Platão, encontram-se em Aristófanes elementos dessas duas concepções. O misterioso nada, que propriamente constitui a *pointe* na vida de Sócrates, Platão procurou preenchê-lo dando-lhe a ideia, e Xenofonte com as prolixidades do útil. Aristófanes, portanto, conseguiu captar este nada, não como a liberdade irônica, na qual Sócrates o gozava, mas sim de tal modo que ele constantemente mostra a vacuidade que há aí. Em vez da plenitude eterna da ideia, Sócrates recebe por isso o mais ascético despojamento num aprofundar-se em si que jamais retira algo desta profundidade, um aprofundamento que ainda que mergulhasse nas regiões subterrâneas da alma sempre retornaria de mãos vazias (e a gente poderia, em perspectiva psicológica, meditar nas palavras que Aristófanes emprega em perspectiva científico-natural a respeito dos discípulos da nova escola, v. 192: "Esses sondam o Érebo, até debaixo do Tártaro". Em vez do proveitoso (*Nyttige*)[99], que afinal de contas não deixa de ser uma espécie de consideração reflexiva, aparecem aqui "o que traz vantagem", que só tem a ver com a coisa particular na relação desta para com um indivíduo (*Individ*) zelando por seu interesse, e o – "que supõe destreza" (*Naevenyttige*) (cf. v. 177s.). Também as considerações sobre a natureza, com as quais Aristófanes dotou Sócrates, recordam ocasionalmente os estudos xenofônticos sobre a história natural, desde que simplesmente se abstraia da imputação de irreligiosidade que transparece em Aristófanes[100]. Em comparação com Platão, Aristófanes subtraiu, portanto, mas, em comparação com Xenofonte, adicionou; mas dado que neste último caso trata-se somente de grandezas negativas, este adicionar também é, num certo sentido, um subtrair. Se quisermos agora tornar mais explícitas as linhas que até aqui foram traçadas sob constante vigilância a partir da ponderação fundamentada sobre a relação recíproca desses três autores, e delimitar a grandeza desconhecida, o ponto de vista que se encaixa no espaço intermediário e ao mesmo tempo o preenche, mostrar-se-á aproximadamente o seguinte: sua relação para com a ideia é negativa, isto é, a ideia é o *limite* (*Graendse*) da dialética. Constantemente ocupado em elevar o fenômeno à ideia (a atividade dialética), ou o indivíduo é empurrado de volta, ou o indivíduo foge de volta para a realidade; mas a própria realidade só tem a validade de ser constantemente *ocasião* para este querer superar a realidade, sem que contudo isto aconteça; ao contrário, o indivíduo retoma em si estes *molimina* (esforços vigorosos) da subjetividade, encerra-os dentro de si em uma *satisfação pessoal*; entretanto, este *ponto de vista é precisamente a ironia.*

O estudo alcançou agora um ponto de repouso; *uma* formação da investigação foi levada a cabo, e se eu devesse em poucas palavras expressar sua natureza, sua significação enquanto momento de todo o conjunto, eu diria que ela *torna possível uma con-*

cepção de Sócrates. Xenofonte, Platão e Aristófanes, de fato, conceberam Sócrates não apenas no sentido comum em que esta palavra "conceber" deve ser tomada quando se trata de um fenômeno espiritual; mas eles, numa significação muito mais especial, não o restituíram (tal como ele era), e sim o conceberam[101].

Como uma consequência disto, é preciso utilizá-los com uma certa cautela, e cuidar de fazê-los parar no instante em que eles começam a arrebatar-nos. Mas por fim se torna necessário, para que a gente mesmo não seja culpado de uma arbitrariedade, ter alguém a quem recorrer, razão por que eu procurei ser eu mesmo um terceiro frente a cada um. Depois eu fiz o todo chegar a uma confrontação final. Com isso, eu consegui viabilizar uma possibilidade de ser capaz de esclarecer a discrepância entre as três concepções graças a uma concepção de Sócrates correspondente. Mas, com tudo isso, eu ainda não passei além da possibilidade; pois mesmo que a explicação apresentada seja capaz de reconciliar as potências em luta, daí não se segue, de maneira alguma, que esta explicação seja por isso a absolutamente correta. Por outro lado, se ela não fosse capaz de reconciliá-las, seria impossível que ela pudesse ser a correta. Agora, ao contrário, isto é possível. Durante toda esta investigação eu tive sempre algo *in mente*, ou seja, a concepção definitiva, sem que, por isso, se pudesse inculpar-me de uma espécie de jesuitismo inteligente, ou de ter primeiro escondido, procurado e depois encontrado o que eu mesmo há muito já havia encontrado. A concepção final apenas sobrepairou como uma possibilidade a cada pesquisa; cada resultado foi a síntese de uma reciprocidade; com esta, a concepção se sentiu atraída ao resultado que ela devia explicar, e aquilo que devia ser explicado, atraído para ela. Num certo sentido, a concepção veio a surgir sob estes estudos, embora ela num outro sentido já existisse antes deles. Mas afinal de contas não podia ser diferente, posto que o todo preexiste às suas partes. Se ela então não foi gerada, mesmo assim ela nasceu de novo. Entretanto, eu creio que o leitor razoável há de reconhecer isto como uma cautela da minha parte, embora com isso toda a forma do estudo tenha se tornado um tanto divergente do método científico hoje comum, de resto meritório de tantas maneiras. Com efeito, se eu tivesse primeiramente apresentado a concepção definitiva, e em seus momentos particulares indicado a cada uma destas três considerações o seu lugar, eu teria facilmente deixado escapar o momento da contemplação, que é sempre importante, mas aqui duplamente, porque eu não posso apropriar-me do fenômeno por um outro caminho, por observação imediata.

A partir de agora a forma desta investigação também se tornará diferente. Eu terei de tratar agora um certo número de fenômenos que, enquanto fatos históricos, não precisam ser estabelecidos através de uma concepção equivocada, mas simplesmente conservados em sua inocência e depois explicados. Aqui, mais uma vez, a concepção final é um necessário *prius*, embora ela resulte deles, num outro sentido. Poder-se-ia denominar a próxima seção *a concepção se torna real*; pois esta adquirirá realidade através de todos estes dados históricos.

CAPÍTULO II
Esta concepção é real

O DEMÔNIO DE SÓCRATES

Logo se perceberá que eu agora passei para um outro domínio. Aqui não se trata mais da concepção de Platão ou de Xenofonte, a não ser que se queira ser tão irrazoável a ponto de achar que o todo era uma ficção de Platão e Xenofonte. É preciso, pois, que se encare como um fato que Sócrates admitia um tal demônio, e precisamos, através das expressões particulares que se encontram a este respeito[102], tentar formar para nós uma ideia dele, bem como colocá-la em harmonia com a nossa concepção total. *Este demônio de Sócrates* sempre foi, aliás, uma *crux philologorum*, uma dificuldade que contudo não tanto intimidava quanto atraía, e com o seu feitiço misterioso encantava. Encontra-se, por isso, desde os tempos mais antigos uma grande inclinação por falar a respeito deste assunto (pois, "o que é que a gente mais gosta de ouvir, senão estas historinhas?"); mas, em geral, não se foi além disso: a curiosidade, excitada pelo que há de misterioso, logo se apaziguava, tão pronto a coisa era nomeada, e a profundidade de pensamento se dava por satisfeita quando, com um ar meditabundo, dizia-se: que se há de dizer? Se acaso os leitores desejassem travar conhecimento com uma obra-prima perfeita sob este aspecto, um todo a tal ponto arredondado em si mesmo que, por assim dizer, sempre

167

arrodeia a coisa, eu indicaria um artigo que se encontra no Funcke[103] e que acaba tão profundamente como começou, e cujo meio é tão profundo como o seu início e sua conclusão. Um dinamarquês da mesma têmpera intelectual, o Sr. Mestre Block, no prefácio de sua tradução das *Memorabilia* de Xenofonte, não conseguiu resistir à tentação de explicar o estranho fenômeno; ele é da opinião de que o próprio Sócrates acreditou ter um tal gênio e "que um tal sentimento era um pressentimento ou uma espécie de exaltação apaixonada, que tinha sua razão em parte, em sua viva imaginação e em seu fino sistema nervoso[104].

Mas primeiro uma exposição do fático. Tanto Xenofonte quanto Platão mencionam esta particularidade. A palavra *To Daimónion* não é, como Ast observa corretamente (p. 483), nem puramente adjetiva, de modo que se precisasse completá-la com um subentendido *Érgon*, *Semeion* (ação, signo demoníaco), ou algo parecido, e nem tampouco substantiva, no sentido de que significaria um ser singular ou característico. Vê-se, pois, que esta palavra exprime *algo* inteiramente *abstrato*, o que também é ilustrado pelo modo duplo em que é utilizada, pela dupla combinação em que se apresenta. Às vezes é dito: "o demônio me faz saber"; em outros lugares: "algo demoníaco" ou: "surge o demônio". A primeira coisa que se deve observar, portanto, é que com esta palavra se designa algo abstrato, algo divino, que, porém, justamente em sua abstração, eleva-se acima de qualquer determinação, é inexprimível e livre de predicados, pois não admite nenhuma vocalização. Se perguntarmos a seguir sobre a sua maneira de agir, constataremos que se trata de uma voz que se faz ouvir, mas sem que se possa precisar melhor isto, como se esta voz se desse a conhecer em palavras, dado que age basicamente de *maneira totalmente instintiva*. No que tange à sua atividade, os relatos de Platão e de Xenofonte divergem. Pois, segundo Platão, ele adverte, impede, ordena que deixe de fazer algo, cf. *Fedro* 242 b c, *Apologia* 31 d, *Alcebíades* 103 a. 124 c, *Téages* 128 d; de acordo com Xenofonte, ele ordena, incita também, prescreve o que fazer, *Memorabilia* 11, 4. IV 8,1. *Apologia* 12. Ast é então da opinião de que neste caso a gente deveria confiar muito mais em Xenofonte de que em Platão, e aqueles que não se derem por contentes com esta afirmação gratuita ainda ficarão estupefatos com a passagem seguinte (correta e totalmente convincente, a partir de seu ponto de vista): "Em si, já é inacreditável que o demônio, como sugestão ou intuição divina, tivesse somente advertido contra; será que Sócrates teria tido apenas um pressentimento do injusto, do infeliz etc., e não igualmente uma viva intuição do justo, que não somente o levasse a agir, mas que também o preenchesse com uma esperança entusiasmada?" Mas isto fica por conta de Ast; o que eu, por outro lado, preciso pedir que o leitor observe, é um ponto da maior importância para toda a concepção de Sócrates: que este demoníaco é apenas apresentado como advertindo e não como dando ordens, isto é, *como negativo e não como positivo*. Se é preciso optar entre Xenofonte e Platão, então eu creio que se deve ficar muito mais com Platão, para o qual o predicado constante da atividade do demoníaco consiste em que ele somente adverte[105], e que se deve encarar o acréscimo em Xenofonte como uma irreflexão xenofôntica, pois ele, sem perceber o significado que poderia estar oculto aí, achou, em sua alta sabedoria, que, se o demoníaco desaconselhava fazer algo, também poderia perfeitamente aconselhar outras coisas. A relação do demoníaco cai, assim, muito mais sob a determinação do trivial; e o banal: "em parte isto [...] em parte aquilo", "tanto [...] quanto", naturalmente condizia bem mais com Xenofonte. Sua inexatidão é mais fácil de explicar do que o rigor de Platão, pois ao primeiro só se pode atribuir uma simplicidade bonachona, enquanto o segundo possui um alto grau de audácia e arbítrio. Acrescente-se a isto que aquela passagem da

Apologia em que Sócrates, para se defender da acusação de Meleto, apela para o demoníaco, mostra claramente que Platão estava bem consciente do significado do fato de o demoníaco só desaconselhar. Pois é a partir daí que ele explica a surpreendente circunstância de que Sócrates, que privadamente estava sempre pronto a aconselhar, jamais se ocupara com os assuntos do Estado. Mas isto é como que a manifestação sensível da relação negativa do demoníaco para com Sócrates; pois esta provocava justamente uma segunda relação negativa: aquela relação fazia com que este, por sua vez, tivesse de relacionar-se também negativamente para com a realidade, ou, no sentido grego, com o Estado. Se o demoníaco tivesse também exortado, justamente com isso teria feito Sócrates ocupar-se com a realidade[106]. A isto se liga essencialmente a questão de saber, como insistiam os seus acusadores, se ele estava em *conflito com a religião do Estado*, em se entregando a este demoníaco. Pois é evidente que ele estava. Por um lado, era, com efeito, uma relação totalmente polêmica frente à religião grega do Estado, o colocar algo de inteiramente abstrato no lugar da individualidade concreta dos deuses[107]. E, por outro lado, era uma relação totalmente polêmica frente à religião do Estado, o colocar no lugar desta eloquência divina, que repercutia em toda parte, característica da vida grega, perpassada pela consciência de deus, em todas as manifestações, até as mais insignificantes, colocar um silêncio, no qual apenas ocasionalmente se ouvia uma voz que advertia, uma voz (e isto incluía a polêmica talvez mais profunda) que jamais se ocupava com os interesses substanciais da vida do Estado, jamais se manifestava a este respeito, porém, só tinha a ver com os assuntos de Sócrates e no máximo com os assuntos bem privados e particulares de seus amigos.

Se agora abandonarmos estes fariseus eruditos que temos mencionado, que coam os mosquitos e engolem o camelo, e nos voltarmos para as conquistas do *desenvolvimento científico mais recente*, que também se mostram nesta direção, logo aparecerá uma diferença essencial: aqui a questão é imediatamente voltada para o seu interior, e por isso não se procura tanto explicar quanto compreender. Enquanto a dificuldade ligada ao demoníaco de Sócrates for tratada isoladamente, enquanto ela for encarada de fora para dentro, é natural que ela fique inexplicada, embora justamente, por isso, ela continue necessária e indispensável para uma multidão de amantes de conjeturas; se, porém, a questão for examinada de dentro para fora, o que se apresentava como uma barreira intransponível passará a se mostrar como um limite necessário, que interrompe a fuga rápida do olhar e com isso do pensamento, obrigando a retornar do periférico para o central, e, com isso, obriga a compreender. Uma observação de Hegel[108] exprime de maneira bem geral, mas com muitíssima pertinência teórica, como é que se deve compreender este demoníaco: "Tendo atribuído à evidência e à convicção a função de determinar o homem à ação, Sócrates colocou o sujeito como decisivo frente à pátria e ao costume, e, com isso, se pôs como oráculo no sentido grego. Ele dizia que tinha em si um demônio que o aconselhava o que devia fazer, e lhe manifestava o que era útil aos seus amigos". Rötscher, seguindo Hegel, também o concebe de modo correto: "A este princípio da livre decisão do espírito a partir de si mesmo e à forte consciência de que tudo deve ser trazido ante o forum do pensamento para receber aí sua confirmação, está ligado também o fenômeno do gênio de Sócrates, já muitas vezes discutido na Antiguidade. Neste demônio nos é representada a ideia que acabamos de comentar, da decisão interior" (p. 254). Também na *Filosofia do direito*, Hegel comenta o demônio de Sócrates. Cf. 279: "No demônio de Sócrates nós podemos ver o começo desta vontade que até agora só se situava fora de si mesma e que se coloca em si mesma e se conhece no seu interior – o começo da liberdade que se conhece e que, por isso, é verdadeira". A passagem, contudo, onde Hegel discute mais longamente este demônio, encontra-se naturalmente em sua *História da filosofia* (2. vol., p. 94s., p. 103s.). Embora aí Hegel se permita apresentar analogias[109] e resolver por esta via as dificuldades a que este fenômeno está vinculado, mesmo assim o fim de toda a sua investigação e o resultado dela é que o fenômeno se torna inteligível. O ponto de vista de Sócrates é, pois, o da subjetividade, da inferioridade, que se reflete em si mesma e em sua relação para consigo mesma dissolve e volatiliza o subsistente nas ondas do pensamento, que se avolumam sobre ele e o varrem para longe, enquanto a própria subjetividade novamente afunda, refluindo para o pensamento. No lugar daquele pudor que, poderosa, mas misteriosamente, mantinha o indivíduo nas articulações do Estado, aparece doravante a decisão e a certeza interior da subjetividade. Hegel diz, na p. 96: "O ponto de vista do espírito grego, quanto ao aspecto moral, se determina como eticidade ingênua. O homem ainda não tinha uma tal relação, de se refletir assim em si, de se determinar a partir de si". Na Antiga Grécia, as leis tinham, para o indivíduo, a respeitabilidade da tradição, como sancionadas pelos deuses. E a esta tradição correspondiam os costumes consagrados no correr dos tempos. Mas enquanto as leis determinavam o universal, a Antiga Grécia necessitava também de uma decisão para os casos particulares, referentes tanto aos assuntos do Estado quanto aos privados. Para isso, havia o oráculo (p. 97): "Esta época se caracteriza pela ausência de decisão no povo e no sujeito, que ainda não a assumiu e que se deixa determinar por um outro, por algo de exterior; assim, os oráculos são necessários sempre que o homem ainda não tem consciência de seu interior como independente, como livre, de modo a assumir a decisão somente a partir de si mesmo – e isto corresponde à falta de liberdade subjetiva". *No lugar do oráculo* Sócrates tem agora o *seu de-*

mônio. Este demoníaco situa-se então na passagem entre a relação exterior do oráculo para o indivíduo e a interioridade plena da liberdade, e, como algo que ainda está em transição, aparece justamente para a representação. P. 95: "O interior do sujeito sabe, decide a partir de si: este interior, em Sócrates, ainda tinha uma forma peculiar. O gênio ainda é o inconsciente, o exterior que decide, e contudo já é algo de subjetivo. O gênio ainda não é Sócrates mesmo, nem sua opinião, sua convicção, mas sim algo de inconsciente; Sócrates é movido. Ao mesmo tempo, o oráculo não é algo de exterior, mas é o seu oráculo. Tinha a configuração de um saber que ao mesmo tempo estava vinculado a uma inconsciência". P. 96: "Isto é, pois, o gênio de Sócrates; era necessário que este gênio se manifestasse em Sócrates". P. 99: "O demônio está por conseguinte no meio entre o exterior do oráculo e o puramente interior do espírito; ele é algo de interior, mas de tal maneira que é representado como um gênio pessoal, distinto da vontade humana – não como sua sabedoria prática, seu livre-arbítrio". Mas como este demônio só se ocupava com as relações inteiramente particulares de Sócrates, então Hegel mostra também que suas manifestações são bastante insignificantes em comparação com as de seu espírito e de seu pensamento[110]. Cf. p. 106: "Este demônio de Sócrates, de resto, não atingiu o verdadeiro, o que é em si e para si, mas apenas particularidades; e estas manifestações demoníacas são assim muito mais insignificantes do que as do seu espírito, de seu pensamento".

Estou pronto agora com a apresentação de Hegel, e alcancei aqui – como sempre que se tem ao seu lado Hegel (César e sua sorte) –, um fundamento sólido, a partir do qual eu posso tranquilamente aventurar-me em um excurso para ver se acaso não haveria algum dado particular digno de atenção, e ao qual eu posso tranquilamente retornar, tenha ou não tenha encontrado algo. Já vimos acima que o ponto de vista de Sócrates sob vários aspectos era bem o da subjetividade, entretanto, de tal maneira que a subjetividade não se revelava em toda a sua riqueza, e que a ideia permanecia como o limite, chegando ao qual Sócrates retornava para si mesmo em satisfação irônica. Pois o demoníaco, como já vimos, é também em relação ao helenismo uma determinação da subjetividade, mas a subjetividade nele não está completa, ainda existe algo de exterior (Hegel observa que não se deve chamar este demoníaco de consciência). Recordemos primeiramente que este demoníaco só se ocupava com relações particulares e só se exprimia como advertindo, e veremos também aqui que a subjetividade era interrompida em sua emanação e terminava numa *personalidade particular*. O demoníaco era suficiente para Sócrates, pois podia contentar-se com ele; esta é uma determinação da personalidade, mas naturalmente só é satisfação egoística de uma personalidade particular. Mais uma vez aqui Sócrates se mostra como alguém que está a ponto de saltar para algo e que contudo a cada momento deixa de saltar para dentro deste outro, salta para o lado e de volta para si mesmo. Acrescentemos agora a consciência polêmica na qual Sócrates assumia toda a sua relação para com seu tempo, a liberdade, ainda que negativa, mas infinita, na qual ele respirava leve e livre, sob o horizonte imenso indicado pela ideia como limite, a segurança que ele tinha no demoníaco para não se confundir com os múltiplos acasos da vida, e então o *ponto de vista* de Sócrates se mostra de novo como *ironia*. Em geral, costuma-se encontrar a ironia concebida idealmente com seu lugar indicado como um momento evanescente no sistema e, por conseguinte, descrita muito brevemente; por esta razão não se pode conceber tão facilmente como é que toda uma vida pode ser levada aí, dado que o conteúdo desta vida tem de ser encarado como nada. Mas a gente não se lembra que este ponto de vista jamais se encontra na vida de maneira tão ideal como está no sistema; a gente não se lembra que a ironia, como qualquer outro ponto de vista na vida, tem suas provações, suas lutas, seus recuos, suas vitórias. Assim, no sistema a dúvida também é um momento evanescente, mas na realidade efetiva, onde a dúvida se realiza naquele conflito constante com tudo o que quer levantar-se e subsistir contra ela ("destruindo todas as elevações que se alçam [...] e aprisionando-as na obediência"), ela tem muito conteúdo, num outro sentido. Esta é a vida puramente pessoal, com a qual decerto a ciência nada tem a ver, se bem que um conhecimento um pouco mais próximo dela libertaria a ciência daquele *idem per idem* tautológico que atinge seguidamente tais concepções. Mas seja lá como for, ainda que a ciência tenha razão em ignorar tais coisas, quem quiser compreender a vida individual não pode fazer o mesmo. E dado que o próprio Hegel diz, em algum lugar, que no que tange a Sócrates não se trata tanto de especulação quanto de vida individual, eu me atrevo a ver nisso uma sanção para o encaminhamento que dei em toda a minha pesquisa, mesmo que na minha fraqueza possa tê-la deixado ainda bastante imperfeita.

A CONDENAÇÃO DE SÓCRATES

Qualquer um entenderá imediatamente que aqui temos a ver com algo de fático e que não se trata de uma concepção no sentido em que ocorre com Xenofonte, Platão e Aristófanes, para os quais a realidade de Sócrates era ocasião para e momento em uma apresentação que buscava idealmente arredondar, transfigurar sua pessoa – *a seriedade do Estado* não poderia permitir-se isto, e, portanto, esta *sua concepção é sine ira atque studio* (sem ira nem parcialidade). É verdade que esta se baseia até certo ponto sobre a dos acusadores; mas por mais ódio que houvesse no espírito destes, eles tinham certamente que esforçar-se para se aterem o mais possível à verdade. Além disso, a queixa é apenas um momento da concepção do Estado, ela é a ocasião exterior para que o Estado tome consciência, num sentido mais especial, da relação deste indivíduo particular para com ele[111]. Será, então, que o Estado ateniense, com a condenação de Sócrates, cometeu uma injustiça que grita aos céus, será que o mais certo que podemos fazer é voluntariamente nos unirmos à multidão de sábias carpideiras e de filantropos pobres de espírito, mas ricos em lágrimas, cujos choros e lamentações por um homem tão bom, tão honesto, modelo de virtude e cosmopolita, vítima da inveja mais sórdida, cujos choros e lamentações, como disse, repercutem ainda através dos séculos? Ou será que o Estado ateniense agiu com inteira justiça ao condenar Sócrates? Será que nós podemos com a consciência tranquila entregar-nos à alegria pelas pinceladas ousadas e vigorosas da ciência mais moderna que esboça o quadro de Sócrates como um herói trágico que ao mesmo tempo não tinha e tinha razão, e do Estado grego como uma ordem articulada das coisas? Sobre tais questões não devemos falar mais pormenorizadamente neste lugar.

A *acusação* contra Sócrates é um documento histórico[112]. Ela se distingue em duas *partes*, que receberão um estudo mais aprofundado cada uma por si.

1. Sócrates não reconhece os deuses reconhecidos pelo Estado e introduz novas divindades

Esta acusação contém, como se vê, dois pontos: ele *não* aceita os deuses do Estado e introduz *novos*. No que se refere a este *último ponto*, já discutimos o assunto nas páginas precedentes ao tratarmos do demônio de Sócrates. Também já foi feita uma observação sobre até que ponto se poderia atribuir algum valor ao movimento dialético com que ele durante sua defesa no tribunal quer, partindo da determinação abstrata da interioridade (o demoníaco), construir o objetivo sob a determinação da personalidade. Mas o principal é que ficou claro, espero, que o demoníaco designava a relação *totalmente negativa* de Sócrates para com a ordem estabelecida no terreno religioso, e não tanto pelo fato de ele introduzir algo novo, pois neste caso a sua relação negativa se mostraria mais e mais como uma sombra a acompanhar sua positividade, mas antes pelo fato de ele rejeitar a ordem estabelecida, fechando-se em si mesmo e limitando-se egoisticamente em si mesmo. No que tange ao *primeiro* ponto, não se deve ver nessa rejeição um fruto de uma reflexão fria, racional e prosaica sobre a natureza, não desconhecida dos atenienses e que naquela época também tinha dado ocasião a que vários suspeitos de ateísmo fossem exilados. Sócrates não se ocupava com tal estudo, e embora anteriormente se tivesse deixado influenciar por Anaxágoras, logo se libertara desta influência, fato que Platão refere em várias passagens, trocando então a reflexão sobre a natureza pela reflexão sobre o homem. Quando se diz, portanto, de Sócrates, que ele não reconhecia os deuses aceitos pelo Estado, daí não segue que ele fosse um ateu (negador de deus). Ao contrário, esta não aceitação socrática dos deuses do Estado está essencialmente relacionada com todo o seu ponto de vista que, no domínio teórico, ele mesmo caracterizava como *ignorância*[113]. Mas ignorância é um ponto de vista filosófico real e ao mesmo tempo totalmente negativo. A ignorância de Sócrates, com efeito, não era de maneira alguma uma ignorância empírica, muito pelo contrário, ele tinha lido tanto os poetas quanto os filósofos, tinha também muita experiência nas coisas da vida, de modo que no sentido empírico ele não era ignorante. Mas, por outro lado, era ignorante no aspecto filosófico. Era ignorante quanto àquilo que está no fundamento de tudo, o eterno, o divino, quer dizer, ele sabia que isto era, mas não sabia o que isto era, ele tinha isto em sua consciência e, contudo, não o tinha em sua consciência, na medida em que a primeira coisa que ele podia predicar a respeito era que nada sabia a respeito. Mas, com outras palavras, isto é a mesma coisa que anteriormente foi assim caracterizada: Sócrates tinha *a ideia como limite*. Até aí, tinha de ser muito fácil para ele refutar a acusação que lhe assacavam, de que não aceitava os deuses reconhecidos pelo Estado. Pois ele podia, de maneira socraticamente correta, contestar: "Como é que me podem acusar disso? Dado que eu não sei nada, eu naturalmente não sei de jeito nenhum se aceito os deuses que o Estado aceita!" Com o que se pode também ver a conexão disto com a questão de até que ponto não se teria constituído um saber positivo por trás desta ignorância. Schleiermacher chama a atenção, em um artigo[114], para o fato de que, quando Sócrates, a serviço do oráculo, andava por aí para mostrar ao povo que nada sabia, era impossível que ele só soubesse que não sabia nada, já que por trás disso necessariamente estava que ele sabia o que era saber. E mostra a seguir como Sócrates é propriamente o fundador da dialética. Mas aí temos de novo uma positividade que olhada mais de perto se mostra como negatividade. Recordando aqui uma observação anterior: Sócrates chegou à ideia da dialética, mas não possuía de jeito nenhum a dialética da ideia. E mesmo segundo a visão de Platão, isto constitui um ponto de vista negativo. Por isso, na dicotomia da *República*, lá onde a dialética se mostra, mostra-se o bem como sendo o positivo que corresponde a esta, assim como também na dicotomia em que o amor se apresenta como o negativo, a ele corresponde o belo como sendo o positivo. Agora, é bem verdade que esta negatividade, aqui constantemente insinuada, a cada momento posta e no mesmo momento revogada, tem uma positividade profunda e rica de conteúdo desde que ela chegue a conscientizar-se de si mesma; porém, Sócrates a mantinha constantemente apenas como possibilidade que jamais se tornava em realidade.

A gente se convencerá também disso lendo atentamente toda a *Apologia* de Platão; esta é tão expressiva, em sua descrição da ignorância de Sócrates, que basta que a gente se cale e escute quando ele fala. Ele descreve sua sabedoria relacionando-a com a de Evenos de Paros, que cobrava cinco minas por seu ensinamento. Felicita-o por causa da positividade que este devia possuir, já que exigia um pagamento tão caro, e responde então, quanto à sua própria sabedoria: "Mas por que tipo de sabedoria recebi o nome de sábio? Decerto por aquela que é a sabedoria humana. Pois é bem possível que eu seja sábio deste tipo" (20 d). Os outros, porém, diz ele, teriam de estar de posse de uma sabedoria superior: "Mas aqueles, que eu acabo de citar, talvez sejam sábios em uma sabedoria que não é adequada ao homem". Aqui, portanto, o predicado "humana"[115] atribuído à sabedoria em contraposição a uma sabedoria que é mais do que humana, é de maior importância. Com efeito, quando a subjetividade com seu poder negativo quebrou o feitiço sob o qual transcorria a vida humana submetida à forma da substancialidade, quando emancipou o homem de sua relação para com Deus, assim como liberta o indivíduo de sua relação para com o Estado, aí a primeira forma sob a qual ela se mostra é a ignorância. Os deuses foram embora, e com eles a plenitude, o homem fica para trás como a forma, como aquilo que deve receber em si a plenitude, mas esta relação, no domínio do conhecimento, é concebida corretamente como ignorância. Esta ignorância é, por sua vez, de maneira inteiramente consequente, caracterizada como *sabedoria humana*, na medida em que aqui o homem alcançou o seu direito,

direito que consiste exatamente em não ser o que é. A sabedoria dos outros mestres, em relação a esta, tinha um conteúdo muito maior, ainda que, naturalmente, sob um outro aspecto, muito menor, e por isso não é, de jeito nenhum, sem uma certa ironia, que Sócrates discorre sobre a superioridade deles. Esta concepção, Sócrates também a considera reforçada pelo enunciado do oráculo délfico. que a partir do ponto de vista divino vê exatamente a mesma coisa[116]. E como o oráculo estava sempre numa relação com a consciência humana correspondente – num tempo mais antigo distribuía conselhos com autoridade divina e, numa época mais tardia, ocupava-se com propor problemas científicos[117] – assim também nós vemos uma *harmonia praestabilita* (harmonia preestebelecida) na sentença do oráculo délfico relativa a Sócrates. Até o mal-entendido de que por trás desta ignorância se esconderia um saber foi intuído por Sócrates, que porém também o concebia *como um mal-entendido*. Com efeito, ele explica como é que sua atividade persuasiva pôde atrair-lhe tantas inimizades, e acrescenta: "Pois os presentes acreditam a cada vez que eu entendo daquelas coisas sobre as quais confiando o outro". Entretanto, igualmente se vê, afinal, como ele protesta contra este mal-entendido e quão pouco correta ele considera a conclusão de que, já que era capaz de persuadir outros de que nada sabiam, ele mesmo deveria saber alguma coisa.

O que impedia Sócrates de um aprofundamento especulativo desta positividade, pressentida à distância por trás desta ignorância, era, naturalmente, *a vocação divina* que ele tinha para persuadir cada indivíduo a respeito do mesmo. Ele não viera para salvar o mundo, mas para julgá-lo. A isto estava dedicada sua vida, e esta atividade o mantinha também afastado da participação nos assuntos do Estado. Os atenienses poderiam tirar-lhe a vida e ele se resignaria; mas uma absolvição sob a condição de renunciar a esta missão divina, jamais ele aceitaria, já que isto seria uma tentativa de matá-lo no sentido espiritual. Ele era o eterno agente, que por procuração da divindade exigia inexoravelmente até o último centavo o que era propriedade divina. O que Nemesis fora anteriormente com relação ao que se destacava, ao excelente, era agora profunda e totalmente executado na atividade irônica de Sócrates em relação à humanidade enquanto tal. Só que Sócrates não se detinha numa consideração filosófica, mas se voltava para cada um em particular, despojava-o de tudo e o despedia de mãos vazias. Era como se os deuses irados[118] tivessem virado as costas para os homens, recolhido tudo o que era seu e os tivessem entregue a si mesmos. Mas num outro sentido, os homens é que se haviam afastado dos deuses e se aprofundado em si mesmos. Contudo, este é naturalmente apenas um momento de transição. Sob muitos aspectos, o homem estava mesmo no caminho certo, e se pode por isso dizer, a este respeito, o que Agostinho diz do pecado: *beata culpa* (feliz culpa). As legiões celestes dos deuses se elevaram da terra e desapareceram da vista dos mortais, mas justamente este desaparecer era a condição para uma relação mais profunda. Por isso, Rötscher diz muito corretamente (p. 253): "Com isso, esclarece-se também como é que se deve entender a ignorância socrática, tantas vezes deturpada e que tão seguidamente foi usada como uma boa apologia da própria ignorância e como uma defesa contra o reconhecimento do verdadeiro saber. O saber que nada sabia não é, com efeito, como se tem representado comumente, o puro nada vazio, e sim o nada do conteúdo determinado do mundo estabelecido. O saber da negatividade de todo conteúdo finito é a sua sabedoria, impulsionado pela qual ele entra em si e coloca esta investigação de sua interioridade como a meta absoluta, o início do saber infinito, mas, bem-entendido, somente o início, dado que esta consciência ainda não se completou de maneira alguma, e é somente a negação de todo o finito e estabelecido". Também Hegel observa (p. 60): "Sócrates então fazia aqueles que com ele andavam aprender que nada sabiam; sim, o que é mais, ele até dizia que não sabia nada, e, portanto, também não ensinava nada. Efetivamente pode-se também dizer que Sócrates nada sabia; pois ele não chegou a possuir uma filosofia ou a construir uma ciência. Ele tinha consciência disso; e nem era sua meta possuir uma ciência".

Sócrates indicou então, certamente, uma nova direção, ele deu à época sua direção (se se quer tomar esta palavra não tanto no seu sentido filosófico quanto no sentido militar), ele andava por aí com cada um em particular para convencer-se de que este estava posicionado corretamente; e, contudo, esta sua atividade não estava tão dirigida para chamar a atenção deste para o que devia vir quanto, muito antes, para arrancar deste o que ele possuía, e realizava isto cortando, enquanto durasse a operação, toda a comunicação com o sitiado, à medida que ele, com seu questionamento, deixava-o à míngua de opiniões, de representações, tradições consagradas etc., que até ali haviam bastado para o respectivo indivíduo. E quando ele havia realizado isto com o indivíduo, aí amortecia por um instante a chama devoradora da inveja (esta palavra tomada no sentido metafísico), e ficava satisfeito por um instante o entusiasmo aniquilador da negatividade, e aí ele saboreava plenamente *a alegria da ironia*, saboreava-a duplamente, porque se sentia autorizado pela divindade, sentia-se em sua vocação. Mas isto, naturalmente, só ocorria por um instante, logo em seguida ele estava de novo em sua função[119]. A negatividade que havia em sua ignorância não era para ele um resultado nem um ponto de partida para uma especulação mais profunda; mas o especulativo que estava à base de seu pensamento e com o qual ele tinha circunavegado infinitamente a existência era o mandato divino em virtude do qual exercia sua práxis com as coisas particulares. Esta ignorância era aquela eterna vitória sobre o fenômeno, que nenhum fenômeno particular e nem mesmo a soma de todos os fenômenos lhe podia arrebatar, mas pela força dela ele vencia a cada instante o fenômeno. Ele libertava assim, decerto, o indivíduo de qualquer pressuposição, liberava-o assim como ele próprio era livre; porém, a liberdade que ele próprio gozava em satisfação irônica, o outro não podia gozar, e, por isso, ele desenvolvia nos outros nostalgia e desejo. Por isso, enquanto o seu próprio ponto de vista se arredondava em si mesmo, este ponto de vista, assumido na consciência do outro, é apenas a condição para um novo. A razão por que Sócrates podia repousar nesta ignorância estava em que ele não possuía um impulso especulativo mais profundo. Em vez de acalmar pela especulação esta negatividade, apaziguava-a muito antes na *inquietude eterna*, na qual ele reprisava o mesmo processo com cada indivíduo particular. Mas, em tudo isto, o que faz dele uma personalidade é justamente a ironia. – Esta ignorância teorética, para a qual permanecia um mistério a essência eterna da divindade, naturalmente devia ter tido seu equivalente em uma *ignorância religiosa* semelhante a respeito das providências, das orientações divinas para o homem, uma ignorância religiosa que buscava sua edificação e manifestava sua devoção em uma ignorância total, assim como, por exemplo, em um desenvolvimento muito mais concreto, Schleiermacher procurava a edificação no sentimento da dependência absoluta. Também isto oculta naturalmente em si uma polêmica e se torna um horror para aquele que encontrou seu repouso numa ou noutra relação finita com o divino. A este respeito já recorda a passagem que anteriormente citamos dos *Memoráveis* de Xenofonte (1,1,8), onde Sócrates analisa como os deuses retiveram para si o mais importante, ou seja, o resultado das ações, de modo que todo esforço humano era vaidade que nada produzia. E isto também se mostra no diálogo platônico *Segundo Alcebíades*, onde Sócrates fala do significado da oração, e onde ele enfatiza que é preciso ter o maior cuidado ao pedir alguma coisa aos deuses, para que não aconteça que os deuses escutem a prece e depois se mostre talvez que isto não era de maneira nenhuma um dom para os homens. Esta preocupação, é bem verdade, parece ainda conter em si a possibilidade de que o homem em certos casos possa intuir o que é proveitoso e assim possa pedi-lo. Mas em parte deve-se lembrar que Sócrates de maneira alguma aceita que mesmo na suposição de que o homem soubesse o que é melhor para ele e pedisse por isto, os deuses só por isso lho concederiam, o que aponta para uma dúvida ainda mais profunda sobre o que seria afinal o melhor para o homem; e em parte, que esta preocupação degenera em ansiedade, que só encontra repouso na *neutralização da oração*. Também se percebe o mesmo ao ver como ele louva um verso de um poeta que diz o seguinte:

> *Dá-nos o bem, ó Zeus!, quer o peçamos ou não.*
> *E nos afasta do mal, mesmo quando o pedimos.*

Mas com isso nós vemos na perspectiva religiosa o divino tão afastado do homem quanto se mostrara no aspecto teorético, e a expressão para isto é mais uma vez ignorância[120].

De resto, costuma-se também lembrar, para caracterizar o ponto de vista de Sócrates, a conhecida expressão: *Gnōthi sautón* (conhece-te a ti mesmo). E não se pode negar que estas palavras contêm uma ambiguidade que justamente deveria contar a favor delas, por poderem caracterizar tanto um ponto de vista teórico quanto um ponto de vista prático, mais ou menos como a palavra "verdade" na terminologia cristã. Entretanto, na ciência mais recente, essas palavras ficaram completamente desligadas do complexo de ideias a que pertencem, e depois então andaram vagabundeando sem restrições, durante algum tempo, na literatura. Aqui, pois, uma tentativa para levá-las de volta à sua terra natal, isto é, uma tentativa para mostrar o que elas têm a significar com respeito a Sócrates, ou de que maneira Sócrates tornava fecundo o pensamento contido nesta expressão. É bem verdade que a subjetividade em sua plenitude total, a interioridade em toda a sua riqueza infinita, também pode ser caracterizada com a expressão *Gnōthi sautón* (conhece-te a ti mesmo); mas no que tange a Sócrates, aí este autoconhecimento não era tão cheio de conteúdo, ele propriamente não continha nada mais do que a separação, a segregação daquilo que mais tarde se tornou objeto deste conhecimento. À expressão *conhece-te a ti mesmo* significa: separa a ti mesmo do outro. Justamente porque antes de Sócrates este "si mesmo" (*Selv*) não existia, justamente por isso era mais uma vez uma declaração do oráculo, correspondente à consciência socrática, que lhe ordenava conhecer a si mesmo. Estava reservado a uma época ulterior aprofundar-se neste conhecimento de si. Se se compreende isso – como a oposição de Sócrates ao conteúdo substancial da Grécia torna necessário –, então se percebe que aqui mais uma vez Sócrates tem um *resultado* totalmente *negativo*. Este princípio: "conhece a ti mesmo", é totalmente congruente com a ignorância antes descrita. A razão por que Sócrates podia ficar apoiado sobre este ponto negativo é igual à do caso anteriormente estudado, pois a tarefa de sua vida e seu interesse era o fazer valer este ponto, não especulativamente, pois neste caso ele deveria necessariamente ter ido adiante, mas sim praticamente, frente a cada homem individual. Ele trazia os indivíduos, por conseguinte, para baixo de sua bomba de ar dialética, privava-os do ar atmosférico que estavam acostumados a respirar, e os deixava assim plantados. Agora tudo estava perdido para eles, se não fossem capazes de respirar em um ar etéreo. Sócrates, por outro lado, nada mais tinha a ver com eles, e corria para novos experimentos.

Mas retornemos por um instante à circunstância que nos proporcionou a ocasião de nos introduzirmos em toda esta investigação, a acusação contra Sócrates, e então saltará aos olhos que Sócrates estava *em conflito* com a *concepção do Estado*, sim, que seu atentado tinha de ser encarado, do ponto de vista do Estado, como uma das empresas mais perigosas, como uma tentativa de sugar o sangue do Estado e transformar o Estado numa sombra. Além disso também, está claro que ele atraía sobre si a atenção pública; pois ele não se dedicava a uma idílica vida científica, muito pelo contrário, era com a enorme elasticidade de um ponto de vista histórico-universal que ele lançava um indivíduo após outro para fora da realidade do Estado. Mas uma vez levantada a acusação, o Estado não podia mais contentar-se com a defesa alegada, baseada na ignorância da qual ele se beneficiava, já que naturalmente esta ignorância precisava ser vista, na perspectiva do Estado, como um crime.

Mas se o seu ponto de vista era negativo no aspecto teórico, no aspecto prático não o era menos, pois *ele não estava em condições* de contrair com a ordem estabelecida qualquer relação *real*[121]. Isto tinha naturalmente o seu fundamento em sua posição teórica. Ele tinha se encontrado a si mesmo fora do outro (ou seja, na perspectiva grega: do Estado); mas em compensação ele também não podia reencontrar-se a si mesmo dentro do Estado. Na *Apologia*, ele mesmo relata como a missão divina que tinha o privava de tempo e de oportunidade para se dedicar aos assuntos do Estado, e declara ser necessário, para ele, viver como homem privado.

Se se levar em conta que mesmo em nossos países, quando o Estado, justamente porque atravessou uma mediação muito mais profunda, já reconhece à subjetividade um espaço completamente diferente, muito mais do que o Estado grego era capaz de fazer, se mesmo aí, digo eu, em nossos Estados, um "particular" continua a ser uma pessoa ambígua, então se poderá daí deduzir com que olhos o Estado grego deve ter considerado *a tentativa de Sócrates* de andar o seu caminho por conta própria e levar a vida *como um homem privado*. E se o Professor Heinsius acha que replicou satisfatoriamente a uma observação de Forchhammer, perguntando se talvez alguém quereria dar razão a Forchhammer, então eu gostaria de, com toda a modéstia, permitir-me responder ao Sr. Professor Heinsius, que eu considero bem descrito e corretamente compreendido como heresia contra o Estado, quando Forchhammer à p. 6 descreve a atividade de Sócrates com as palavras: "Em cada pórtico, a cada esquina, em cada passeio, ele agarrava jovens atenienses pelo manto e os *questionava*, até que eles partissem com o sentimento envergonhado do não saber, mas também duvidando daquilo que até então haviam considerado divino, ou até que se entregassem sem reservas ao seu ensinamento". O que parece bom na descrição de Forchhammer é o modo como ele descreve Sócrates circulando pelas ruas e pelos becos, ao invés de ocupar o seu lugar no Estado ou ser um cidadão no sentido grego, dispensando-se dos encargos onerosos do Estado e sentindo-se bem ao agir privadamente. Sua posição na vida era por isso *totalmente sem títulos*[122], eu não quero dizer, naturalmente, no sentido odioso de que ele não tenha sido assessor de chancelaria ou secretário, mas dado que não estava em nenhuma relação com o Estado, não se podia, da perspectiva do Estado, dar qualquer predicado ou título a toda sua vida e seu agir. Vemos então muito bem como, mais tarde, também Platão chamou o filósofo para fora da realidade, como Platão quer que as leves figuras das ideias atraiam o filósofo para longe do palpável, e o filósofo deve então viver longe dos ruídos do mundo.

Mas não era este o caso de Sócrates. Decerto que havia em Sócrates algo de um exaltado pelo conhecimento, visto que o abstrato é justamente a maior tentação para o entusiasta exaltado; mas isto não o afastava da vida, muito pelo contrário, ele estava sempre num contato muito vivo com esta; contudo, sua relação com a vida era uma relação meramente pessoal para com indivíduos, e seu relacionamento recíproco com eles se completava como ironia. Os homens eram então, para ele, de uma importância infinita[123], e quanto mais ele se mostrava inflexível em não se submeter ao Estado, tanto mais flexível, tanto mais maleável ele era no trato com os homens, tanto maior virtuose dos encontros casuais. Ele gostava igualmente de falar com agricultores, alfaiates, sofistas, homens do Estado, poetas, com jovens e velhos, falava facilmente sobre todos os assuntos, porque em toda parte encontrava uma tarefa para sua ironia[124]. Mas em tudo isso não era certamente um bom cidadão e certamente não tornava melhores cidadãos os outros[125]. Se o ponto de vista de Sócrates era realmente superior ao do Estado, se ele em verdade estava autorizado pela divindade, sobre isto a história universal deve julgar, mas se ela deve julgar razoavelmente, então tem de conceder ao mesmo tempo que o Estado estava autorizado a condenar Sócrates. Num certo sentido, ele era, portanto, revolucionário, contudo não tanto ao fazer alguma coisa quanto ao se omitir de fazer algo; mas homem de partido ou cabeça de um complô ele não era, disto o preservava a ironia; pois assim como esta o privava da verdadeira simpatia do cidadão pelo Estado, do verdadeiro *pathos* cívico, também o livrava daquela morbidez e daquela exaltação que é condição para um homem de partido. Sua posição era por demais a de uma *isolação pessoal*, toda e qualquer relação que ele contraía era ligada de maneira frouxa demais para ser outra coisa do que um contato rico de significação. Ele estava ironicamente acima de qualquer relação, e a lei da relação era uma constante atração e repulsão, a ligação com o indivíduo era só momentânea, e por cima de tudo isso ele mesmo flutuava em satisfação irônica. A isso se prende uma imputação que foi lançada nos tempos modernos contra Sócrates; ele foi acusado (por Forchhammer) de ser um *aristocrata*. Isso deve ser compreendido, naturalmente, num sentido espiritual, e desta acusação não se poderá livrar Sócrates. A *liberdade irônica* de que ele gozava, na medida em que nenhuma relação era suficientemente forte para o prender –, mas ele se sentia sempre livre acima delas –, o gozo de bastar-se a si mesmo, ao qual ele se entregava, tudo isso indica algo de aristocrático. Todos sabem que Diógenes foi comparado a Sócrates, e chamado de um "Sócrates furioso"; Schleiermacher era da opinião de que se deveria chamá-lo um Sócrates caricato, mas procurou a semelhança na independência frente ao gozo sensível, que ambos procuravam conquistar. No entanto, certamente isto é ainda muito pouco. Se se recordar, ao contrário, que o cinismo é o gozo negativo (em relação ao epicurismo), que o cinismo goza a privação, a falta, não desconhece o prazer, mas procura sua satisfação no não ceder a ele, e que assim, em vez de se abandonar ao prazer, a todo momento retorna a si mesmo e goza a falta do gozo – um gozo que tão vivamente lembra aquilo que a satisfação irônica é no plano intelectual –, se se reflete sobre todas essas coisas e se aplica isso no sentido espiritual com referência à multiplicidade da vida política, aí então a semelhança certamente não será tão sem importância. A verdadeira liberdade consiste, naturalmente, em dedicar-se ao gozo e contudo conservar sua alma intacta. Na vida política, a verdadeira liberdade consiste, naturalmente, em estar situado no contexto da vida, de tal modo que este tenha uma validade objetiva para a gente, e aí conservar a mais íntima, a mais profunda vida pessoal, que bem pode se mover sob estas condições e relações, mas é, contudo, até certo ponto, incomensurável com elas.

Mas retornemos então por um instante àquela circunstância que nos proporcionou entrarmos nestas considerações, a acusação de Sócrates, e aí é evidente que Sócrates, na esfera pública, em vez de ser um ponto entre outros na periferia do Estado, gravitava contra o centro deste, era antes uma tangente que sempre tocava a multiplicidade periférica do Estado. E é evidente, por conseguinte, que em sua relação com o Estado não se pode ousar atribuir-lhe a virtude negativa de não fazer mal (uma negatividade que na perspectiva grega tinha de ser considerada um crime), mas ele, isto sim, ao colocar outros na mesma situação, *realmente fazia o mal*. E ainda se deve lembrar mais uma coisa. Com os outros, que arrancara de seu lugar natural, ele não contraía absolutamente nenhuma relação mais profunda (ele não era homem de partido), mas estava, ao mesmo instante, ironicamente acima deles.

Mas se para Sócrates era impossível encontrar a si mesmo na múltipla concreção do Estado, se ficava duvidoso que ele pudesse realizar algo com a média dos cidadãos atenienses, cuja vida tinha sido formada ao longo dos anos pela vida política, ele tinha, por outro lado, *na juventude*, protegida pelo Estado que se preocupava com o futuro dela, um terreno propício onde suas ideias só poderiam prosperar, uma vez que a juventude sempre vive de maneira mais universal do que os homens adultos. Era, pois, totalmente natural que Sócrates dedicasse sua atenção especialmente à juventude. E com isto está feita a passagem para o outro ponto da acusação.

2. Sócrates seduz a juventude

Que então a defesa que Sócrates apresenta na *Apologia* segundo Platão (26a), de que ele precisava fazê-lo ou com ou contra o seu conhecimento (ekón – ákon), e de que seria, porém, uma insensatez supor que ele o fazia com seu conhecimento, dado que ele mesmo deveria entender que neste caso cedo ou tarde teria de vir a sofrer por causa disto, de modo que era preciso supor que ele o fazia sem estar consciente, e que seria um absurdo exigir uma punição, pois seus acusadores deveriam preferir requerer que ele fosse repreendido e corrigido – que esta defesa, digo eu, não significa nada de especial, isto qualquer um certamente entende, já que deste modo afinal se poderia desculpar qualquer crime e transformá-lo numa desorientação[126].

Entretanto, justamente este ponto da acusação foi tratado por Hegel de maneira tão excelente que eu, para não fatigar o leitor versado no assunto com coisas que já leu neste autor, procurarei ser tão breve quanto possível em tudo o que posso concordar com ele. Contra a acusação genérica de Meleto, de que corrompia a juventude, Sócrates opõe sua vida inteira; a acusação vem a ser então mais especificada: que ele debilitava o respeito dos filhos em relação aos pais[127]. Isto é ilustrado mais de perto com um incidente entre Anito e Sócrates referente ao filho de Anito[128]. A argumentação de Sócrates baseia-se, no essencial, na sentença geral de que o *mais competente* deve ter preferência sobre o menos competente. Assim, na escolha de um comandante militar não se privilegiam os pais e sim aqueles que mais entendem da natureza da guerra[129]. Hegel mostra então como sendo o que *há de irresponsável* no comportamento de Sócrates esta *interferência moral* de um *terceiro* na relação absoluta entre pais e filho, que com sua intromissão parece ter provocado, para nos atermos a esta prova fática específica, que o jovem em questão, o filho de Anito, acabasse se desgostando com sua posição social[130]. Até aqui, Hegel, e nós com ele; pois com esta concepção hegeliana nós avançamos realmente bastante. Mas a questão ainda pode ser vista a partir de *um outro lado*. Naturalmente o Estado estava plenamente de acordo com Sócrates em que o mais apto deve ser preferido ao menos apto; mas daí não se segue de maneira nenhuma que ele possa deixar por conta de cada um em particular decidir *se* e *até que ponto é o mais apto*, para nem falar que o Estado pudesse permitir ao indivíduo, só porque este se julga em seus pensamentos o melhor conhecedor, espalhar os seus conhecimentos sem se preocupar com o Estado. Justamente por ser aquela totalidade na qual a família vive e repousa, o Estado pode, até um certo ponto, suspender a relação absoluta entre pais e filho, pode até certo ponto fazer uso de sua autoridade para impor determinações referentes à educação dos filhos, mas isto se justifica exatamente porque o Estado está acima da família que vive no Estado. Mas, por sua vez, a família está acima do indivíduo, especialmente no que se refere aos seus assuntos próprios. Por isso, frente à família, o indivíduo não pode jamais, sem mais nem menos, só porque acredita ser o mais entendido, estar autorizado a espalhar por conta e responsabilidade próprias estas suas visões. Frente ao indivíduo, portanto, a relação do filho para com os pais é uma relação absoluta[131]. Assim pois como ele, com sua ironia, se apartara da validade da vida substancial do Estado, assim *também a vida familiar* não possuía para ele *qualquer validade*. Para ele o Estado e a família eram uma soma de indivíduos, e ele entrava em relação com os membros do Estado e da família como com indivíduos, qualquer outra relação era para ele indiferente. Vê-se, por isso, como a máxima de que o mais competente deve ser preferido ao menos competente (propriamente se deveria dizer: aquele que acha que é o mais competente deve passar à frente daquele que ele considera menos competente; pois Sócrates afinal de contas não tinha sido preferido, a não ser talvez pela juventude, a qual, aliás, enquanto educanda, não poderia ter voz nem voto), justamente em sua *completa abstração* torna-se propriamente *imoral*. Temos aqui novamente um exemplo de como eram mesmo as coisas com o famoso ensinamento ético de Sócrates. O erro se baseava, com certeza, no ponto de vista gnoseológico abstrato em que Sócrates se situara.

Talvez Sócrates tivesse achado que podia reparar o que fazia de errado com sua intromissão não autorizada, em *não* recebendo *dinheiro* por seu ensinamento. Como se sabe, isto era algo de que Sócrates tinha muito orgulho, algo de que falava frequentemente com grande brio: que ele não tomava dinheiro por seu ensinamento[132]. Mas não se pode negar que havia aí seguidamente uma profunda *ironia sobre os sofistas*, que cobravam tão caro que o ensinamento deles quase se tornava, num sentido inverso, incomensurável com o dinheiro e com o valor do dinheiro. Porém, quando se olha mais de perto, talvez haja aí algo mais. Talvez isto tivesse ao mesmo tempo sua razão naquela *ironia* com que ele concebia *seu próprio* ensinamento. Pois, como sua sabedoria era, conforme sua própria declaração, de um tipo ambíguo, assim também o era seu ensinamento. E como ele mesmo diz no Górgias sobre o barqueiro: "Aquele que exerce esta arte (a arte da navegação) e certamente nos prestou tão grande serviço (ao nos transportar ilesos), desembarca e fica caminhando modestamente pela margem perto de seu barco. Pois ele sabe calcular, penso eu, o quão difícil é determinar a quais dos passageiros ele fez um bem, ao não deixar que se afogassem, e a quais ele acabou prejudicando", assim talvez ele pudesse dizer o mesmo sobre o seu ensinamento, com o qual transportava os indivíduos de um continente para outro. E assim como na passagem ele elogia a arte da navegação, que em comparação com a arte oratória, embora produzindo os mesmos resultados que a oratória, recebe contudo um pagamento tão menor, assim também ele poderia gabar-se de si próprio, que em relação aos sofistas não tomava nenhum pagamento. Por isso, não se pode, *absolutamente*, em si e por si considerar como tão *extraordinariamente meritório* o fato de ele não tomar dinheiro por seu ensinamento, e *nem tampouco* considerá-lo assim sem mais como um sinal absoluto sobre o *valor absoluto* de seu ensino. Pois decerto é verdade que todo ensino verdadeiro é incomensurável com o dinheiro, e decerto é verdade que ficaria infinitamente ridículo se se concedesse à remuneração uma influência decisiva sobre o ensinamento, como se por exemplo alguém, que lecionasse Lógica, oferecesse Lógica de 3 táleres e Lógica de 4 táleres, mas daí não se segue de jeito nenhum que em si e por si seja incorreto receber dinheiro por seu ensino. É certo que o costume de cobrar por suas lições só se consolidou mesmo com os sofistas, e nesta medida se *pode* muito bem explicar o comportamento de Sócrates e sua irônica polêmica contra este costume; mas, como disse, talvez pudesse ocultar-se no comportamento de Sócrates a este respeito *também* uma ironia sobre seu próprio ensinamento, quase como se ele dissesse: falando honestamente, há qualquer coisa de estranho com o meu saber; pois já que eu nada sei, é fácil de se perceber que não fica bem para mim receber pagamento por transmitir a outros esta sabedoria.

Se retornarmos agora àquela circunstância que nos fez entrar nesta investigação, a acusação contra Sócrates, ver-se-á facilmente que o seu crime (considerado a partir do ponto de vista do Estado) consistia justamente em que ele *neutralizava a validade da vida familiar*, dissolvia a lei da determinação natural em que cada membro individual da família se baseava em toda a família – a piedade.

Aqui se poderia parar, se se quisesse apenas perseguir a acusação; mas quem faz da concepção de Sócrates o objeto de sua investigação precisa dar um passo mais adiante. Com efeito, poder-se-ia pensar que, embora Sócrates cometesse um crime contra o Estado ao se intrometer assim injustificadamente nas famílias, mesmo assim, pela *significação absoluta de seu ensinamento*, pela relação interior que só buscava o bem dos discípulos quando se estabelecia, ele teria podido reparar, remediar o que fizera de errado com sua intromissão inoportuna. Nós queremos ver então se a sua relação para com os discípulos tem aquela seriedade, se seu ensinamento possui o *pathos* que se pode exigir de um tal mestre. Porém, *isto falta completamente* em Sócrates. Não se pense Sócrates nesta relação como aquele que sob o céu das ideias elevava os discípulos pela contemplação desta essência eterna, e nem como alguém que impregnava à juventude a rica plenitude de uma visão das coisas, e nem como alguém que no domínio moral assumia uma imensa responsabilidade em seus próprios ombros, vigiando com cuidados paternos sobre os discípulos, só a custo deixando-os soltar-se de suas mãos, enquanto seus olhos não os perdiam jamais de vista, não portanto como aquele que, para recordar uma expressão anterior, amava-os na ideia. A pessoa de Sócrates era, em relação aos outros, arredondada de maneira demasiado negativa para que tais coisas pudessem ter lugar. Erótico ele era certamente no mais alto grau, a paixão exaltada do conhecimento ele tinha numa medida extraordinária, enfim, tinha todos os dotes sedutores; porém, comunicar, preencher, enriquecer, isto ele não podia. Neste sentido talvez se pudesse chamá-lo um *sedutor*, ele encantava a juventude, *despertava* nela *a nostalgia*, mas *não a satisfazia*, fazia-a arder no gozo opulento da emoção, mas não lhe dava um alimento forte e nutritivo. Ele enganava a todos, assim como enganava a Alcebíades, o qual aliás, como já se observou anteriormente, diz até que Sócrates em vez de ser amante se tornava amado. E o que é que isto quer dizer, senão que ele atraía para si a juventude, mas quando então esta olhava para ele, buscava encontrar repouso nele, esquecendo tudo procurava um descanso seguro no amor dele, querendo até deixar de existir por si e apenas existir enquanto amada por ele, aí então ele sumia, o encanto desaparecia, então ela sentia a dor profunda do amor infeliz, aí ela sentia que fora enganada, que não era Sócrates que os amava, mas sim eles que o amavam, e no entanto não eram capazes de se livrar dele. Para naturezas mais ricas isso naturalmente podia não tornar-se nem tão perceptível nem tão dolorido. Ele voltara o olhar do discípulo para dentro, e os mais dotados deviam por isso sentir com gratidão que era a ele que deviam isto, tinham de se tornar ainda mais agradecidos quanto mais percebessem que pela riqueza propriamente dita eles não precisavam agradecer a Sócrates. Sua relação para com os discípulos era, portanto, com certeza das que fazem despertar, mas não era *de maneira alguma pessoal* no sentido positivo. Mas o que aí o impedia era mais uma vez *sua ironia*. Se se quiser, ao contrário, invocar aquele amor com que Xenofonte e Platão envolviam Sócrates, então responderei que, por um lado, eu mesmo já mostrei que os discípulos podiam muito bem amá-lo, sim, até nem conseguiam se libertar deste amor, e por outro lado, e esta é a resposta mais concreta, que Xenofonte era limitado demais para percebê-lo, e Platão demasiado rico para tanto. Platão precisava, a cada instante em que sentia o quanto possuía, pensar involuntariamente em Sócrates; por isso ele amava Sócrates na ideia, que ele por certo não devia a Sócrates, mas que este o ajudara a encontrar. Na *Apologia*, Sócrates observa por isso muito corretamente: "Eu nunca fui mestre de ninguém, conquanto nunca me opusesse a moço ou velho que me quisesse ouvir no desempenho de minha tarefa" (*Apol.* 33a)[133].

No que toca mais de perto ao relacionamento de Sócrates com os discípulos, a sua *relação com Alcebíades* deve ser um exemplo *instar omnium* (que vale por todos). Este jovem, sensual, ambicioso, sagaz, tinha de ser, naturalmente, um material facilmente inflamável para as faíscas irônicas de Sócrates. Nós já vimos antes como esta relação, justamente por causa da ironia de Sócrates, sempre permanecia no mesmo ponto, como ficava presa no início frouxo e abstrato de uma relação, presa a um ponto zero, jamais crescia em força e intimidade, de modo que, enquanto as forças aumentavam em ambos os lados, este aumento era tão equilibrado que a relação permanecia a mesma, e o crescente ardor de Alcebíades encontrava sempre seu mestre na ironia de Sócrates. No sentido espiritual pode-se por isso dizer de Sócrates em sua relação com a juventude que ele a olhava para cobiçá-la. Mas como seu desejo não buscava possuir a juventude, assim também seu modo de proceder não estava de maneira nenhuma programado para isto. Não era com grandes palavras, com longos derrames oratórios, com uma demonstração de seu próprio saber trombeteada aos gritos de mercadores que ele punha mãos à obra; pelo contrário, ele andava por aí tranquilo, era *aparentemente indiferente* diante dos jovens, seu questionamento não abordava esta sua relação com os jovens, ele discutia um ou outro assunto que para eles era pessoalmente importante, mas ele mesmo se mantinha nisto totalmente objetivo, e no entanto, por baixo desta indiferença frente a eles, sentiam, mais do que viam, aquele olhar de esguelha penetrante que por um instante transpassava suas almas como um punhal. Era como se ele tivesse espiado as conversações mais íntimas de suas almas, como se os coagisse a falar disso em voz alta em sua presença. Ele se tornara seu confidente, sem que soubessem bem como é que isto acontecera, e enquanto eles mesmos em tudo isso se haviam tornado outros, ele permanecia o mesmo, imóvel. E quando então todos os laços dos preconceitos estavam soltos, quando todos os enrijecimentos espirituais estavam afrouxados, quando o seu questionamento havia ajustado tudo e tornado possível a mudança, aí *culminava a relação* naquele instante pleno de significação, naquele clarão prateado, que num átimo de tempo iluminava o mundo de suas consciências quando ele revirava tudo diante deles, tão rápido como um piscar de olhos e tão demorado quanto um piscar de olhos, quando tudo se transformava para eles, "subitamente, num piscar de olhos". Conta-se de um inglês, que viajava para ver paisagens, que ele, quando encontrava numa floresta frondosa um ponto a partir do qual pudesse deparar-se com uma visão surpreendente mandando derrubar o bosque que tinha diante de si, contratava pessoas para cortar as árvores. E quando tudo estava preparado, os troncos serrados na base, então ele subia para aquele ponto, pegava sua luneta, dava o sinal – o bosque caía, e seu olhar se alegrava por um instante com o encanto daquela visão, que ainda era mais sedutora porque quase no mesmo instante tivera o oposto. Assim era com Sócrates. Com seu questionamento ele serrava tranquilamente pela base a floresta primitiva da consciência substancial, e quando tudo estava preparado, eis que desapareciam todas estas formações e o olhar da alma gozava uma visão como jamais vira igual. Primeiro era o jovem que gozava esta alegria, mas Sócrates se postava ali como *observador irônico* que saboreava a surpresa dele. Este trabalho, porém, de serrar o bosque, frequentemente lhe tomava muito tempo. Neste sentido, Sócrates era então infatigável. Mas quando isto se consumava, a relação tinha culminado no mesmo instante. *Mais ele não* dava, e enquanto o jovem então se sentia justamente indissoluvelmente ligado a Sócrates, estabelecia-se aquela relação que Alcebíades descreve com tanta precisão, ou seja, que Sócrates se transformava de amante em amado. Se se quer conceber assim sua relação, a gente se lembra vivamente daquela arte que ele mesmo dizia estar de posse: a maiêutica. Ele auxiliava o indivíduo a um parto espiritual, cortava o cordão umbilical da substancialidade. Como *accoucheur* (parteiro) ele era insuperável, mas não era nada mais do que isto. Ele não assumia de maneira alguma qualquer responsabilidade pela vida ulterior de seus discípulos, e aqui mais uma vez Alcebíades fornece um exemplo *instar omnium*[134].

Se se quiser tomar a palavra na significação intelectual, pode-se chamar Sócrates um erótico, e exprimir isto de maneira ainda mais calorosa lembrando a conhecida palavra de *Fedro* § 249: "amar os jovens pela filosofia". E aqui talvez possamos em poucas palavras tocar na acusação contra Sócrates por *pederastia*, reputação que jamais se extinguiu ao longo dos tempos, porque em cada geração sempre apareceu um ou outro pesquisador que se sentia convocado a salvar a honra de Sócrates neste aspecto. Não é minha intenção fornecer qualquer defesa para Sócrates, já que não faz parte do interesse de meu trabalho refletir sobre a acusação; mas se o leitor, por outro lado, quiser compreendê-lo metaforicamente[135], aí eu creio que se verá nisto uma nova prova da ironia de Sócrates. No elogio que Pausânias pronuncia no *Banquete* ocorre a seguinte expressão: "este Eros (o inferior, cujos adoradores em primeiro lugar amam tanto mulheres quanto moços e a seguir amam no amado mais o corpo do que a alma) descende também da deusa que é mais jovem do que a outra e que deve a sua existência a ambos os sexos: o outro é um filho do céu, que não descende do sexo feminino, mas apenas do masculino [...] aqueles que se entusiasmam com este Eros procuram, portanto, o sexo masculino, porque amam aquilo que por natureza possui maior força e espírito". Com estas palavras já está suficientemente caracterizado o *amor inteligente* que necessariamente devia ser encontrado num povo tão desenvolvido esteticamente como o grego, onde a individualidade não estava infinitamente refletida em si, mas que Hegel tão caracteristicamente chama "a bela individualidade", onde a oposição da individualidade ainda não se cindira profundamente para fazer o verdadeiro amor ser a unidade superior. Mas se então este amor intelectual busca o seu objeto antes no meio da juventude, com isto fica indicado que ele ama a possibilidade, mas foge da realidade efetiva. Mas isto mostra justamente o seu *caráter negativo*. Não obstante, pode muito bem haver para ele um alto grau de entusiasmo. Pois entusiasmo não está sempre vinculado a perseverança, muito pelo contrário, entusiasmo é o ardor que se consome a serviço da possibilidade. Um irônico é, por isso, sempre entusiasta, só que o seu entusiasmo não produz nada, porque ele jamais vai além da determinação da possibilidade. Neste sentido Sócrates amava a juventude. Mas pode-se ver que este era um amor negativo. É certo que sua relação com eles não era sem significado, mas, como já se observou, quando a relação deveria adquirir um significado mais profundo, acabava, quer dizer, a relação com eles era o início de uma relação. Que esta relação bem podia durar um tempo, que o jovem bem podia sentir-se ligado a Sócrates depois deste se ter desligado dele, isto eu me esforcei por mostrar anteriormente. Mas se se considerar agora que esta relação de Sócrates com a juventude constitui a derradeira possibilidade de se demonstrar uma relação positiva, se se considerar o quanto se poderia exigir daquele homem que após se ter emancipado de toda e qualquer outra relação real, agora se concentrava nesta, se se considerar tudo isso, não se poderá explicar esta negatividade aqui descrita a não ser que se admita que o *ponto de vista de Sócrates* era *ironia*[136].

Retornamos à acusação de Sócrates e a sua consequente condenação. Os juízes o declaram culpado, e se a gente quisesse sem se prender demais aos pontos da acusação caracterizar com uma única palavra o seu crime, então se poderia denominá-lo indolência (*Apragmosyne*) ou indiferentismo; pois é claro que ele não era inativo e é claro que ele não era indiferente a tudo, mas em relação com o Estado ele o era justamente por sua práxis privada. Sócrates estava então declarado culpado, mas a pena ainda não estava determinada. Com humanidade grega atribuía-se ao próprio condenado determinar o castigo, naturalmente dentro de certos limites. Hegel fornece aqui uma exposição muito detalhada do que havia de errado no procedimento de Sócrates, ele mostra que Sócrates merecidamente foi condenado à morte e o seu crime era recusar-se a reconhecer a soberania do povo e querer impor sua visão subjetiva acima do julgamento objetivo do Estado. A sua recusa neste aspecto pode decerto ser encarada como grandeza moral, mas mesmo assim sua morte foi por própria culpa, e o Estado estava tão justificado a condená-lo quanto Sócrates a emancipar-se, e com isso Sócrates torna-se um herói trágico[137]. Até aí Hegel; vamos tentar, seguindo com a maior exatidão a *Apologia*, dar uma exposição de seu *procedimento*. A liberdade de poder determinar por si mesmo a pena dever-se-ia acreditar que tinha de ser muito bem-vinda a Sócrates, pois assim como sua conduta se mostrara incomensurável com as determinações gerais, assim também tinha de sê-lo o castigo e é totalmente *consequente* que ele ache que a única pena que poderia impor a si mesmo era uma multa, porque, caso ele tivesse dinheiro, não seria uma perda ficar sem ele, em outras palavras, porque a pena *in casu* (neste caso) se anularia a si mesma. É então também totalmente consequente ele sugerir aos juízes se satisfizessem com o pouco que ele poderia reunir, totalmente consequente porque, como o dinheiro não tinha absolutamente nenhuma realidade para ele, a pena teria a mesma amplidão caso ele conseguisse muito ou pouco dinheiro, quer dizer, a pena não seria nenhuma. A única pena que ele considera então adequada é aquela que não era *nenhuma pena*. Mas vamos perseguir em detalhes toda esta passagem tão instrutiva da

Apologia. Ele inicia admirando-se por ter sido condenado por uma maioria tão pequena, com o que fica claro que ele não vê na sentença do Estado uma concepção objetivamente válida, em oposição à do sujeito individual. Até certo ponto, o Estado simplesmente nem existia para ele, que se ocupa apenas com o numérico. Que uma determinação quantitativa possa virar em qualitativa, parece que ele nem suspeita. Ele fica admirado que três votos tenham decidido, e, para acentuar ainda mais o que há de admirável nisto, leva a contradição até o último extremo: caso, diz ele, Anito e Licon não se tivessem agregado, então o próprio Meleto teria sido multado em mil dracmas. Aqui mais uma vez se vê como a *ironia* de Sócrates o leva a não reconhecer nenhuma determinação objetiva de sua vida. Os juízes são uma quantidade de indivíduos, a sentença deles só tem valor numérico, e se a maioria o sentencia culpado, então Sócrates acha que com isso não está dito nem mais nem menos que uma quantidade tal ou qual de indivíduos o sentenciou. Qualquer um vê claramente a *concepção completamente negativa de Estado*. Um destino irônico quer que o próprio Sócrates determine a pena. O que dá a esta situação uma elasticidade irônica tão extraordinária são os enormes contrastes: a espada da lei está suspensa por um fio de seda sobre a cabeça de Sócrates, uma vida humana está em jogo, o povo está sério, solidário, o horizonte carregado e sombrio – e eis aí Sócrates, está tão absorto quanto um velho mestre-escola em resolver sua tarefa, fazer sua vida tornar-se congruente com as concepções do Estado, uma tarefa que se torna tão difícil quanto a quadratura do círculo; dado que Sócrates e o Estado se mostram como *grandezas* absolutamente *heterogêneas*. Já seria cômico ver Sócrates tentar conjugar sua vida pelo paradigma do Estado, posto que sua vida justamente era completamente irregular, mas a situação ainda se torna mais cômica graças à *dira necessitas* (terrível necessidade) que, sob pena de morte, lhe ordena encontrar uma igualdade nesta desigualdade. Já é bastante cômico quando a gente coloca em relação duas coisas, entre as quais não se pode pensar nenhuma relação, mas fica ainda mais cômico quando então é dito: sim, se não encontrares nenhuma relação então terás de morrer. A vida de Sócrates em sua completa isolação tinha de se mostrar já totalmente heterogênea com qualquer determinação do Estado, por isso, também a operação mental, a dialética, com que Sócrates procura estabelecer uma relação, mostra as contradições mais extremas. Ele é declarado culpado pelo Estado. A questão é então qual a pena que ele mereceu. Mas já que Sócrates sente que sua vida não pode de nenhuma maneira ser compreendida pelo Estado, então se mostra que ele igualmente poderia merecer uma *recompensa*. Ele propõe, portanto, ser sustentado às custas do Estado no Pritaneu[138]. Na medida, porém, que o Estado não se sentisse chamado a recompensá-lo deste modo, ele então tentaria acomodar-se e meditar sobre qual a pena que ele poderia ter merecido. Para evitar a pena de morte, pedida por Meleto, podia escolher entre uma multa e o exílio. Entretanto, ele não consegue decidir-se nesta opção, pois o que deveria movê-lo a optar por uma dessas duas? Seria por temor à morte? Isto seria um absurdo, pois afinal ele não sabia se a morte é um bem ou um mal. A impressão que se tem é de que ele *acha mesmo* que *a morte* seria a pena mais apropriada, justamente porque ninguém sabe se ela é um mal, quer dizer, porque aqui a pena, como no caso da multa, se anula a si mesma. Ele não poderia escolher uma multa ou exílio, porque no primeiro caso acabaria preso, já que suas condições financeiras não lhe permitiriam saldá-la, e no outro caso ele podia entender muito bem que estava ainda menos talhado para viver num outro Estado que não Atenas, de modo que depois de pouco tempo seria mandado embora mais uma vez etc. Uma multa ou exílio ele não podia, aliás, escolher. E por que não? Porque isto lhe traria um sofrimento, mas ele não podia se conformar com isto por ser imerecido e, como ele mesmo diz: "eu não estou habituado a julgar-me merecedor de mal nenhum". Na medida, portanto, que a questão está em saber qual a pena que ele teria merecido, sua resposta é então: aquela que *não* é nenhuma *pena*, ou seja, a morte, dado que ninguém sabe se ela é um bem ou um mal; ou uma multa, contanto que se aceitasse uma multa de acordo com a quantia que ele pudesse arranjar, já que o dinheiro, com efeito, não tinha nenhum valor para ele. Na medida em que se trata, ao contrário, de uma pena no sentido mais específico, de uma pena que ele devesse sentir, ele acha que qualquer *castigo deste tipo é inapropriado.*

Vemos, pois, como o ponto de vista de Sócrates é totalmente negativo frente ao Estado, como ele não se integrava de maneira alguma neste; mas ainda o vemos mais nitidamente no instante em que ele, acusado por sua conduta, tinha de tomar ainda mais consciência de sua inadequação ao Estado. Apesar de tudo, ele continua a desenvolver seu ponto de vista, imperturbável, com a espada sobre a cabeça. Entretanto, seu discurso não mostra o *pathos* do poderoso entusiasmo, nem seu proceder mostra a autoridade absoluta da personalidade, nem sua indiferença um feliz repouso em sua própria plenitude. Não encontramos nada disso tudo, mas decerto uma *ironia exercida* até o extremo que faz o poder objetivo do Estado se quebrar contra a negatividade, firme como um rochedo, da ironia. O poder objetivo do Estado, suas pretensões quanto à atividade do indivíduo (Enkeltes), as leis, os tribunais, tudo perde sua validade absoluta para ele, de todas estas coisas ele se livra como de formas imperfeitas, ele se eleva cada vez mais leve, vê tudo isto desaparecer abaixo dele em sua irônica perspectiva aérea, e ele mesmo flutua por sobre isso em irônica satisfação, carregado pela consequência intrínseca e absoluta de uma negatividade infinita. Ele se torna assim alheio a todo o mundo ao qual pertence (por mais que ele pertença a este mundo, num outro sentido), a consciência contemporânea não tem nenhum predicado para ele, escapando a todo nome e a toda determinação ele pertence a uma outra formação. Mas o que o sustenta é *a negatividade* que ainda não causou nenhuma positividade. A partir daí se torna explicável que até a vida e a morte percam seu valor absoluto para ele. E, contudo, nós temos em Sócrates a verdadeira e não aparente altitude da ironia, porque Sócrates, como primeiro, *chega* à ideia do bem, do belo, do verdadeiro, como limite, isto é, chega até à infinitude ideal como possibilidade. Quando, ao contrário, num tempo muito ulterior, depois de estas ideias já terem adquirido realidade efetiva, e a personalidade seu absoluto *pleroma* (plenitude), quando então a subjetividade mais uma vez se quiser isolar, quando a negatividade absoluta mais uma vez quiser entreabrir seu abismo para aí engolir esta realidade efetiva do espírito, aí a ironia se mostrará em uma figura mais questionável.

Capítulo III
Esta concepção é necessária

A vida de Sócrates é para o observador como que uma pausa grandiosa no curso da história: a gente simplesmente não o ouve, um profundo silêncio impera, até ser quebrado pelas numerosas e muito diversas escolas de discípulos com sua ruidosa tentativa de deduzir sua origem daquela fonte oculta e misteriosa. Com Sócrates, a correnteza do relato histórico precipita-se, como o Rio Guadalquivir, para um trecho subterrâneo, tornando a jorrar depois com força renovada. Ele é como um travessão na história universal, e a ignorância a respeito dele, que tem sua razão na falta de oportunidade para observação imediata, convida não tanto a saltar sobre ele quanto a, com o auxílio da ideia, evocá-lo, fazendo-o manifestar-se sensivelmente em sua figuração ideal; com outras palavras, convida-nos a tomar consciênia do pensamento que constituía a significação de sua existência no mundo e tomar consciência do momento no desenvolvimento do espírito do mundo que é caracterizado simbolicamente pelo que há de peculiar em sua existência na história; pois como ele próprio, num certo sentido, é e contudo novamente não é na história universal, assim a sua significação no desenvolvimento do espírito do mundo consiste justamente em ser e contudo não ser, ou não ser e contudo ser: ele é o nada, com o qual é preciso contudo iniciar.

Ele não é; pois ele não é para a concepção imediata, e a isto corresponde, no sentido espiritual, a negação da imediata substancialidade; ele é, pois ele é para o pensamento, e a isto corresponde, no mundo do espírito, a aparição da ideia, mas, bem-entendido, sua forma abstrata, sua negatividade infinita; até aí, a forma de sua existência na história é um símbolo não completamente adequado ao seu papel no plano espiritual. Se, portanto, na primeira parte deste estudo eu tentei captar Sócrates *via negationis*, então esta última parte do estudo deve procurar agarrá-lo *via eminentiae*. A intenção não pode ser aqui naturalmente de querer arrancar Sócrates do seu contexto histórico, muito pelo contrário, trata-se de vê-lo aí corretamente; e também não se pretende, de jeito nenhum, que Sócrates fosse tão divino que não conseguisse firmar pé na terra; com tais personagens um historiador que já tenha chegado à idade da razão fica tão malservido quanto as moças hindus com amantes deste tipo[139]. "Sócrates, porém, não brotou da terra como um cogumelo; mas está, isto sim, na continuidade determinada com o seu tempo", diz um sábio; mas apesar desta continuidade é preciso mesmo assim lembrar que ele não se deixa explicar de maneira absoluta a partir da época que o precede, e que se se quer num certo sentido considerá-lo como uma conclusão das premissas da época anterior há nele mais do que se encontra nas premissas, há o *Ursprüngliche* (o elemento original) que é necessário para que ele em verdade possa ser um ponto de virada. Isto foi expresso por *Platão* em muitas passagens quando este dizia que Sócrates era uma dádiva divina. E o próprio *Sócrates* diz isto na *Apologia* § 30 d: "Neste momento, atenienses, longe de atuar na minha defesa, como poderiam crer, atuo na vossa, evitando que, com a minha condenação, cometais uma falta para com a dádiva que recebestes do deus" e § 31 a: "Parece-me que o deus me impôs à cidade" etc. Esta expressão, de que *Sócrates era uma dádiva divina*, é então com certeza particularmente característica, na medida em que indica ambas as coisas: que ele estava totalmente adaptado para o seu tempo, pois, como é que os deuses poderiam deixar de dar dádivas boas; e ao mesmo tempo recorda com isso que ele era mais do que o que a época poderia dar a si mesma.

Mas dado que Sócrates propicia assim um ponto de virada, torna-se necessário considerar a época anterior a ele e a época posterior a ele.

Dar aqui uma exposição histórica da *decadência do Estado ateniense* parece-me bastante supérfluo, e certamente me dará razão todo aquele que não foi atingido por aquela loucura de que também parece sofrer uma grande parte dos jovens servidores da ciência, uma loucura que se exprime, não cômica, mas tragicamente, no relatar constantemente a mesma história. Justamente por se tratar de um ponto de virada na história, Hegel volta sempre de novo a comentá-lo, ora de modo que sua tarefa consiste em expô-lo, ora de modo a utilizá-lo como um exemplo. Qualquer um, portanto, que tenha alguma leitura de Hegel, deve necessariamente estar familiarizado com a sua visão a respeito do assunto, e eu não aborrecerei as pessoas reprisando aquilo que de qualquer modo ninguém consegue dizer tão bem quanto o próprio Hegel. E remeterei a Rötscher, p. 85s., se o leitor desejar uma exposição de muito bom gosto e bastante pormenorizada, que mostra como Atenas decaiu mais e mais, depois que este mal foi freado e até dominado por Péricles, que num certo sentido foi um fenômeno fora do normal. Trata-se de uma exposição que acompanha este princípio de decadência através das diversas esferas do Estado. Somente uma única observação eu não consigo reprimir. Atenas recorda manifestamente neste período, sob muitos aspectos, aquilo que Roma foi em uma época mais tardia. Atenas era, no terreno do espírito, o coração do Estado grego. Agora, portanto, que o helenismo se aproximava de sua dissolução, todo o sangue refluía impetuosamente às câmaras do coração. Tudo se concentrava em Atenas, riqueza, luxo, exuberância, arte, ciência, frivolidade, gozo da vida[140], em resumo, tudo aquilo que, enquanto acelerava a sua decadência, ao mesmo tempo podia servir para glorificá-la e iluminar um dos mais brilhantes espetáculos que se pode imaginar no terreno espiritual. Há uma inquietação na vida ateniense, um bater do coração que indica que a hora da dissolução está próxima. Mas aquilo que assim se tornava condição para a decadência do Estado se mostra, por outro lado, como algo que tem infinita significação para o novo princípio que deve vir à tona, e a dissolução e a corrupção se tornam justamente um terreno fértil para o novo princípio. *O mau princípio* no Estado grego era pois a *arbitrariedade*, em suas numerosas e multicoloridas formas de aparição, da subjetividade finita (isto é, da subjetividade não justificada). Só *uma única dessas formas deve* ser aqui objeto de uma investigação mais pormenorizada, ou seja, *a sofística*. Pois ela é aquele monstro fantástico que entra em toda parte no domínio do pensamento, e seu nome é Legião. É com estes sofistas que nos temos de ocupar, e neles tinha Sócrates o presente ou o passado, que devia ser aniquilado. Vejamos qual a natureza deles e depois ponderemos como é que Sócrates deve ter sido para poder aniquilá-los de maneira tão profunda. Com os sofistas inicia a reflexão, e até aí Sócrates não deixa de ter algo em comum com eles, que, comparados com Sócrates, poderiam ser caracterizados como os falsos messias.

Os *sofistas*[141] representam *aquele saber que*, em sua colorida variedade, com o despertar da reflexão *se vai arrancando* da eticidade substancial; representam, em geral, a cultura desenraizada, para a qual se sentia impelido todo aquele que se tinha desencantado da imediatidade. A sabedoria deles era *ein fliegendes Blatt* (uma folha volante) que não era impedida de tremular nem por uma personalidade significativa nem pela integração em um saber coerente. A apresentação exterior deles também correspondia totalmente a isto. Estavam por toda parte, como se diz, iguais a moedas falsas. Perambulavam de cidade em cidade, como os trovadores e os escolásticos ambulantes na Idade Média, abriam suas escolas, atraíam a si a juventude que se deixava arrastar pela notícia trombeteada de que tais homens sabiam e podiam demonstrar todas as coisas[142]. O que eles pretendiam ensinar aos homens era, numa palavra, *cultura geral*, não tanto o conhecimento nas ciências particulares, e o "anúncio" de Protágoras recorda muito a advertência mefistofélica contra os estudos das faculdades no *Fausto* de Goethe. Com efeito, Protágoras garante que a juventude não precisa ter medo de que ele, de maneira análoga aos outros sofistas, a faça contra a vontade retornar aos estudos que ela queria justamente evitar. Ele não queria, portanto, ensinar-lhes aritmética, astronomia etc., não, ele queria fazer deles homens cultos, queria dar-lhes o ensinamento adequado para se tornarem políticos capazes e homens não menos capazes em suas vidas privadas. Vemos também no *Górgias* como esta cultura geral se mostra como aquela que na vida pública tem condições de sobrevoar todas as ciências, de modo que aquele que está de posse dela está de posse de uma chave mestra com a qual pode abrir todas as portas. Esta cultura geral recorda aquilo que no nosso tempo tão frequentemente tem sido vendido barato, pelos vendedores de indulgências científicos, sob o nome de *esclarecimento*, e na medida em que o interesse essencial dos sofistas consistia em, além de ganhar dinheiro, conseguir influência política, suas excursões recordam as peregrinações e procissões piedosas que atualmente fazem parte da ordem do dia no mundo político, e com as quais os caixeiros viajantes da política procuram, num tempo tão curto quanto possível, ensinar aos homens a cultura política requerida para poder participar de discussões. Que a vida está repleta de contradições, a consciência imediata simplesmente não o percebe, na medida em que confiadamente se apoia sobre aquilo que recebe de uma época anterior como um tesouro sagrado. Em compensação, a reflexão o descobre prontamente. Descobre que aquilo que deveria ser o absolutamente certo, o determinante para os homens (as leis, os costumes etc.) põe o indivíduo em contradição consigo mesmo, e descobre ao mesmo tempo que tudo isso é algo de exterior ao homem, coisas que ele não pode aceitar como tais. Ela mostra, portanto, o erro, mas também tem à mão o meio de remediá-lo; ela ensina *a dar razões* para tudo. Ela traz portanto ao homem uma habilidade, uma capacidade para submeter qualquer caso particular a certos casos gerais, ela entrega a cada indivíduo particular um rosário de *loci communes* (lugares comuns), que rezado frequentemente o coloca em condições de poder a todo tempo dizer algo sobre o caso particular, propor algumas considerações a respeito, citar algumas razões a favor ou contra. Pois quanto mais categorias deste tipo alguém tiver, quanto mais treinado estiver em aplicá-las, tanto mais culto será. Esta era, pois, a cultura que os sofistas ensinavam à gente. Embora eles não se envolvessem com o ensino das ciências particulares, parece contudo que a cultura geral exercitada por eles, o treinamento que transmitiam, poderia ser melhor comparado com aquela soma de noções que um mentor procura transmitir aos seus alunos. Esta cultura geral é num certo sentido muito rica e num outro sentido bastante pobre: ela engana a si mesma e aos outros e simplesmente não percebe que são as mesmas grandezas que ela sempre emprega; ela engana tanto a si mesma quanto aos outros, da mesma maneira como Tordenskjold enganava os outros quando fazia as mesmas tropas, depois de marcharem em parada por uma rua, repetirem o mesmo na rua seguinte. Por isso, em relação com a consciência imediata que em toda a inocência aceita com simplicidade infantil o que lhe é dado, esta cultura é *negativa*, e ela é esperta demais para ser inocente; em relação, porém, com o pensar ela é *positiva em alto grau*. Na sua primeira forma esta cultura torna tudo vacilante, em sua segunda forma, ao contrário, ela coloca qualquer discípulo aplicado em condições de tornar tudo firme. O sofista prova, portanto, que *tudo é verdade*. Que tudo seja verdade, valia num certo sentido também para o antigo helenismo, o real tinha validade absoluta. Mas na sofística a reflexão está despertada, ela faz tudo vacilar e é então que a sofística a faz adormecer de novo, com a ajuda das razões: com raciocínios é alimentado este monstro faminto, e o pensador se vê assim com os sofistas em condições de provar tudo; pois eles podiam dar razões para tudo, e com estas razões a qualquer momento se tornava verdade o que se queria que fosse.

Agora, é bem verdade que a máxima: tudo é verdade, transportada para a esfera da reflexão, no instante seguinte se muda em seu oposto: *nada é verdade*; mas este instante seguinte não ocorre à sofística, justamente porque ela vivia no instante. O que permitia que a sofística parasse por aí era que lhe faltava uma consciência abrangente, faltava o instante eterno, no qual ela pudesse dar conta da totalidade. Já que a reflexão tornara tudo vacilante, a sofística tomou a si remediar de alguma maneira o apuro momentâneo. A sofística conseguiu assim brecar a reflexão em seu inquietante transbordamento e dominá-la a cada instante, mas a amarra que a segurava era o sujeito individual. Por isso, dava a impressão de que estava em condições de subjugar aquele espírito que ela própria conjurara. Quando tudo se tornou vacilante, o que é que pode se tornar a amarra salvadora? Ou será o universal (o bem etc.), ou então será o sujeito finito, seu arbítrio, o que lhe dá prazer etc. Esta última saída é a que os sofistas agarraram. O pensamento livre, que num certo sentido já se anuncia na reflexão quando esta não é estancada arbitrariamente, vive, portanto, na sofística como um escravo, e cada vez que pretende levantar sua cabeça para olhar livremente ao redor é *preso pelo indivíduo ao serviço do instante*. O sofista, por assim dizer, cortou-lhe os tendões para impedir que escapasse, e a reflexão agora tem de amassar tijolo, levantar construções e executar outros trabalhos servis, vive oprimida e submetida ao jugo dos trinta tiranos (os sofistas). Hegel observa, na *História da filosofia*, vol. 2, p. 5: "O conceito, que a razão em Anaxágoras encontrou como a essência, é o simples negativo, no qual se afunda toda determinidade, todo ente e indivíduo. Nada pode subsistir diante do conceito; ele é justamente o absoluto sem predicado, para o qual simplesmente tudo é só momento; para ele não há, por assim dizer, nada de 'pregado e rebitado'. O conceito é exatamente esta passagem que flui de Heráclito, este mover-se – esta causticidade a que nada pode resistir. O conceito que encontra a si mesmo é como o poder absoluto para o qual tudo desaparece – e agora se tornam fluidas todas as coisas, todo subsistir, tudo o que se considera firme. Esta coisa firme – seja lá uma firmeza do ser ou firmeza de determinados conceitos, princípios, costumes, leis começa a oscilar e perde seu apoio. Princípios etc., pertencem mesmo ao conceito, são postos como algo de universal; mas a universalidade é somente sua forma, o conteúdo que eles têm entra também, enquanto algo de determinado, no movimento. Este movimento é que nós vemos aparecer nos assim chamados sofistas [...]". Parece, no entanto, que Hegel faz do "movimento" sofístico *algo demasiado grandioso*, e a suspeita que se pode portanto nutrir quanto à correção de sua exposição vem a ser ainda mais reforçada pelo fato de que na sequência de sua análise da sofística encontram-se diversas coisas que não se deixam harmonizar tão bem com isto, assim como também em sua exposição de Sócrates se encontram muitas coisas que, caso essa fosse a concepção correta da sofística, tornariam necessário identificar Sócrates com eles. Ora, é bem verdade que a sofística cultiva em si um segredo muito inquietante para ela mesma, mas ela *não quer* tomar consciência disto, e a apresentação pomposa e autoconfiante dos sofistas, sua autossuficiência incomparável (que todos nós ficamos conhecendo através de Platão) mostra bem que eles se acreditavam em condições de satisfazer às exigências de seu tempo, não em fazendo tudo vacilar, mas sim em fazendo tudo ficar novamente firme. A máxima sofística, tão frequentemente reprisada: "o homem é a medida de todas as coisas"[143] contém, para a consideração finita, uma positividade, enquanto que uma consideração mais profunda a vê como finitamente negativa. Os *sofistas*, em geral, achavam que eram os *médicos de seu tempo*. Por isso se vê em Platão seguidamente que, quando os sofistas eram forçados a dar uma explicação sobre qual arte que possuíam, respondiam constantemente: *a retórica*. Neste terreno mostra-se, porém, justamente a positividade que a sofística possuía. O orador tem sempre a ver com um caso particular, o que vale aqui é ver a coisa pela frente, por trás, jogando conversa para lá e para cá. Pelo outro lado, ele tem a ver com uma multidão de indivíduos. Aqui ensinavam então os sofistas de que modo se pode influir sobre paixões e afetos. Tratava-se aqui constantemente de um *caso particular* e da vitória no caso particular, e o sofista se sentia seguro desta vitória. Uma analogia talvez possa servir para ilustrar esta positividade da sofística. A *casuística* esconde em si um segredo que corresponde totalmente àquele que a sofística oculta. Na casuística, a reflexão nascente está interrompida. De fato, tão logo se permite a esta reflexão irromper, ela expulsa a casuística no mesmo instante. E, contudo, a casuística é justamente uma positividade, embora uma consideração mais profunda perceba a sua negatividade. O casuísta fica calmo e seguro, ele acha não só que pode ajudar a si mesmo, mas acha que também pode ajudar os outros. Se alguém está em dúvida e então se dirige ao casuísta, ele tem sempre prontos sete conselhos e sete respostas. Ora, isto é um alto grau de positividade. Que isto seja uma ilusão, e que a casuística alimente a doença que pretende curar, é bem verdade, mas ele não tem consciência disto. Examinando *o diálogo Protágoras* eu já sublinhei suficientemente a relação entre a concepção do sofista e a de Sócrates. Protágoras tem uma grande multidão de virtudes, um sortimento positivo, para Sócrates a virtude é uma só. Este enunciado socrático é decerto negativo em relação à riqueza de Protágoras, mas é ao mesmo tempo especulativo, é a infinitude negativa, na qual cada virtude particular está livre. O enunciado de Protágoras, de que a virtude pode ser ensinada, é decerto positivo, contém um alto grau de confiança na existência e na arte sofística; em compensação o enunciado socrático, de que a virtude não pode ser ensinada, é negativo, mas é ao mesmo tempo especulativo, pois é uma indicação daquela infinitude que se pressupõe eternamente, no interior da qual está incluído tudo o que é ensinável. Protágoras é, portanto, *constantemente positivo*, mas ele só o é *aparentemente*, Sócrates *constantemente negativo*, mas isto é também até um certo ponto apenas *aparência*. Ele é positivo, na medida em que a negatividade infinita contém em si uma infinitude, e ele é negativo porque a infinitude não é para ele revelação e sim limite[144].

Era *desta positividade*, tão insípida no aspecto teórico quanto prejudicial no aspecto prático, que a Grécia *precisava ser libertada*. Mas para que isto pudesse dar um resultado completo era preciso fazer um tratamento radical, e para tanto era preciso fazer que a doença irrompesse, a fim de que não restasse nenhuma disposição doentia no corpo. Estes sofistas eram, pois, os inimigos hereditários de Sócrates, e se perguntarmos como é que ele precisava estar predisposto por natureza para poder desmacará-los, é decerto impossível deixar de se entregar por um instante à alegria pela engenhosidade que há na história do mundo, pois Sócrates e os sofistas são, como se diz, feitos um para o outro segundo uma medida que raramente se encontra. *Sócrates está equipado* e *armado* de tal modo que é impossível não perceber que ele vem *para a briga com os sofistas*. Se Sócrates tivesse tido uma positividade por afirmar, a consequência daí seria que ele e os sofistas acabariam falando na mesma língua, pois a sabedoria dos sofistas era tão tolerante quanto a religião dos romanos e não tinha nada contra a aparição de mais um outro sofista, ou de uma outra igrejinha suplementar. Mas não era assim que devia acontecer. O sagrado não devia ser tomado em vão, o templo tinha de ser primeiro purificado para que o sagrado pudesse voltar a ocupar o seu lugar. A verdade exige silêncio antes de elevar sua voz e era Sócrates que devia providenciar este silêncio. Por isso ele era *apenas negativo*. E se tivesse tido uma positividade então ele jamais teria sido tão sem misericórdia, jamais se teria tornado um tal antropófago, como ele era e como ele necessariamente tinha de ser para não falhar em sua missão no mundo. Mas *para isto* também ele estava *armado, equipado*. Se os sofistas podiam responder a tudo, ele podia perguntar; se os sofistas sabiam tudo, ele não sabia simplesmente nada; se os sofistas podiam falar sem parar, ele podia calar, isto é: ele era capaz de dialogar[145]. Se a apresentação dos sofistas era pomposa e pretensiosa, o modo de Sócrates se apresentar era tranquilo e modesto; se a conduta dos sofistas era exuberante e voluptosa, a dele era singela e moderada; se a meta dos sofistas era a influência no Estado, Sócrates não se sentia inclinado a ocupar-se com os assuntos do Estado; se o ensino dos sofistas era impagável, o de Sócrates também o era, no sentido inverso; se o desejo dos sofistas era sentar à mesa nos lugares mais importantes, Sócrates se sentia satisfeito ocupando o último lugar; se os sofistas desejavam ser algo, Sócrates preferia ser simplesmente nada. Tudo isso podia ser concebido como um exemplo da fortaleza moral de Sócrates, e contudo talvez fosse mais correto ver nisso tudo uma *polêmica indireta*, sustentada pela infinitude interior *da ironia*, contra os abusos dos sofistas. Pode-se muito bem falar num certo sentido do vigor moral de Sócrates, mas o ponto ao qual ele chega neste aspecto era antes aquela determinação negativa, de que a subjetividade em si mesma determina a si mesma, mas faltava a ele aquela objetividade na qual a subjetividade em sua liberdade em si é livre, a objetividade que não é a limitação que restringe a subjetividade, mas a que a expande. No fundo, o que ele atingiu foi a coerência interna consigo na abstração, própria da infinitude ideal, abstração na qual isto é tanto uma determinação metafísica quanto estética e moral. A proposição que Sócrates tão frequentemente apresenta, de que pecado é ignorância, já o indica suficientemente. O que vemos em Sócrates é a *liberdade*, infinitamente transbordante, *da subjetividade*, mas isto é justamente *a ironia*.

Eu espero então que aqui se mostrem duas coisas: não só que a ironia tem uma validade histórico-universal, mas também que Sócrates não fica diminuído com minha concepção e sim se torna bem rigorosamente um herói quando a gente o vê em sua ocupação, que ele portanto se torna visível para o que tem olhos para ver e audível para aquele que tem ouvidos para ouvir. O velho helenismo sobrevivera a si mesmo, um novo princípio devia surgir, mas antes que este pudesse aparecer em sua verdade era preciso que fossem exterminadas todas as ervas daninhas das antecipações perniciosas do mal-entendido, que proliferavam, e aniquiladas em sua raiz mais profunda. O novo princípio precisa labutar, a história universal necessita de um *accoucheur*. É este lugar que Sócrates preenche então. Ele mesmo não era aquele que devia trazer o novo princípio em sua plenitude; nele, o princípio só se encontrava secretamente (KATÀ KRYPSIN), ele devia possibilitar sua aparição. Mas *este estádio intermediário*, que não é o novo princípio e contudo o é (*potentia non actu*) *é justamente a ironia*. Mas *a ironia* é o gládio, *a espada de dois gumes* que ele brandia como um anjo da morte sobre a Grécia. Ele próprio concebeu isto corretamente na *Apologia*, onde ele diz que era como uma dádiva dos deuses e define isto melhor acrescentando que ele é uma mutuca de que o Estado grego, como um cavalo grande e de raça, mas um tanto lerdo, necessitava. Mais acima já foi suficientemente comentado como sua práxis também correspondia totalmente a isto. Mas *a ironia* é justamente o *incitamento da subjetividade* e a ironia é em Sócrates uma verdadeira *paixão histórico-universal*. Em Sócrates termina um desenvolvimento, e com ele inicia um novo. Ele é a última figura clássica, mas ele consome esta sua solidez e plenitude natural no serviço divino pelo qual ele arrasa o que é clássico. Mas é a sua própria *compleição clássica* que lhe possibilita suportar *a ironia*. Era aquilo que anteriormente caracterizei como a saúde divina que Sócrates possuía com certeza. Para uma individualidade reflexiva[146] toda e qualquer determinação natural é apenas tarefa, e passando pela dialética da vida e saindo dela aparece a individualidade transfigurada como aquela personalidade que a cada instante já venceu e contudo ainda luta. A individualidade refletida jamais alcança a paz que paira sobre a bela individualidade, porque esta até certo ponto é produto da natureza, porque esta tem o sensível como um momento necessário em si. A unidade harmônica da bela individualidade é perturbada pela ironia, e é perturbada também até certo ponto em Sócrates, ela é aniquilada a cada momento nele, é negada. A partir daí pode-se explicar também aquela visão da morte que antes analisamos. Mas acima desta aniquilação eleva-se, cada vez mais alta, a ataraxia irônica (para recordarmos uma expressão do ceticismo).

Portanto, assim como nos judeus, que afinal eram o povo da promessa, o *ceticismo da lei teve* de abrir caminhos, precisou, com sua *negatividade*, por assim dizer, consumir e provar pelo fogo o homem natural, a fim de que a graça não fosse tomada em vão, assim também nos gregos, povo que no sentido mundano bem pode ser chamado de escolhido, povo afortunado, cuja pátria era a terra da harmonia e da beleza, povo em cujo desenvolvimento o puramente humano percorreu suas determinações, povo da liberdade, assim também nos gregos em seu mundo intelectual despreocupado o *silêncio da ironia* tinha de ser aquela *negatividade* que impedia que a subjetividade fosse tomada em vão. Pois a ironia é, assim como a lei, uma exigência e a ironia é uma exigência enorme, pois ela desdenha a realidade e exige a idealidade[147]. É claro que a idealidade já está presente neste desejo, mesmo que apenas como possibilidade, pois no aspecto espiritual o desejado já está sempre no desejo, já que o desejo é visto como as moções mesmas do desejado no desejante. E assim como a ironia recorda a lei, assim também *os sofistas* recordam *os fariseus*, que operavam no terreno da vontade exatamente da mesma maneira que os sofistas no do conhecimento. O que Sócrates fez com os sofistas foi dar-lhes o instante seguinte, no qual a verdade momentânea se dissolvia em nada, quer dizer, ele fazia a infinitude engolir a finitude. Mas a ironia de Sócrates não estava dirigida apenas contra os sofistas, estava dirigida contra todo o subsistente, de tudo isto ele exigia a idealidade, e esta exigência era o juízo que julgava e condenava o helenismo. Mas sua ironia não é o instrumento que ele usava a serviço da ideia, *a ironia* é seu *ponto de vista*, e mais ele não tinha. Se ele tivesse possuído a ideia, sua atividade aniquiladora jamais teria sido tão penetrante. Aquele que proclamava a lei não era o que também trazia a graça; o que fazia valer a exigência em todo o seu rigor não era aquele que podia satisfazer a exigência. Entretanto, é preciso lembrar que entre a exigência de Sócrates e seu preenchimento *não* havia um *abismo tão profundo* como entre a lei e a graça. Na exigência de Sócrates o preenchimento estava contido potencialmente. Com isso, adquire aquela formação histórico-universal também um alto grau de acabamento. Schleiermacher observa no artigo citado anteriormente (p. 54) que Platão é acabado demais para ser um primeiro início, e o observa em contradição a Krug e Ast, que negligenciam Sócrates e iniciam com Platão. Mas *a ironia* é o *início*, e, contudo, nada mais do que o início, ela é e não é, e a sua polêmica é um início que é igualmente uma conclusão, pois o aniquilamento do desenvolvimento anterior é tanto sua conclusão quanto o início do novo desenvolvimento, dado que a aniquilação só é possível porque o novo princípio já está presente como possibilidade.

Dado o caráter bifronte que ocorre em qualquer início histórico, passemos então agora a mostrar em Sócrates o *outro lado*, e a examinar *sua relação* com aquela *corrente nova* que reporta seu início a ele[148]. Como se sabe, não é apenas Platão, mas sim uma *multiplicidade de escolas* que vê a origem de sua sabedoria neste ponto[149]. Poderia parecer que para explicar este fenômeno fosse necessário admitir ter havido um alto grau de positividade em Sócrates. Eu já procurei antes mostrar como principalmente no caso de Alcebíades o fato pode ser explicado excelentemente sem se admitir uma tal positividade, sim, que propriamente ela só se deixa explicar quando se admite que tal não ocorria. Também procurei mostrar os feitiços que a ironia possuía para cativar os ânimos. Passarei agora a observações similares para mostrar como mais uma vez a ironia pode explicar este fenômeno, melhor, que um tal fenômeno *exige* a ironia como sua *explicação*. Hegel observa (*Hist. da Fil.* 2 vols. p. 126) que se censurou Sócrates pelo fato de que de seu ensino se originaram filosofias tão diferenciadas, e responde dizendo que isto se deve à indeterminação e abstração do seu princípio. Que se tenha podido fazer disto uma objeção a Sócrates, mostra justamente que se queria que ele tivesse sido diferente do que era em realidade. Se o ponto de vista de Sócrates, com efeito, tivesse tido a limitação que qualquer positividade intermediária precisa necessariamente ter, decerto teria sido por toda eternidade impossível uma tal multidão de descendentes querer afirmar seus direitos de primogenitura. Mas se, pelo contrário, seu ponto de vista tiver sido o da *negatividade infinita*, então fica fácil de explicar isto, pois esta contém em si a possibilidade de tudo, a possibilidade para a infinitude de toda subjetividade. Hegel observa na p. 127, ao comentar as três escolas socráticas (a megárica, a cirenaica e a cínica), que todas essas três são particularmente divergentes umas das outras, e acrescenta que a partir daí já se mostra nitidamente que Sócrates não tinha um sistema positivo. Mas ele não apenas carecia de um sistema positivo, mas carecia, isto sim, de *qualquer positividade*. É o que mais tarde procurarei mostrar ao referir-me à maneira como Hegel reivindica para Sócrates a ideia do bem; aqui apenas a observação de que até mesmo o bem ele só possuía como negatividade infinita. No bem a subjetividade está na posse legal de um fim absolutamente válido para seu esforço, mas Sócrates não partia deste bem, porém ia até o bem, terminava no bem, e por isso também este era para ele completamente abstrato[150]. Mas se a gente restringe deste modo as expressões de Hegel, é preciso também por outro lado estendê-las, acentuando a enorme elasticidade que havia nesta negatividade infinita. Não basta que se diga que a partir da diferenciação das escolas socráticas se pode concluir que Sócrates não teve nenhum sistema positivo; mas é preciso acrescentar que a negatividade infinita possibilitou com sua pressão toda a positividade, foi um *incitamento* e um *estímulo* infinitos para a positividade. Assim como Sócrates podia iniciar na vida diária por onde quisesse, assim também sua significação no desenvolvimento histórico mundial consiste em ser o início infinito que contém em si uma multiplicidade de inícios. Enquanto início, ele é portanto positivo, mas enquanto apenas início é negativo. Sua relação é aqui então o inverso daquela que ele tinha com referência aos sofistas. Mas *a unidade delas* é justamente *a ironia*. Por isso também se verá que as três escolas socráticas se unem no universal abstrato[151], por mais diferente que elas o concebam. Mas isto contém justamente a ambiguidade de em parte poder voltar-se polemicamente contra o finito, e em parte poder ser instigante para o infinito. Como Sócrates portanto, no trato com seus discípulos, se é que eu ouso empregar esta expressão, era indispensável para eles, para que pudessem levar adiante a investigação, sem parar, assim também ele tem no domínio histórico a significação de não deixar que o barco da especulação afundasse. Mas para isto se requer justamente uma *polêmica infinita*, uma força para afastar do caminho qualquer obstáculo que quisesse interromper esta viagem. Entretanto, ele mesmo não vai a bordo, ele apenas descarrega. Ele próprio ainda pertence a uma formação mais antiga, e contudo uma nova inicia com ele[152]. Ele descobre em si mesmo o outro continente, no mesmo sentido em que Colombo descobriu a América antes de ter embarcado e tê-la descoberto de fato. Sua negatividade, portanto, não só impede qualquer recuo, como ainda apressa o descobrimento real. E assim como sua mobilidade e seu entusiasmo espirituais no trato diário animavam os discípulos, assim também o entusiasmo de seu ponto de vista é a energia que vibra na positividade que a segue.

Até aqui se mostrou que Sócrates em sua relação com o subsistente era completamente *negativo*, que ele flutuava, em satisfação irônica, por sobre todas as determinações da vida substancial; também se mostrou que ele, em relação à positividade que os sofistas afirmavam e que procuravam amarrar com uma multiplicidade de razões e tornar algo de subsistente, mais uma vez se relacionava *negativamente* e se sabia por cima dela em liberdade *irônica*. *Todo o seu ponto de vista* se arredonda, portanto, naquela *negatividade infinita* que em relação com um desenvolvimento anterior se mostra negativa e em relação a um posterior também, embora num outro sentido seja em ambas as relações positiva, quer dizer: é *infinitamente ambígua*. Contra a ordem estabelecida, contra a vida substancial no Estado, toda sua vida era um protesto; com os sofistas ele se meteu quando tentaram produzir um substitutivo para o subsistente. As razões deles não conseguiam se aguentar contra o furacão de sua negatividade infinita que num instante soprava para longe todas as ramificações poliposas com que o sujeito particular e empírico se firmava e varria-as para o oceano infinito, onde o bem, o verdadeiro, o belo etc., se limitam a si mesmos em negatividade infinita. Isto então a respeito das relações sob as quais sua ironia se manifestava. Quanto ao modo em que ela se manifestou, ela se mostrou ora *parcialmente* como um momento dominado no correr do discurso, e ora *totalmente* e em toda a sua infinitude, com o que ela acabou por varrer com o próprio Sócrates.

Apêndice
A concepção hegeliana de Sócrates

Resta ainda mostrar em que relação está a concepção fornecida no presente estudo com visões que a precederam, fazê-la aventurar-se pelo mundo. Entretanto, minha intenção não é de maneira alguma enumerar todas as concepções possíveis, ou, com um tal panorama histórico, moldar-me à maneira dos discípulos mais novos de uma certa escola nova, que por sua vez escolheram como modelo a forma do conto, repetindo constantemente toda a lição a cada novo capítulo. Recuar tanto a ponto de se ocupar com as concepções de Brucker ou de um Tychsen, ou ser tão consciencioso nos pormenores a ponto de incluir as reminiscências de Krug, isto qualquer um perceberá que é absurdo. Iniciar com o conhecido artigo de Schleiermacher[153] já seria em todo caso iniciar por um início, embora eu não possa concordar com Brandis em que Schleiermacher tenha sido o pioneiro.

Ora, Hegel fornece manifestamente um ponto de virada na concepção de Sócrates. Por isso quero iniciar com Hegel e em Hegel quero terminar, sem me ater nem aos seus predecessores, já que esses, na medida em que possam significar algo, encontram sua confirmação na concepção dele, e nem aos seus seguidores, já que esses afinal só têm valor relativo em função daquele. Como em geral sua exposição do histórico não pode ser acusada de perder tempo sufocando-se nas particularidades, assim também ela se concentra com uma enorme intensidade espiritual sobre algumas das principais batalhas decisivas. Hegel capta e compreende a história em suas grandes formações. De modo que a Sócrates também não foi permitido ficar de fora como *ein Ding an sich* (uma coisa em si), mas teve de aparecer, querendo ou não.

A dificuldade que está ligada à produção de uma *certeza* a respeito do *fenomenal* na existência de Sócrates *não* preocupa Hegel. Ele simplesmente ignora tais cuidados miúdos. E quando os alarmados videntes (*haruspices*) vêm trazer a notícia de que as galinhas sagradas não querem comer, ele responde com Appius Claudius Pulcher: "então que elas bebam", e as joga para fora do navio. Em sua exposição de Sócrates na *História da filosofia*, embora ele mesmo observe que a respeito de Sócrates a questão não é tanto de filosofia quanto de vida individual, não se encontra simplesmente nada para o esclarecimento da relação entre as três diversas concepções contemporâneas de Sócrates[154]. Ele utiliza um único diálogo de Platão[155] como um exemplo do método socrático sem no entanto dizer por que escolheu exatamente este. Utiliza de Xenofonte as *Memorabilia* e a *Apologia* assim como também a *Apologia* de Platão, sempre sem mais nem menos. Ele não dá absolutamente maior importância para as impugnações e *nem mesmo os esforços de Schleiermacher* por ordenar os diálogos platônicos de tal modo que uma ideia grandiosa se movimente através deles em sucessivos desdobramentos, encontram graça aos seus olhos. "O aspecto literário, crítico do Sr. Schleiermacher, a triagem crítica para saber se um ou outro dos diálogos secundários é autêntico – (sobre os principais não se pode ter nenhuma dúvida graças aos testemunhos dos antigos) –, é para a filosofia totalmente supérfluo e pertence à hipercrítica de nossa época" (p. 179). Todas essas coisas são para Hegel esforço perdido, e, logo que os fenômenos estejam preparados para a parada, ele não só tem pressa como também está demasiado consciente da importância de sua posição de general comandante da história universal, para poder distrair o olhar imperial com que ele os passa em revista. Se deste modo ele se livra das preocupações com muitos detalhes, acaba entretanto, perdendo um ou outro aspecto que seria um momento necessário para uma exposição totalmente completa. Daí provém por sua vez que aquilo que foi assim injustamente negligenciado termina por reinvindicar os seus direitos em outras oportunidades intervindo em outras passagens. É por isso que a gente encontra em sua análise do sistema de Platão diversas *observações avulsas* que aqui então se apresentam com pretensão de absolutas, porque o contexto global onde se mostrariam em sua verdade relativa (mas por isso muito mais fundamentadas) foi anulado. P. 184: "Não é preciso investigar mais a fundo o que é que pertence a Sócrates e o que a Platão no que está exposto nos diálogos. Pelo menos uma coisa é certa: que a partir dos diálogos de Platão nós estamos em condições de reconhecer completamente o sistema deste". P. 222: "Esta dialética" (ou seja, aquela cujo resultado é apenas negativo) "nós a encontramos frequentemente em Platão, em parte nos diálogos morais mais propriamente socráticos[156], e em parte também nos muitos diálogos que se referem à representação que os sofistas se faziam da ciência". P. 226: "Esta dialética nesta determinação superior" (como aquela que dissolve os contrários no universal, de modo que esta dissolução da contradição é o afirmativo) "é a propriamente platônica[157]. P. 230: "Muitos diálogos contêm assim somente dialética negativa; é a conversação socrática". Estas observações particulares estão totalmente de acordo com o que eu procurei afirmar na primeira parte da investigação. Entretanto, eu não posso utilizá-las mais em meu favor, dado que elas estão aí jogadas totalmente soltas.

A *exposição propriamente dita* de Sócrates se encontra na *História da filosofia*, 2 vol., p. 42-122. É para esta que agora passarei. – Esta exposição de Hegel possui algo de notável: ela inicia e termina pela *pessoa de Sócrates*. Pois embora Hegel em várias passagens pareça querer reivindicar-lhe uma positividade, e embora lhe atribua a ideia do bem, mostra-se contudo que o indivíduo vem a ser aquele que se determina arbitrariamente em relação ao bem e que o bem enquanto tal não possui nenhuma força absolutamente obrigante. Isto é observado na p. 93: "O sujeito é o determinante o que decide. Se é um espírito bom ou mau que decide, quem o determina agora é o sujeito". (Quer dizer: o sujeito paira livremente por sobre aquilo que deveria propriamente ser visto como o que deve determiná-lo, paira livremente sobre aquilo, e não apenas no instante da escolha, mas a cada momento, porque a arbitrariedade não constitui nenhuma lei, nenhuma permanência, nenhum conteúdo.) "O ponto da decisão a partir de si mesmo começou a surgir com Sócrates; entre os gregos isto era um determinar inconsciente. Em Sócrates este espírito que decide é transposto para a consciência subjetiva do homem; e a primeira questão agora é como aparece esta subjetividade no próprio Sócrates. Na medida em que a pessoa, o indivíduo se torna o que decide, voltamos, desta maneira, a Sócrates *enquanto pessoa*, enquanto sujeito; e o que segue é um desenvolvimento de suas relações pessoais". A forma sob a qual a subjetividade então se mostra em Sócrates é o demoníaco, mas já que o próprio Hegel insiste corretamente em que o demoníaco afinal ainda não é consciência moral, a gente pode ver como a subjetividade em Sócrates oscila entre a subjetividade finita e a infinita; pois na consciência moral o sujeito finito se infinitiza. P. 95: "Consciência moral é a representação da individualidade em geral do espírito certo de si mesmo, que ao mesmo tempo é verdade universal. O demônio de Sócrates é o outro aspecto totalmente necessário frente à sua universalidade; assim como esta lhe veio à consciência, assim também o outro aspecto, a singularidade do espírito. Sua *pura consciência* pairava por *cima dos dois aspectos*. Vamos logo determinar as lacunas do primeiro: com efeito a ausência do caráter universal é substituída também deficientemente, de uma maneira individual, sem restabelecimento do corrompido para o negativo". Mas o fato de que sua pura consciência pairava por cima dos dois lados, é evidentemente o que eu expressei dizendo que ele possuía a ideia do bem como a negatividade infinita.

As muitas observações particulares excelentes que se encontram nesta seção de Hegel e a concisão de pensamento que lhe é característica tornariam difícil dar uma análise de conjunto da seção, posto que aí são trazidas tantas coisas acumuladas que até fica problemático encontrar a conexão. Diversas destas observações já foram utilizadas na parte precedente de meu estudo. Mas se, por outro lado, eu considerar a totalidade da exposição hegeliana e considerá-la em relação com as modificações que eu fiz valer, então creio que o melhor seria examinar o todo sob um único ponto: *Em que sentido* Sócrates é *fundador da moral*? Sob este ponto os momentos mais importantes da concepção de Hegel também entrarão na discussão.

EM QUE SENTIDO SÓCRATES É FUNDADOR DA MORAL?

De um modo bem *geral*, Hegel caracteriza a significação de Sócrates, em seu estudo à p. 43, da seguinte maneira: "Sócrates enuncia então a essência como o eu universal, *como o bem*, a consciência que repousa em si mesma; o bem, enquanto tal, livre da realidade que está sendo, livre frente à relação da consciência com a realidade que está sendo – seja ela consciência sensível individual (sentimento e inclinações) –

ou finalmente livre do pensamento especulando teoreticamente sobre a natureza, o qual embora pensamento ainda possui a forma do ser: eu não estou aí certo de mim". Sócrates chegou, assim, ao ente-em-si-e-para-si, como o ente-em-si-e-para-si presente ao pensamento. Este é um dos momentos, o outro é que este bem, este universal tem de ser reconhecido por mim.

Mas, para não colocar aí mais do que postula a opinião de Hegel, torna-se necessário falar um pouco sobre o *seu ensinamento*. Que o ensinamento de Sócrates segundo a opinião de *Hegel* tenha sido negativo, tenha tido seu fim no negativo, tenha sido programado para fazer oscilar e não para firmar, que o *negativo* não seja em Sócrates imanente a uma positividade, porém *fim em si*, já aparece a partir das observações particulares esparsas que acabei de citar, assim como também de uma porção de observações que se encontram na seção que trata propriamente de Sócrates; mas isso fica ainda mais claro a partir do modo como Hegel comenta a concepção aristofânica de Sócrates. Ele observa na p. 85 que é Aristófanes quem concebeu a filosofia socrática por seu lado negativo, onde tudo o que subsiste desaparece no universal indeterminado. Observa que não lhe ocorreria ficar justificando ou mesmo desculpando Aristófanes. P. 89: "A exageração que se poderia atribuir a Aristófanes era que ele levou avante esta dialética até as consequências mais amargas; não se pode, contudo, dizer que com esta representação se tenha feito injustiça a Sócrates. *Aristófanes* não cometeu *nenhuma injustiça*, aliás, a gente até tem de admirar sua profundidade que conseguiu reconhecer o aspecto do dialético de Sócrates como aspecto negativo e (é claro que à sua maneira) representar isto com um pincel tão firme [...] A universalidade de Sócrates tem o lado negativo do superar da verdade (leis) como ela se encontra na consciência ingênua; esta consciência torna-se então a pura liberdade sobre o conteúdo determinado que para ela valia como um em-si".

Que o seu ensinamento fosse negativo, também se exprime de um outro modo em Hegel, quando este observa que a sua filosofia não é propriamente filosofia especulativa, mas sim *ein individuelles Thun* (um *agir individual*) (p. 53). Para provocar este agir individual, *ele moralizava*; "mas não era uma espécie de pregação, exortação, ensinamento magistral, moralismo sombrio etc.", (p. 58), tais coisas não combinavam com a urbanidade grega. Pelo contrário, este moralizar se exprimia no fato de que ele levava cada um a pensar sobre suas obrigações. Com jovens e velhos, sapateiros, ferreiros, sofistas, políticos, cidadãos de qualquer tipo ele entrava na discussão de seus interesses, fossem interesses domésticos (educação dos filhos) ou interesse do saber, e orientava o pensamento deles *a partir do caso determinado* rumo ao universal, ao verdadeiro e belo que vale em si e por si (p. 59).

Aqui temos então o *significado* de *seu moralizar*, e aqui também se deve mostrar o que Hegel compreende quando, vinculando-se a uma tradição da Antiguidade, chama Sócrates de *fundador da moral*. – Entretanto, não deve passar aqui desapercebido o significado bastante conhecido de moral que se encontra em Hegel. Ele distingue *entre moralidade e eticidade*. Mas eticidade designa por um lado a eticidade ingênua, como na antiga eticidade grega, e por outro lado uma determinação superior da eticidade, como se mostra de novo, depois de ter tomado consciência de si mesma na moralidade. É por isso que na sua *Filosofia do direito* ele trata a moralidade antes de passar para a eticidade. E na moralidade ele examina na seção sobre o bem e a consciência as formas morais do mal, hipocrisia, probabilismo, jesuitismo, apelo à sua consciência, ironia. O indivíduo moral é então o indivíduo negativamente livre. É livre porque não está ligado a outra coisa, mas é negativamente livre justamente porque não está limitado em outra coisa. Pois se o indivíduo, estando em seu outro, está no que lhe é próprio, só então ele é verdadeiramente, isto é, positivamente livre, afirmativamente livre. A *liberdade moral* é, portanto, *arbítrio*, é a possibilidade do bem e do mal, e por isso o próprio Hegel observa na *Filosofia do direito*, p. 184: "A consciência moral, como subjetividade formal, é pura e simplesmente isto, estar a ponto de cair no mal". Na Antiga Grécia o indivíduo não era livre de modo nenhum neste sentido, ele estava preso à eticidade substancial, ainda não se tinha separado a si mesmo, isolado a si mesmo desta relação substancial, ainda não tinha conhecido a si mesmo. A isto Sócrates o conduziu, não no sentido dos sofistas, que ensinavam o indivíduo a se concentrar em seus interesses particulares, mas sim universalizando a subjetividade, e *nesta medida* é que ele é *o fundador da moral*. Ele fazia valer a significação da consciência não da maneira sofística, mas especulativamente. Ele atinge o ente-em-si-e-para-si como tal para o pensamento, alcança a determinação do saber que tornava o indivíduo estranho à imediatidade em que vivera até então. O indivíduo devia parar de agir por timidez frente à lei, para agora saber conscientemente por qual razão agia. Mas esta é, como se verá, uma *determinação negativa*, tão negativa frente à ordem estabelecida como negativa frente à positividade mais profunda, que aquela, enquanto especulativa, condiciona negativamente.

É o que também se mostra com respeito à determinação do conceito de virtude. Hegel examina a concepção de *Aristóteles* da determinação socrática de *virtude* e gostaríamos de segui-lo. Na p. 77 ele cita a passagem de Aristóteles: "Sócrates falou sobre a virtude melhor do que Pitágoras, mas também não de maneira totalmente correta, já que ele fazia das virtudes um saber (*epistemas*). E isto é impossível. Pois todo saber está ligado a uma razão (lógos), a razão, porém, está só no pensamento, e com isso ele situa todas as virtudes no conhecimento (*Erkenntnis*). Daí lhe resulta que ele tolhe o lado alógico – sensível – da alma, ou seja, a paixão (*páthos*) e o costume (*ethos*)". E Hegel observa a este respeito que se trata de uma boa crítica: "Vemos que aquilo de que Aristóteles sente a falta na determinação da virtude em Sócrates é o lado da realidade subjetiva – em linguagem de hoje o coração". O que *falta* à virtude é, portanto, uma *determinação do ser*, seja ela concebida com referência ao sujeito individual, ou que num sentido superior ela se veja realizada no Estado. Mas Sócrates aniquila a consciência imediata e substancial de Estado e não atinge a ideia do Estado, e uma consequência disso é que a virtude só pode vir a ser determinada neste modo abstrato, e não tem assim sua realidade nem no Estado e nem naquela personalidade que só é dada em sua plenitude com o Estado[158]. Na p. 78 ainda é citado como uma expressão de Aristóteles, que "Sócrates teria por um lado investigado corretamente, mas por outro incorretamente. Não é verdade que a virtude seja ciência, mas que não há virtude sem conhecimento (sem um saber), nisto ele está certo. Ele teria feito da virtude um Logos; nós, porém, dizemos que ela é com o Logos"[159]. Novamente diz Hegel que esta é uma determinação muito correta de Aristóteles. Este é um dos aspectos da questão: que o universal *inicia* com o pensamento; mas é próprio da virtude, enquanto caráter, que o *homem seja isto*, e para tanto é preciso coração, ânimo etc. Há portanto dois aspectos: o universal e a individualidade que o realiza, o espírito real.

Aqui alcançamos novamente o ponto onde se mostrará em que sentido Sócrates teve uma positividade. Pois retornamos àquele ponto que tínhamos deixado quando se discutia a questão de seu ensinamento. Este visava fazer o universal mostrar-se em oposição ao particular. A primeira determinação, portanto, com referência ao princípio socrático, é a grande determinação, que entretanto é apenas formal, de que a consciência extrai de si mesma o que é verdadeiro (cf. p. 71). Este é o *princípio da liberdade subjetiva*: que se remeta a consciência a si mesma. Com isso, o universal chega então a aparecer. Mas este universal tem um lado positivo e um negativo (cf. p. 79). Devemos observar então até que ponto Hegel consegue comprovar um lado positivo na concepção socrática do universal, ou se acaso não teríamos de retornar a uma observação de Hegel (p. 70), uma espécie de título: "Em resumo, este é o estilo – (e a filosofia) – de Sócrates", que já se recomendava como uma consideração de interesse todo especial. Ele acrescenta a seguir: "Dá a impressão de que ainda não teríamos exposto grande coisa da filosofia socrática na medida em que só nos ativemos ao princípio; mas o ponto mais importante consiste em que a consciência do próprio Sócrates chegou somente a este abstrato. O *bem* é o universal [...] Este é em si um princípio concreto que, porém, ainda não está exposto em sua determinação concreta; e a falha do princípio socrático situa-se nesta atitude abstrata. *Não* é possível indicar nada de afirmativo; pois o princípio não tem nenhum desenvolvimento ulterior". Em relação aos sofistas, Sócrates deu um passo gigantesco, alcançando o bem em si e para si. Os sofistas haviam parado na refração infinita do bem na multiplicidade do útil e do proveitoso. Mas, bem-entendido: ele chegou até aí, não partiu daí. O universal tem portanto um lado positivo e um negativo. A realidade da eticidade se tornara vacilante, disto Sócrates tomou consciência. Elevou então a eticidade a conhecimento, mas isto consiste justamente em tomar consciência de que costumes, leis éticas são, em sua determinidade, em sua imediatidade, oscilantes, "é o poder do conceito que supera este ser e valer imediatos deles, e a santidade de seu ser-em-si". Como *exemplo* de que o universal tem em Sócrates um *lado positivo* "ele lhes mostrava" (aos jovens) "o bem e o verdadeiro no determinado, para o qual ele retornava, já que não queria ficar apenas no abstrato", Hegel cita o diálogo de Sócrates com o sofista Hípias (Xenof., *Mem*. IV, 4 § 12-16; § 25). Sócrates sustenta aqui a proposição de que é justo quem obedece às leis, e o sustenta mesmo contra a objeção de que isto afinal não poderia ser o absoluto, dado que o povo e os regentes muitas vezes alteram as leis. Sustenta-o apresentando a analogia de que os que fazem guerras afinal também firmam a paz. Sua fala tende a mostrar que o Estado melhor e mais afortunado é aquele em que os cidadãos estão de acordo e obedecem as leis. Nisto vê então Hegel um conteúdo afirmativo. Mas a razão por que Sócrates aqui tem algo de afirmativo é que ele *não leva até o fim seu ponto de vista*, ele não vai até aquele ponto ao qual ele propriamente chega, ao bem em si e para si. Aqui, ele deixa a ordem estabelecida subsistir, e esta não é, portanto, a positividade que segue após a sua negação infinita, mas sim uma positividade que a precede. É bem verdade que com este movimento ele ultrapassou o helenismo imediato, pois retoma, afinal de contas, as leis em uma reflexão, e as retira com isso de sua condição de algo imediatamente dado, mas este é no entanto propriamente apenas um movimento fictício e de modo algum o autêntico movimento socrático. A positividade que se poderia encontrar então aqui não pode, portanto, decidir nada no que toca à questão de até que ponto Sócrates sustentou uma positividade, ou mesmo até que ponto para ele o universal se tornou concreto. Isto Hegel também percebeu, como se pode ver pelas observações do meio da p. 79, do final da 81 e do início da 82. E, do lado negativo, Hegel também cita exemplos, e posto que já vimos que o lado positivo não era positivo no mesmo sentido em que o outro é negativo, vemos então que Sócrates *só* sustentou o *universal como sendo o negativo*. Hegel cita um exemplo de Xenofonte e acrescenta (p. 83): "Vemos aqui o lado negativo: que Sócrates torna vacilante o que de resto para a representação era firme. Não mentir, não enganar, não roubar valem como coisas justas para a representação ingênua – essas coisas são firmes para ela; mas pela comparação disto, que é considerado firme, com o outro, que lhe vale igualmente como verdadeiro, mostra-se que se contradizem – e aquilo que era firme torna-se vacilante, não vale mais como firme. O positivo que Sócrates coloca em seu lugar está, em parte, em oposição com aquele 'obedecer as leis': vemos perfeitamente o universal, o indeterminado, e 'obedecer as leis' compreende todo aquele que ouve isto, justamente às leis expressas como a representação geral está consciente das mesmas, não mentir, não enganar; mas estas leis constituem exatamente isto, que elas apresentam como injustiça o mentir, enganar, roubar em geral – determinações que não resistem ao conceito". E na p. 85: "Vemos aqui, portanto, o universal assim determinado, realizado: universal nomear das leis; em verdade, porém, dado que estas são momentos evanescentes: o universal indeterminado, e *a lacuna* de sua indeterminidade *ainda não* preenchida". Depois Hegel mostra (p. 110ss., acima) "como aparecia para o próprio Sócrates a realização do universal". Aqui então se mostra o sujeito como sendo o decisivo, como aquele que arbitrariamente se determina em si mesmo. Mas a limitação que o universal assim recebe é uma limitação posta a cada instante arbitrariamente pelo sujeito. Que esta restrição do universal se torne firme e não casual, e que o universal seja conhecido em sua determinidade, isto só é possível em um sistema total da realidade efetiva. Mas Sócrates carecia de um tal sistema. Ele negava o Estado, mas não voltava à forma superior do Estado, onde se afirma aquela infinitude que ele negativamente exigia.

Vemos, portanto, que Sócrates pode perfeitamente ser chamado *fundador da moral* na significação que Hegel deu a estas palavras e não obstante *seu ponto de vista* pode ter sido a ironia. Ao sujeito moral, isto é, negativamente livre, corresponde o bem como tarefa, se o bem é concebido como o negativo infinito. O indivíduo moral jamais consegue realizar o bem, somente o sujeito positivamente livre pode ter o bem como o positivo infinito, como sua tarefa, e realizá-lo. Se se quiser reter *aquela definição* de ironia que Hegel tão seguidamente acentua, ou seja, que a ironia não leva *nada a sério*, isto também pode ser sustentado com referência ao sujeito negativamente livre; pois nem mesmo as virtudes que ele pratica são levadas a sério, se é verdade que, como o próprio Hegel decerto diria, a verdadeira seriedade só é possível em uma totalidade, onde então o sujeito não mais se determina arbitrariamente a cada instante a continuar seu experimento, mas sim percebe a tarefa não como aquela que ele mesmo se colocou, porém como aquela que foi posta para ele[160].

Hegel, para mostrar Sócrates como o fundador da moral, concentra sua concepção de Sócrates *unilateralmente* sobre este ponto. O que ele pretende atribuir a Sócrates é a *ideia do bem*, mas com isso ele se embaraça quando precisa mostrar *como* Sócrates concebeu o bem. É aí propriamente que está o ponto complicado da concepção hegeliana de Sócrates: há uma tentativa constante de mostrar como Sócrates concebia o bem, e o menos correto na mesma consiste, tanto quanto eu vejo, em que a direção da correnteza na vida de Sócrates não é captada com exatidão. O movimento em Sócrates é este: ir até o bem. Sua importância no desenvolvimento do mundo está em dirigir-se ao bem mesmo sem ter chegado a tanto. Sua importância para seus contemporâneos está em tê-los induzido até aí. O sentido disto não é que ele, por assim dizer, na conclusão de sua vida tenha conseguido chegar até aí, mas em ter feito a sua vida consistir em constantemente *alcançar* e *fazer* outros *alcançarem este ponto*. Mas nesta mesma medida ele alcança também o verdadeiro, isto é, o verdadeiro em si e para si, alcança o belo, isto é, o belo em si e para si, e em geral alcança o ente-em-si-e-para-si como ente-em-si-e-para-si presente ao pensamento. Ele chega até aí, chega constantemente até aí. Por isso, ele não apenas moralizava, mas fez em geral aparecer o ente-em-si-e-para-si tirando-o da determinação do múltiplo. Falava com os artistas sobre o belo, deixando que o belo em si e para si se elaborasse (*via negationis*) a partir das determinações do ser, onde a gente até então o tinha. E assim igualmente com o verdadeiro. E isto ele não fazia de uma vez por todas, porém o executava com cada um. Ele iniciava por onde eles estivessem, e eis que logo ele estava em plena marcha transportando a cada um em particular. Mas tão logo havia transportado um, instantaneamente ele retornava. Nenhuma realidade conseguia opor-se a ele, mas aquilo que chegava a aparecer era *a idealidade* na mais evanescente indicação da mais fraca limitação, isto é, como abstrato *infinito*. Assim como Caronte transportava as pessoas da plenitude da vida para a terra sombria do submundo, assim como este, para não sobrecarregar sua leve embarcação, fazia os viajantes se despirem de todas as determinações múltiplas da vida concreta, títulos, honrarias, púrpura, grandiloquência, cuidados, preocupações etc., de modo que só restava o homem puro e simples, do mesmo modo também Sócrates atravessava os indivíduos da realidade para a idealidade, e o infinito da idealidade, como negatividade infinita, era o nada, onde ele fazia desaparecer toda a multiplicidade da realidade. Na medida em que Sócrates então constantemente fazia aparecer o ente-em-si-e-para-si, podia parecer que pelo menos isto ele levasse a sério, mas justamente porque ele apenas chegou até este, só possuindo o ente-em-si-e-para-si como o infinitamente abstrato, ele possuía o absoluto sob forma de nada. A *realidade*, pelo absoluto, *transformava-se em nada*, mas o *absoluto era* por sua vez também *nada*. Mas para poder mantê-lo neste ponto, para jamais esquecer que o conteúdo de sua vida era este, a qualquer momento efetuar este movimento, é preciso que a gente recorde sua significação como *missionário divino*. A esta sua missão divina Hegel não prestou atenção, muito embora o próprio Sócrates desse tanta importância a ela. E na medida em que a gente ainda se sentisse tentado a atribuir a ele algo mais, esta tentativa teria sua razão no fato de que a gente não percebe que individualidades histórico-universais são grandes justamente porque a vida inteira delas não lhes pertence, e elas por assim dizer nada retêm para si mesmas. Mas por isso também o mundo tem de agradecer ainda mais a elas.

Na exposição do método de Sócrates, que Hegel fornece, tornam-se objeto de discussão especialmente duas formas do método: *sua ironia* e sua *maiêutica*. Já o lugar reservado para a ironia indica suficientemente que Hegel concebe a ironia em Sócrates mais como um momento dominado, um modo de tratar com as pessoas, e isto é reforçado mais adiante com enunciados explícitos. Como é que se deve compreender esta concepção e até que ponto Hegel teria razão com ela, é o que agora precisa tornar-se objeto de uma investigação. Mas com isso eu passo à segunda parte deste estudo, ou seja, à parte sobre o conceito ironia.

PARTE II

Sobre o conceito de ironia

INTRODUÇÃO

O que deve constituir propriamente o objeto desta parte da investigação já foi dado, até certo ponto, na parte anterior, na medida em que ali, sob a forma da contemplação, um aspecto do conceito já se tornou visível. Por isso, na primeira parte da dissertação eu não tanto pressupus o conceito da ironia quanto o deixei surgir, esforçando-me por orientar-me no terreno do fenômeno. Com isso, encontrei uma grandeza desconhecida, um *ponto de vista* que se mostrou como aquele que tem de ter sido o *característico de Sócrates*. Chamei este ponto de vista de ironia; contudo, o nome que se lhe dá é, na primeira parte da dissertação, o menos importante: o principal é que nenhum momento, nenhum traço tenha passado despercebido, bem como que todos os momentos, todos os traços se tenham integrado em uma totalidade. *Se este ponto de vista é realmente ironia*, só agora deve ser decidido, considerando que eu chegarei, no desenvolvimento do conceito, também àquele momento, *no qual* Sócrates *deve enquadrar-se*, se é que o seu ponto de vista era em verdade ironia. Entretanto, assim como na primeira parte da dissertação eu só me ocupei com Sócrates, assim também se mostrará no desenvolvimento do conceito em que sentido Sócrates é um momento do desenvolvimento do conceito, em outras palavras, mostrar-se-á se nele o conceito de ironia *se esgotou absolutamente*, ou se *não há outras* formas de aparição do fenômeno, que devemos igualmente levar em consideração, antes de podermos dizer que o conceito está suficientemente compreendido (*opattet*). Enquanto, pois, na primeira parte da dissertação o conceito pairava sempre no segundo plano, com um impulso constante para assumir uma configuração no fenômeno, nesta segunda parte da dissertação a aparição fenomenal do conceito, como uma constante possibilidade de habitar entre nós, vai acompanhar o desenvolvimento. Esses dois momentos são inseparáveis; pois caso o conceito não estivesse no fenômeno, ou, mais corretamente, caso o fenômeno não se tornasse compreensível, real, apenas em e com o conceito, e inversamente caso o fenômeno não estivesse no conceito, ou, mais corretamente, o conceito não se tornasse compreensível, real, a não ser em e com o fenômeno, então todo conhecimento seria impossível, na medida em que eu careceria, no primeiro caso, de verdade e, no segundo, de realidade. Se a ironia é, pois, uma determinação da subjetividade, então veremos em seguida *a necessidade de duas formas de aparição* deste conceito; e a realidade ajuntou um nome a ambas. A primeira forma é naturalmente aquela na qual *a subjetividade pela primeira vez* fez valer seu direito na história universal. Aqui temos Sócrates, quer dizer, com isso nos é assinalado onde temos de procurar o conceito em sua aparição histórica. Quando, porém, a subjetividade se anunciou no mundo, não voltou a desaparecer sem deixar vestígio, o mundo não recaiu na forma anterior do desenvolvimento, muito pelo contrário, o antigo desapareceu e tudo se tornou novo. Se doravante deve ser possível que se mostre uma nova forma de aparição da ironia, isso tem de acontecer de maneira que a subjetividade se faça valer em uma forma ainda mais alta. Tem de existir *uma segunda potência da subjetividade*, uma subjetividade da subjetividade, correspondente à reflexão da reflexão. Com isso estamos novamente orientados historicamente, somos com efeito reportados ao desenvolvimento que a filosofia moderna experimentou em Kant e que se completou em Fichte, e ainda mais proximamente aos pontos de vista que após Fichte fizeram valer a subjetividade elevada à segunda potência. Que isto é de fato o caso, também o mostra a realidade, pois aqui nós nos deparamos novamente com a ironia. Mas como este ponto de vista é uma consciência subjetiva potenciada, segue-se que esta torna consciência da ironia nítida e determinadamente, e que ela declara explicitamente a ironia como seu ponto de vista. Isso aconteceu então também em Fr. Schlegel, que procurou fazer valer a ironia em relação à realidade, em Tieck, que procurou fazê-la valer na poesia, em Solger, que tomou consciência dela estética e filosoficamente. Finalmente a ironia também encontrou aqui o seu mestre em Hegel. Enquanto a primeira forma da ironia não foi combatida, mas *acalmada* por se *ter feito justiça* à subjetividade, a segunda forma da ironia foi combatida e *aniquilada,* pois, como era injustificada, só se podia *fazer justiça a ela* superando-a.

Se com essas observações se está agora suficientemente orientado a respeito da história deste conceito, de maneira alguma isto significa afirmar que uma concepção deste conceito, enquanto ela busca guarida e apoio nos desenvolvimentos mais antigos, não esteja ligada a dificuldades. Na medida em que buscamos, com efeito, um completo e coerente *desenvolvimento deste conceito*, logo nos convencemos de que ele tem uma história curiosa, ou, mais corretamente, não tem *nenhuma história*. No período posterior a Fichte, quando o conceito foi especialmente valorizado, encontramo-lo repetidamente nomeado, repetidamente sugerido e repetidamente pressuposto. Se, por outro lado, buscamos um claro desenvolvimento, procuramos em vão[1]. Solger se queixa de que A.W. v. Schlegel em suas *Lições sobre arte dramática e literatura*, onde deveríamos esperar, mais do que em qualquer outro lugar, esclarecimento suficiente, evoca a ironia só de maneira fugaz numa única passagem. Hegel[2] se queixa de que o mesmo acontece com Solger e que Tieck não se sai melhor. E já que todos se queixam, por que eu não deveria me queixar também? Eu me queixo de que com Hegel aconteceu o contrário. Em todos os seus sistemas, a cada passagem onde poderíamos esperar ver a ironia desenvolvida, vemo-la apenas mencionada; e ainda que tenhamos de conceder que não seria pouco o que Hegel disse sobre a ironia, caso quiséssemos transcrever tudo, em um outro sentido também não foi muito: pois em todas as passagens diz mais ou menos a mesma coisa. Acrescente-se a isto o fato de que ele dirige o seu ataque contra noções frequentemente diferentes que se ligaram a esta palavra, e a consequência disso será que, como a linguagem não é constante, sua polêmica nem sempre é completamente clara. Não obstante, longe de mim poder queixar-me de Hegel no mesmo sentido em que Hegel se queixa de seus predecessores. Encontram-se excelentes observações especialmente no seu *Comentários dos escritos póstumos de Solger*, que se acham no volume 16 (Jub. Ausg. XX) das obras completas de Hegel. E ainda que a exposição e a descrição dos pontos de vista negativos (pois quanto a esses se aplica, especialmente para a descrição, a regra: *loquere ut videam te* – fala, para que eu te veja) nem sempre sejam tão exaustivas, tão cheias de conteúdo como poderíamos desejar, Hegel sabe muito bem dominá-los, e nesta medida teremos uma contribuição para a descrição, de maneira mediata, na positividade que ele faz valer. Enquanto os irmãos Schlegel e Tieck tiveram a sua maior importância graças à polêmica com a qual eles aniquilaram um desenvolvimento anterior, e enquanto exatamente por este motivo o ponto de vista deles ficou um tanto disperso, porque eles não venceram a batalha principal e sim uma multiplicidade de pequenos embates, Hegel, pelo contrário, tem uma importância absoluta por ter vencido em sua visão de conjunto positiva a polêmica resistência, que, tal como a virgindade da Rainha Brunilda, necessitava de um homem fora do comum, um moço como Siegfried, para ser submetida. Também em Jean-Paul se fala da ironia frequentemente, e em sua *Estética* se encontra um ou outro dado, contudo, sem autoridade filosófica ou autenticamente estética. Como esteta, ele mais fala a partir de uma experiência artística rica, do que propriamente fundamenta o seu ponto de vista estético. Para ele, ironia, humor e capricho (Lune) são como que diferentes linguagens, e a sua descrição se limita a expressar o mesmo pensamento ironicamente, humoristicamente, na linguagem do humor caprichoso, assim como Fr. Baader, depois de ter feito uma exposição sobre algumas proposições místicas, às vezes traduz esta mesma exposição para a linguagem mística.

Mas dado que tão frequentemente o conceito de ironia recebeu uma significação diversa, importa que não nos utilizemos dele, cientemente ou não, de maneira totalmente arbitrária, é importante que, recorrendo à linguagem universal, observemos que as diferentes significações assumidas pelo conceito ao longo do tempo se subordinem todas a ele.

OBSERVAÇÕES ORIENTADORAS

Era uma vez uma época, e ela não está tão longe, em que também aqui se podia fazer sucesso com um *bocadinho de ironia*, que compensava todas as lacunas em outros aspectos, favorecia alguém com honrarias e lhe dava a reputação de ser culto, de compreender a vida e o caracterizava ante os iniciados como membro de uma vasta franco-maçonaria espiritual. Ainda nos deparamos de vez em quando com um ou outro representante deste mundo desaparecido, que conserva este fino sorriso, significativo, ambiguamente revelador de tanta coisa, este tom de cortesão espiritual, com o qual ele fez *fortuna* em sua juventude e sobre o qual construiu todo o seu futuro, na esperança de ter vencido o mundo. Mas ah! foi uma decepção! Em vão procura seu olhar explorador por uma alma irmã, e caso a época de seu esplendor não estivesse ainda fresca na memória de um ou de outro, suas caretas permaneceriam um enigmático hieroglifo para uma época na qual ele vive como hóspede e estrangeiro.

Pois nosso tempo exige mais, exige se não um

pathos elevado, pelo menos altissonante, se não especulação, pelo menos resultados; quando não verdade, pelo menos convicção, quando não sinceridade, pelo menos protestos de sinceridade; e, na falta de sensibilidade, pelo menos discursos intermináveis a respeito desta. Por isso, nosso tempo cunha uma espécie bem diferente de rostos privilegiados. Não permite que a boca se feche obstinada, ou que o lábio superior trema com ar travesso, ele exige que a boca fique aberta; pois como poderíamos imaginar um verdadeiro e autêntico patriota, senão discursando, o rosto dogmático de um pensador profundo, senão com uma boca que fosse capaz de engolir o mundo todo; como nos poderíamos representar um virtuose da copiosa palavra vivente, senão com a boca escancarada? Ele não permite que paremos quietos e nos aprofundemos; andar devagar já desperta suspeita; e como nos poderíamos contentar com isso no instante movimentado em que vivemos, não época prenhe do destino, que, como todos reconhecem, está grávida do extraordinário? Nosso tempo odeia o isolamento, e como suportaria que um homem chegasse à ideia desesperada de andar sozinho através da vida, esse nosso tempo, que de mãos e braços dados (como membros viajantes das corporações de ofício e soldados rasos), vive para a ideia da comunidade[3]?

Mas se acaso a ironia está longe de ser um sinal específico de nossa época, daí não se segue de *maneira alguma* que a ironia tenha *desaparecido totalmente*. Da mesma forma, o nosso tempo também não é uma época da dúvida, embora muitas expressões da dúvida tenham restado, nas quais, por assim dizer, podemos estudar a dúvida, se bem que permanece uma diferença qualitativa entre uma dúvida especulativa e uma dúvida vulgar sobre isto ou aquilo. Assim, ocorre no discurso retórico frequentemente uma figura que traz o nome de ironia; e cuja característica está em se dizer o contrário do que se pensa. Aí já temos então uma definição que percorre toda ironia, ou seja, que o *fenômeno não é a essência, e sim o contrário* da essência. À medida que eu falo, o pensamento, o sentido mental, é a essência, a palavra é o fenômeno. Estes dois momentos são absolutamente necessários, e é neste sentido que Platão observou que todo pensar é um falar. A verdade exige então a identidade; pois se eu tivesse o pensamento sem a palavra, não teria o pensamento, e se eu tivesse a palavra sem o pensamento, também não teria a palavra, assim como não se pode dizer das crianças e dos loucos que eles falam. Se eu olho depois para o sujeito falante, mais uma vez eu tenho uma determinação comum a toda ironia, ou seja, o *sujeito é negativamente livre*. Quando ao falar eu tomo consciência de que o que é dito por mim é minha opinião e que o enunciado é uma expressão adequada de minha opinião, e quando eu pressuponho que aquele para quem eu falo tem no enunciado a minha opinião total, então eu estou amarrado pelo enunciado, isto é, eu estou nele positivamente livre. Aqui cabe o antigo verso: *semel emissum volat irrevocabile verbum* (tão logo pronunciada, a palavra voa irrevogavelmente). Também com referência a mim mesmo eu estou ligado, e não me posso soltar a cada instante que eu queira. Quando, ao contrário, o enunciado não corresponde à minha opinião, eu estou livre em relação aos outros e a mim mesmo.

A *figura de linguagem irônica supera* imediatamente *a si mesma*, na medida em que o orador pressupõe que os ouvintes o compreendem, e deste modo, através de uma negação do fenômeno imediato, a essência acaba identificando-se com o fenômeno. Se às vezes ocorre que um tal discurso irônico vem a ser malcompreendido, isto não é culpa do falante, a não ser na medida em que ele foi se meter com um patrão tão malicioso como a ironia, que tanto gosta de pregar peças aos seus amigos como aos seus inimigos. Costuma-se dizer de uma tal orientação irônica do discurso: Não há seriedade nesta seriedade. A expressão é tão séria que causa horror, mas o ouvinte experiente está iniciado no mistério que se esconde por detrás. Mas com isso a ironia está novamente superada. A forma mais corrente de ironia consiste em dizermos num tom sério o que, contudo, não é pensado seriamente. A outra forma, em que a gente brincando diz em tom de brincadeira algo que se pensa a sério, ocorre rara-mente[4]. Mas, como já foi dito, a figura de linguagem irônica se anula a si mesma, pois é como um enigma para o qual temos no mesmo instante a solução. Às ve-zes a figura de linguagem irônica tem uma proprieda-de que também é característica para toda ironia, *uma certa nobreza*, que provém do fato de que ela gostaria de ser compreendida, mas não diretamente, e tal nobreza faz com que esta figura olhe como que de cima para baixo o discurso simples que cada um pode compreen-der sem dificuldades; ela como que viaja na carruagem nobre do incógnito e desta posição elevada olha com desdém para o discurso pedestre comum. Na comu-nicação cotidiana, a figura de linguagem irônica apa-rece principalmente nas classes elevadas, como uma prerrogativa que faz parte, junto com outras categorias semelhantes, do *bonton* (bom-tom), o qual exige que se sorria da inocência e se considere a virtude algo de bi-tolado, ainda que se acredite nela até um certo ponto.

Na medida então que os círculos mais elevados (isso compreendido naturalmente no sentido de uma hierarquia espiritual) falam assim de maneira irônica, como os reis e os nobres falam francês para que o povo leigo não compreenda, nesta medida, a ironia está em vias de *se isolar*, ela não gostaria de ser compreendida pelo comum dos mortais. Por conseguinte, *aqui a ironia não se anula a si mesma*. Constitui apenas uma forma subordinada de vaidade irônica o desejar ter tes-temunhas para estar bem certo e seguro de si; e igualmente é apenas uma simples inconsequência, que a ironia tem em comum com todos os pontos de vista negativos – que ela, que por definição procura o isolamento, tente constituir uma sociedade e, incapaz de se elevar à ideia da comunidade, realize-se em conventículos. Mas há tão pouca unidade comunitária numa clique de irônicos quanto honestidade num Estado de ladrões. Deixemos, porém, de fora este lado, pelo qual a ironia se abre para os conspiradores e a consideremos na sua relação com os não iniciados, na sua relação para com aqueles contra os quais a sua polêmica se dirige, na sua relação para com a existência, que é concebida por ela ironicamente: aí ela costuma se manifestar *de duas maneiras*. Ou o irônico se *identifica* com a desordem que ele quer combater, ou ele assume frente a essa uma *relação de oposição*, mas naturalmente, sempre de tal modo que esteja consciente de que a aparência dele é o contrário daquilo em que ele se apoia, e que saboreie essa inadequação.

Em relação a um saber tolamente pretensioso, que sabe tudo de tudo, é ironicamente correto *entrar no jogo*, ser arrastado por toda esta sabedoria, excitá-la com aplausos de júbilo para que esta se eleve cada vez mais, numa loucura cada vez mais alta, desde que aí se permaneça consciente de que tudo aquilo é vazio e sem conteúdo. Diante de um entusiasmo insípido e inepto, é ironicamente correto *ultrapassá-lo* ainda num aplauso altissonante e numa louvação que suba aos céus, embora o irônico esteja consciente de que este entusiasmo é a maior tolice do mundo. E quanto mais o irônico tiver sucesso com a fraude, quanto melhor aceitação sua moeda falsa tiver, tanto maior será sua alegria. Mas ele saboreia esta alegria sozinho e tem todo o cuidado para que ninguém perceba sua impostura. – Esta é uma forma de ironia que só ocorre raramente, embora ela seja tão profunda e fácil de ser executada como aquela outra ironia que aparece sob a forma de uma oposição. Em proporções menores, bem que ela é vista às vezes aplicada contra uma pessoa que está ameaçada por uma ou outra ideia fixa; contra uma pessoa que se imagina linda e, particularmente, um homem, por exemplo, cioso de suas costeletas; ou contra um outro que se acredita espirituoso ou que teria dito uma vez uma piada que nunca cansa de repetir; ou contra uma pessoa cuja vida, por assim dizer, culminou num acontecimento único, ao qual ela sempre retorna, e de quem se consegue arrancar sempre de novo a narração da história, desde que se saiba pressionar o botão certo etc. Em todos esses casos, a alegria do irônico consiste exatamente em *parecer aprisionado* naquela mesma fixação que mantém o outro preso. Uma das maiores alegrias do irônico consiste em descobrir em toda parte estes pontos fracos: e quanto mais proeminente é a pessoa em quem se encontram tais traços, tanto mais alegria lhe dá poder fazê-la de boba, tê-la em seu poder, embora esta não se dê conta disso, de modo que até uma pessoa eminente em alguns instantes se torna um fantoche para o irônico, que a faz dançar como um títere, que ele maneja mexendo os cordões conforme deseja; e é curioso que os pontos fracos das pessoas, mais do que seu lado bom, assemelham-se aos acordes que podem ser provocados tocando de uma certa maneira; aqueles parecem ter uma necessidade natural em si, enquanto nos perturba tanto que os lados bons sejam submetidos a tantas inconsequências.

Mas, por outro lado, também é característico da ironia aparecer na figura de uma relação de oposição. Diante de uma sabedoria transbordante, ser tão ignorante, tão tolo, ser tão pateta quanto possível, e, no entanto, ao mesmo tempo mostrar tanta vontade de aprender, tanta boa vontade, que o dono da verdade sinta mesmo uma grande alegria em deixá-lo dar uma olhada nos seus vastos terrenos; diante de um entusiasmo sentimental, lânguido, ser *simplório demais* para captar o sublime que entusiasma o outro, e, contudo, todo tempo mostrar uma boa vontade, que gostaria tanto de captar e compreender aquilo que lhe parece um enigma – estas são expressões completamente normais da ironia. E quanto mais a tolice irônica aparecer como um coração confiante, quanto mais autêntico parecer o seu esforço sincero e honesto, tanto maior será a sua alegria. Daí nós vemos que tanto pode ser irônico fingir saber quando se sabe que não se sabe, como fingir não saber quando se sabe que se sabe. – A ironia pode ainda mostrar-se de uma maneira mais indireta através de uma relação de oposição, quando ela dá preferência às pessoas mais simples e mais limitadas, não para burlar-se delas, mas sim para escarnecer dos homens sábios.

Em todos estes casos a ironia se mostra como aquela que compreende o mundo, que procura mistificar o mundo circundante, não tanto para ocultar-se quanto para *fazer os outros se revelarem*. Mas a ironia também pode se mostrar quando o irônico procura levar o mundo *circundante a falsas pistas* a respeito dele mesmo. No nosso tempo, em que as relações burguesas e sociais quase tornam impossível qualquer *história secreta de amor*, em que a cidade e a vizinhança quase sempre proclamaram do alto do púlpito, antes que o pastor o tenha feito, o enlace do feliz casal; no nosso tempo, em que a vida da sociedade se sentiria frustrada em um de seus privilégios preferidos, se não tivesse o poder de unir nos laços do amor e ao mesmo tempo reservar-se o direito (ela, não o pastor) de dizer alguma coisa contra, de modo que os mexericos públicos é que legitimam um amor, e assim uma união contraída sem que a cidade fique ciente é quase considerada inválida ou ao menos como um atentado escandaloso aos seus direitos, assim como os agentes funerários consideram o suicídio uma forma inadmissível de escapar do mundo –, em nosso tempo, eu digo, pode muito bem parecer necessário a alguém fazer jogo falso, se não deseja que a cidade assuma o honroso negócio de fazer em seu nome o pedido de casamento, de modo que ele nada mais precise fazer do que aparecer com a costumeira cara de noivo *ad modum* (à maneira de) Peder Erik Madsen, com luvas brancas e segurando uma declaração de próprio punho com um esboço de suas perspectivas de futuro, junto com outros sedutores instrumentos mágicos (sem esquecer um memorando mui atencioso) que se costuma ter à mão para o último assalto. Se são antes circunstâncias exteriores as que exigem um certo mistério, então a mistificação aplicada será pura e simples *dissimulação*. Mas quanto mais este indivíduo concebe essas mistificações como episódio em sua própria história de amor, quanto mais jocoso ele é em sua alegria de atrair a atenção dos outros para um ponto completamente diferente, tanto mais *a ironia* aparece. O irônico goza toda a infinitude do amor, e aquele alargamento interior, que os outros procuram confiando segredos, ele consegue tendo confidentes da maior confiança, que entretanto não sabem de nada. Tais mistificações são, em certas circunstâncias, inevitáveis também na *literatura*, onde somos cercados às vezes por uma multidão de letrados vigilantes que descobrem autores como a *Cristina Alcoviteira* arranja bons partidos.

A ironia aparece tanto mais quanto menos o que determina alguém a brincar de esconder é uma razão exterior (consideração de família, referência a carreira, pusilanimidade etc.); e quanto mais é uma certa *infinitude interior* o que desperta no escritor o desejo de manter a sua obra livre de toda relação finita com sua própria pessoa, o desejo de se ver livre de todas as condolências dos companheiros de infortúnio e de todas as congratulações da cordial confraria dos autores. Mas se a coisa chegar a tal ponto que apareça algum galo cacarejando, que gostaria imensamente de botar um ovo, e que se consiga levá-lo a assumir a paternidade imputada, meio desconversando e meio reforçando o erro dessa gente, aí o irônico está com o jogo ganho. E se às vezes desejamos, e no nosso tempo alguns facilmente poderiam sentir-se tentados a isto, despir o hábito que cada um é obrigado a vestir e carregar, muito humildemente, segundo as normas da sua *posição social* e por exigências de classe, ou se alguém deseja eventualmente, pelo menos uma vez, saber se tem sobre os condenados a vantagem de poder aparecer com outros trajes que não os da instituição, então aqui também será necessária uma certa mistificação. Quanto mais aquilo que determina alguém a uma tal mistificação for um objetivo finito –, como quando um comerciante viaja *incógnito* para levar adiante uma boa solução para uma especulação, ou um rei, para surpreender funcionários fazendários, ou um agente de polícia com o objetivo de, para variar, aparecer como um ladrão durante a noite, ou um funcionário subalterno por medo dos superiores etc. –, tanto mais a coisa se aproximará pura e simplesmente de uma dissimulação. Ao contrário, quanto mais se trata de uma necessidade de, vez por outra, ser um homem e não sempre e eternamente um conselheiro de chancelaria, quanto mais infinitude poética se encontra aí, quanto maior é a arte com a qual a mistificação é executada, tanto mais aparece a ironia. E se consegue desencaminhar completamente o público, talvez até ser detido como pessoa suspeita, ou envolvida em interessantes histórias de família, aí sim o irônico alcança o que deseja.

Mas o que, nestes casos e em outros semelhantes, aparece na ironia, é a *liberdade subjetiva*, que a cada instante tem em seu poder *a possibilidade de um início*, e não se deixa constranger por relações anteriores. Há algo de sedutor em todo início porque o sujeito ainda está livre, e é exatamente *este gozo* que o irônico ambiciona. A realidade efetiva perde em tais instantes sua validade para ele, que paira livre sobre ela.

A Igreja Católica Romana tomou consciência disto em alguns pontos determinados, e por isso tinha o hábito, na Idade Média, de se elevar em certas épocas do ano acima de sua própria realidade absoluta, e tomar-se a si mesma de maneira irônica, como por exemplo na Festa do Burro, na Festa dos Foliões, nas Brincadeiras Pascais etc. Uma tal percepção era a razão da licença concedida aos soldados romanos para cantar sátiras sobre o triunfador. Aqui, a um só tempo, estava-se consciente do brilho da vida e da realidade da glória, e, no mesmo instante, ironicamente acima delas. Igualmente se escondia (sem necessidade mesmo das sátiras de Luciano) muita ironia na vida das divindades gregas, nas quais nem a realidade celestial era poupada pelo sopro de vento cortante da ironia. Tão certo como há muita existência que não é realidade efetiva, e há algo na personalidade que pelo menos em certos momentos é incomensurável com a realidade efetiva, assim também é certo que há uma verdade na ironia. A isto se acrescenta ainda o seguinte: da maneira como nós tomamos até agora a ironia, ela foi compreendida mais como uma expressão momentânea; de modo que em todos os casos mencionados ainda não podemos falar da ironia pura ou da ironia como ponto de vista. Por outro lado, quanto mais se propaga a observação da relação entre realidade efetiva e sujeito, que aqui foi ocasionalmente valorizada, tanto mais próximos estaremos do ponto em que a ironia se mostra em sua totalidade usurpada.

A *concepção que um diplomata tem* do mundo é irônica sob muitos aspectos, e a conhecida frase de Talleyrand, que o homem adquiriu a linguagem não para manifestar, mas para ocultar seus pensamentos, contém uma profunda ironia sobre o mundo, e combina totalmente, na perspectiva da inteligência política, com uma outra proposição autenticamente diplomática, *mundus vult decipi, decipiatur ergo* (o mundo quer ser enganado, logo, que seja enganado). Daí não se segue absolutamente que o mundo diplomático considere a existência ironicamente; pelo contrário, ele tem muitas coisas cuja validade quer impor. – A diferença entre todas estas *manifestações de ironia* até aqui mencionadas é portanto apenas quantitativa, um mais ou menos, enquanto *a ironia sensu eminentiori* (no sentido mais elevado, mais próprio) se diferencia qualitativamente da ironia até aqui descrita, assim como a dúvida especulativa se diferencia qualitativamente da dúvida vulgar e empírica. A ironia *sensu eminentiori* não se dirige contra este ou aquele existente individual, ela se dirige contra toda a realidade dada em uma certa época e sob certas condições. Ela comporta, por isso, uma aprioridade em si, e não é aniquilando sucessivamente um pedaço da realidade após o outro que ela alcança a sua visão de conjunto (Total-Anskuelse), mas, sim, é por força desta visão de totalidade que ela leva a cabo sua destruição no interior do individual. Não é este ou aquele fenômeno, mas é a totalidade da existência que é observada *sub specie ironiae* (sob a categoria da ironia). Vemos assim a justeza da denominação hegeliana da ironia como *negatividade infinita absoluta*.

Antes de passarmos para uma análise mais próxima e mais detalhada, parece correto que nos orientemos na região conceitual onde habita a ironia. Precisamos, para esta finalidade, distinguir o que se poderia chamar uma *ironia executiva*[5] de uma *ironia contemplativa*.

Observemos primeiramente o que ousamos chamar ironia *executiva*. Na medida em que a ironia faz valer a relação de oposição em todas as suas diferentes nuanças, poderia parecer que a ironia se identifica com *dissimulação*[6]. Em geral se costuma, por questão de brevidade, traduzir ironia por dissimulação ou fingimento. Mas dissimulação denota mais o ato objetivo que leva a cabo o desacordo entre essência e fenômeno; ironia denota, além disso, o gozo subjetivo, na medida em que na ironia o sujeito se liberta da vinculação à qual está preso pela continuidade das condições de vida; assim se pode dizer do irônico que ele se libera. Acrescente-se a isso que a dissimulação (ou fingimento), se a colocamos em relação com o sujeito, tem uma intenção, mas esta intenção é um objetivo exterior, estranho à dissimulação mesma; a ironia, ao contrário, não tem nenhuma intenção, seu objetivo é imanente e ela mesma é uma intenção metafísica. A intenção não é nada mais do que a própria ironia. Quando o irônico se apresenta como diferente do que ele realmente é, aí poderia decerto parecer que sua intenção seja levar os outros a acreditarem nisso; contudo, sua intenção é propriamente o sentir-se livre, mas isto ele é exatamente por força da ironia, e, assim, a ironia não tem outra finalidade ou intenção, mas é fim em si. Vemos, pois, facilmente que a ironia se diferencia do jesuitismo, no qual o sujeito está por certo livre na escolha dos meios para atingir sua intenção, mas de maneira alguma está livre no sentido da ironia, na qual o sujeito não tem uma intenção.

Na medida em que é essencial à ironia ter um exterior oposto ao interior, poderia parecer que ela se identifica com a *hipocrisia*. Em dinamarquês às vezes se traduziu ironia também por *Skalkagtighed* (picardia, pirraça, travessura, sem-vergonhice), e a um hipócrita se costuma chamar *øienskalk* (impostor, malicioso). Mas a hipocrisia pertence propriamente ao terreno *moral*. O hipócrita se esforça constantemente para parecer bom, embora seja mau. A ironia, pelo contrário, situa-se num terreno metafísico, e ao irônico só interessa parecer diferente do que é realmente; de modo que, assim como o irônico esconde sua brincadeira na seriedade, sua seriedade na brincadeira (mais ou menos como os ruídos da natureza no Ceilão), assim também pode ocorrer-lhe a ideia de parecer mau, embora seja bom. Só que temos de lembrar que as determinações morais são, a rigor, demasiado concretas para a ironia.

Contudo, a ironia também tem uma face teórica ou *contemplativa*. Se a considerarmos como um momento subordinado, então a ironia é, sem dúvida, a visão certeira para o torto, o falso, o vaidoso na existência. Na medida em que ela é capaz de captar tais coisas, poderia parecer que ironia se identifica com escárnio, sátira, sarcasmo etc. É claro que ela tem uma semelhança com isso, na medida em que ela também vê o lado vaidoso; mas quando ela quer apresentar sua observação, ela se distingue, pois não anula aquilo que é vaidoso (vão), não se comporta frente a isto como a justiça punitiva em relação ao vício, não tem em si algo de reconciliador como o cômico (*det Comiske*), mas antes até *reforça* o vaidoso em sua vaidade, torna o louco ainda mais louco. É isso o que se poderia chamar a tentativa da ironia para mediar os momentos discretos, não em uma unidade superior, e sim em uma loucura superior.

Considerando a ironia na medida em que ela se volta *contra toda a existência*, aí ela também se agarra à oposição entre essência e fenômeno, entre o interior e o exterior. Poderia então parecer que ela enquanto negatividade absoluta se identifica com a *dúvida*. Mas, em parte, deve-se lembrar que dúvida é uma determinação do conceito, e ironia um ser-para-si *da subjetividade*; em parte, que a ironia essencialmente é *prática*, e que ela só é teórica para novamente ser prática, ou, com outras palavras, que a ironia não se ocupa com a coisa e sim consigo mesma. Por isso, quando a ironia suspeita de que por trás do fenômeno tem de esconder-se algo de diferente daquilo que está no fenômeno, o cuidado da ironia é sempre que o sujeito se sinta livre, de modo que o fenômeno não adquira realidade para o sujeito. O movimento é por isso totalmente inverso. Na dúvida, o sujeito quer constantemente ir ao objeto, e o seu infortúnio está em que o objeto foge constantemente diante dele. Na ironia, o sujeito quer constantemente afastar-se do objeto, o que ele consegue ao tomar consciência a cada instante de que o objeto não tem nenhuma realidade. Na dúvida, o sujeito é testemunha de uma guerra de conquista, na qual cada fenômeno é aniquilado porque a essência tem de estar mais atrás. Na ironia, o sujeito bate em retirada constantemente, contesta a realidade de todo e qualquer fenômeno, para salvar a si próprio, na independência negativa em relação a tudo.

Enfim, na medida em que a ironia se mantém consciente de que a existência não tem nenhuma realidade, e pronuncia a mesma proposição do ânimo piedoso, aí poderia parecer que a ironia seja uma espécie de *devoção* (piedade). Também na devoção, a realidade inferior, se posso chamá-la assim, isto é, as relações ou condições do mundo, perde a sua validade; mas isto só acontece, entretanto, na medida em que as *relações com Deus* afirmam no mesmo instante sua realidade absoluta. O ânimo devoto diz também que tudo é vaidade, mas isto só acontece na medida em que através desta negação tudo o que retém e perturba é posto de lado e o eternamente subsistente vem para o centro. Além disso, o ânimo devoto, quando diz que tudo é vaidade, não faz exceção com a própria pessoa, não dá importância a ela, mas pelo contrário ela também tem de ser posta de lado para que o Divino não seja afastado por sua resistência, e sim se derrame sobre este ânimo que se abre devotamente. Sim, nos mais profundos escritos de edificação nós vemos que o ânimo piedoso considera a sua própria personalidade finita como a mais miserável de todas. Ao contrário, na ironia, quando tudo se torna vaidade, a subjetividade se liberta. Quanto mais tudo se torna vão (vaidade, vacuidade), quanto mais vazio de conteúdo, tanto mais volátil se torna a subjetividade. E enquanto tudo se torna vaidade, o sujeito irônico *não* se torna vaidade *para si mesmo*, mas sim liberta sua própria vaidade. Para a ironia, tudo se torna nada; mas o nada pode ser tomado de várias maneiras. O nada especulativo é o evanescente a cada instante diante da concreção, dado que ele próprio é o impulso do concreto, é o *nisus formativus* (esforço criador) do concreto; o nada místico é o nada para a representação, um nada que, contudo, é tão rico de conteúdo e como o silêncio da noite tem voz para aquele que tem ouvidos para ouvir; o nada irônico, finalmente, é a quietude da morte, na qual a ironia reaparece como fantasma (tome-se a última expressão com toda a sua ambiguidade).

A VALIDADE HISTÓRICO-UNIVERSAL DA IRONIA, A IRONIA DE SÓCRATES

Retornemos, porém, à caracterização geral da ironia, dada anteriormente, e assim com isso fica suficientemente indicado que a ironia já não se volta para este ou aquele fenômeno individual, contra um existente individual, e sim que toda *a existência* se tornou estranha ao sujeito irônico e este por sua vez se torna estranho à existência, que o próprio sujeito irônico, na medida em que *a realidade* perdeu sua validade para ele, até um certo ponto (também) se tornou irreal. A palavra "realidade" precisa contudo ser tomada aqui primeiramente no sentido da realidade histórica, quer dizer, a realidade dada a uma certa época sob certas condições. Com efeito, em parte esta palavra pode ser tomada num sentido metafísico, assim, por exemplo, quando se estuda o problema metafísico da relação da ideia com a realidade, sem que se questione esta ou aquela realidade e sim a concreção da ideia; em parte a palavra realidade pode ser usada a respeito da ideia realizada historicamente. Esta realidade nomeada por último é então em diferentes épocas sempre uma outra. Com isso não se deve de maneira nenhuma achar que a realidade histórica na soma total da existência não teria um eterno nexo em si mesma, porém, para as gerações separadas por tempo e espaço, a realidade dada é sempre diferente. Embora o espírito do mundo esteja sempre em si mesmo em todo e qualquer desenvolvimento, o mesmo não se dá com a humanidade a uma certa época e com os indivíduos dados a uma certa época. A esses se apresenta uma realidade dada, e não está em poder deles recusá-la; pois o desenvolvimento do mundo conduz aquele que quer acompanhá-lo, e arrasta consigo aquele que se recusa. Mas na medida em que a ideia é concreta em si, é-lhe necessário constantemente vir a ser o que ela é, isto é, tornar-se concreta. Mas isto ela só pode tornar-se através da geração e dos indivíduos.

Aqui se mostra uma *contradição*, pela qual avança o *desenvolvimento do mundo*. A realidade dada a uma certa época é a válida para a geração e os indivíduos na geração, e contudo, se não quisermos dizer que todo desenvolvimento acabou, é preciso que esta realidade seja desalojada por uma outra realidade, e isso tem de acontecer através de e com os indivíduos e a geração. Assim, para a geração contemporânea da Reforma, o catolicismo era a realidade dada; e, contudo, ele era ao mesmo tempo a realidade que como tal não tinha mais validade. Aqui colide, portanto, uma realidade com uma outra realidade. Aqui se encontra o *trágico* profundo na história universal. Um indivíduo pode ao mesmo tempo estar justificado historicamente e contudo não autorizado. Enquanto está neste último caso, tem de tornar-se uma *vítima*; mas na medida em que vale o primeiro, ele tem de vencer; quer dizer, ele tem de vencer, em se tornando uma *vítima*. Aqui se vê como o desenvolvimento do mundo é consequente em si; pois à medida que a realidade mais verdadeira deve vir à luz, é respeitada mesmo assim a realidade ultrapassada; não há uma revolução, mas uma evolução; a realidade passada se mostra como ainda assim justificada ao exigir uma vítima, e a nova realidade ao oferecer este sacrifício. Mas é preciso um sacrifício, porque realmente deve vir à luz um novo momento, porque a nova realidade não é apenas uma conclusão da ultrapassada, e sim contém em si algo mais, não é um simples corretivo para o passado, mas é ao mesmo tempo um novo início.

Em cada uma destas viradas na história existem dois movimentos que devem ser notados. Por um lado, o novo deve vir à luz, por outro lado, o velho deve ser desalojado. Na medida em que o novo deve vir à luz, nós nos deparamos aqui com o *indivíduo profético*, que avista o novo à distância, no escuro e em traços indefinidos. O indivíduo profético não possui o porvir, ele apenas o pressente. Não consegue fazê-lo vigorar, mas de qualquer maneira ele está perdido para a realidade à qual pertence. Sua relação para com ela é no entanto uma relação pacífica, pois a realidade dada não sente nenhuma oposição. A este segue o *herói trágico* propriamente dito. Este luta pelo povo, esforça-se para aniquilar aquilo que para ele está em vias de desaparecer; mas sua tarefa não consiste tanto em destruir quanto em tornar vigente o novo, e com isso imediatamente destruir o passado. Mas, por outro lado, o antigo deve ser desalojado, o velho deve ser visto em toda a sua imperfeição. Aqui nos deparamos com o *sujeito irônico*. Para o sujeito irônico a realidade perdeu toda a sua validade, ela se tornou para ele uma forma incompleta que incomoda ou constrange por toda parte. O novo, por outro lado, ele não possui. Apenas sabe que o presente não corresponde à ideia. Ele é o que deve julgar. Num certo sentido, o irônico é profético, pois ele aponta sempre para a frente, para algo que está em vias de chegar, mas não sabe o que seja. Ele é profético; mas se orienta, se situa *ao contrário do profeta*. O profeta anda de mãos dadas com seu tempo e a partir deste ponto de vista vislumbra o que há de vir. O profeta está, como se observou anteriormente, perdido para sua própria época, mas isto só porque está mergulhado na sua visão. O irônico, pelo contrário, apartou-se das fileiras de seu próprio tempo e tomou posição contra este. Aquilo que deve vir lhe é oculto, jaz atrás dele, às suas costas; mas a realidade a que ele se opõe como inimigo é aquilo que ele deve destruir; contra ela se volta seu olhar devorador, e à sua relação com seu próprio tempo podemos aplicar a palavra da Bíblia: "Eis que os pés daqueles que te levarão estão à porta". Também o irônico é uma vítima exigida como sacrifício pelo desenvolvimento do mundo; não que o irônico sempre precise cair como uma vítima, no sentido estrito, mas sim porque o zelo no serviço do espírito do mundo o devora.

Aqui temos então a ironia como *a negatividade infinita absoluta*. Ela é *negatividade*, pois apenas nega; ela é *infinita*, pois não nega este ou aquele fenômeno; ela é *absoluta*, pois aquilo, por força de que ela nega, é um mais alto, que contudo não é. A ironia não estabelece nada; pois aquilo que deve estabelecer está atrás dela. Ela é uma demência divina, furiosa como um Tamerlão que não deixa pedra sobre pedra. Aqui nós temos portanto a ironia. Em certa medida, cada virada histórica precisa também possuir esta formação (*Formation*) e certamente não seria algo sem interesse histórico perseguir tal formação através da história universal. Eu não quero, no entanto, lançar-me a isto, mas apenas citar como exemplos do tempo próximo à Reforma *Cardanus, Campanella e Bruno*. Mesmo Erasmo de Roterdam foi, até certo ponto, ironia. Creio que até agora não se levou em conta suficientemente a significação desta formação (*Formation*); e isto é tanto mais estranho quando se sabe com que predileção Hegel tratou o negativo. Mas ao negativo no sistema corresponde a ironia na realidade histórica. Na realidade histórica o negativo existe, o que jamais ocorre no sistema.

A ironia é uma *determinação da subjetividade*. Na ironia o sujeito está *negativamente livre*; pois a realidade que lhe deve dar conteúdo não está aí, ele é livre da vinculação na qual a realidade dada mantém o sujeito, mas ele é negativamente livre e como tal flutuante, suspenso, pois não há nada que o segure. Mas esta mesma liberdade, este flutuar, dá ao irônico um certo entusiasmo, na medida em que ele como que se embriaga na infinitude das possibilidades, na medida em que ele, quando precisa de um consolo por tudo o que naufraga, pode buscar refúgio no enorme fundo de reserva da possibilidade. Entretanto, ele não se entrega a este entusiasmo, que apenas respira e nutre o entusiasmo de destruição que há nele. – Mas dado que o irônico não está de posse do novo, poder-se-ia perguntar com o que, afinal, ele aniquila o velho, e a isso se precisaria responder: ele *anula* (*tilintetgjør*) a realidade dada *com a própria* realidade dada, mas é preciso lembrar ao mesmo tempo que o novo princípio nele está presente *katà dynamin*, como possibilidade[7]. Mas na medida em que ele aniquila a realidade com a própria realidade, ele se coloca ao serviço da ironia do mundo. Hegel nota, em sua *História da filosofia*, 2º vols., p. 62: "Toda dialética deixa valer o que deve valer, como se valesse, deixa que a própria destruição interna aí se desenvolva – universal ironia do mundo", e assim a ironia do mundo está concebida bem corretamente. Exatamente porque cada realidade histórica individual é contudo apenas momento na realização da ideia, ela carrega em si mesma o germe de sua ruína. Isto se mostra especialmente com toda clareza no *judaísmo*, cuja significação como momento de transição é especialmente singular. Assim era, por exemplo, uma profunda ironia sobre o mundo, quando a Lei, depois do anúncio dos mandamentos, acrescentou a promessa: se cumprires isto, serás salvo, dado que se mostrou que os homens não podiam cumprir a Lei, e assim uma salvação que ficou vinculada a uma tal condição é mais do que hipotética. Mas que o judaísmo se anulou a si mesmo por si mesmo, isto se mostra exatamente em sua relação histórica para com o cristianismo. Mesmo sem nos aprofundarmos numa investigação do significado da aparição de Cristo, se nós nos fixarmos apenas nela como um ponto de virada na história universal, não deixaremos sem dúvida de perceber a formação (*Formation*) irônica. Ela nos é dada, de resto, com João Batista. Ele não era aquele que devia vir, não sabia o que devia vir, e contudo ele destruiu o judaísmo. Ele o anulou não com o novo, mas o aniquilou por meio dele mesmo. Reivindicou deste o que o judaísmo queria dar – justiça; mas isto o judaísmo não estava em condições de dar, e por isso arruinou-se. João deixou, portanto, o judaísmo subsistir e ao mesmo tempo desenvolveu nele o germe da ruína. A personalidade de João Batista fica totalmente na sombra, percebe-se nele de certo modo a ironia do mundo em sua configuração objetiva, de modo que ele se torna apenas um instrumento nas mãos desta. Mas, para que a formação irônica se desenvolva completamente, exige-se que ao mesmo tempo o *sujeito tome consciência de sua ironia*, sinta-se negativamente livre ao condenar a realidade dada, e goze a liberdade negativa. Para que isto possa acontecer, a subjetividade tem de ser desenvolvida, ou melhor, na medida em que a subjetividade se faz valer aparece a ironia. A subjetividade *sente* a si mesma frente à realidade, sente a sua própria força, sua validade ou significação. Na medida, porém, em que ela sente isso, ela se liberta por assim dizer da relatividade, na qual a realidade dada quer prendê-la. Contanto que esta ironia esteja justificada historicamente, a libertação da subjetividade é empreendida ao serviço da ideia, mesmo que o sujeito irônico não esteja claramente consciente disto. É o genial na ironia justificada. Da ironia injustificada vale o seguinte: quem quiser salvar sua alma, perdê-la-á. Mas se a ironia está justificada ou não, só a história pode julgá-lo.

Mas pelo fato de o sujeito ver a realidade ironicamente, daí não segue de maneira alguma que ele se relacione ironicamente consigo mesmo ao impor sua concepção da realidade. Assim, em tempos recentes, falou-se bastante de ironia e da concepção irônica da realidade; mas esta concepção raramente configurou-se ironicamente. Mas quanto mais isto acontece, tanto mais certa e inevitável é também a ruína da realidade, tanto mais o sujeito irônico predomina sobre a realidade que ele quer aniquilar, e tanto mais livre ele é também. Aqui ele procede então silenciosamente na mesma operação como a ironia do mundo. Ele deixa o existente subsistir (*det Bestaaende bestaae*), mas para ele este não tem nenhuma validade; às vezes, ele faz como se este tivesse validade para ele, e sob esta máscara o empurra rumo à ruína certa. Contanto que o sujeito irônico esteja historicamente justificado, há aqui *uma unidade* do *genial* e da *reflexão* artística.

Entretanto, já que a ironia é uma determinação da subjetividade, então ela também tinha de se mostrar lá onde a subjetividade pela primeira vez apareceu na história universal. Com efeito, *a ironia é a primeira e a mais abstrata determinação da subjetividade*. Isso aponta para aquela virada histórica em que a subjetividade pela primeira vez apareceu, e assim nós chegamos a Sócrates.

Na primeira parte desta dissertação já foi suficientemente esclarecido como era a *ironia de Sócrates*. Toda a realidade dada tinha perdido para ele sua validade, ele se tornara *estranho a toda realidade da substancialidade*. Este é um dos lados da ironia; mas, pelo outro lado, *Sócrates se serviu da ironia* para destruir o helenismo (*Graeciteten*); seu comportamento frente a este era constantemente irônico; ele era ignorante e nada sabia, mas procurava constantemente esclarecimento junto aos outros; mas, deixando assim a ordem existente subsistir, ele a arruinou. Esta tática ele conservou até o fim, o que se mostra especialmente quando foi processado. Mas o zelo neste serviço o devorou, e *finalmente a ironia o agarrou*, o tonteou, tudo perdeu sua realidade. Esta concepção de Sócrates e da significação de seu ponto de vista na história universal me parece arredondar-se tão naturalmente em si mesma (*at afrunde sig i sig selv*), que ela conseguirá, como espero, ser aceita por um ou outro leitor. Dado, porém, que Hegel se recusa a compreender o ponto de vista de Sócrates como ironia, torna-se necessário tomar em consideração as objeções que se encontram aqui ou ali em seus escritos.

Antes eu quero, por quanto estiver em minhas forças, tentar elucidar uma fraqueza de que parece padecer toda a concepção de Hegel do conceito ironia. Hegel fala sempre da ironia com muita aversão; a ironia, a seus olhos, é uma abominação. A época da aparição de Hegel coincide com o período mais glorioso de Schlegel. Mas assim como a ironia dos Schlegel havia feito, na estética, o julgamento de uma sentimentalidade que se alastrava, assim também era Hegel aquele que devia corrigir o desacerto que havia na ironia. Um dos maiores méritos de Hegel consiste em ter detido, ou pelo menos ter tentado deter os filhos perdidos da especulação em seu caminho de perdição. Para isso, porém, nem sempre ele utilizou os meios mais suaves, e a sua voz, quando os interpelava, nem sempre era suave e paternal, mas frequentemente tinha algo de áspero como num mestre-escola. Os adeptos da ironia eram os que mais o importunavam, e ele logo em seguida perdeu a esperança de salvá-los e os tratou a partir de então como pecadores irrecuperáveis e empedernidos. Sempre que se lhe oferece a oportunidade Hegel fala desses irônicos, sempre tratados da maneira mais altiva, sim, Hegel olha para eles de cima para baixo, com enorme desdém e altivez, para esses que ele chama de "ilustres personalidades". Mas o fato de Hegel ter *desdenhado esta forma de ironia* que lhe estava mais próxima prejudicou, naturalmente, sua concepção do conceito (*hans Opfattelse af Begrebet*). Daí por que não ganhamos uma verdadeira análise, mas em compensação Schlegel sempre ganha uma boa sova. Com isso não se quer dizer, de modo nenhum, que Hegel não tenha razão contra os irmãos Schlegel, e que a ironia da dupla Schlegel e Schlegel não tenha sido um desvio muito grave; e também com isso não se quer negar que Hegel tenha contribuído proveitosamente pela seriedade com que se opõe a qualquer isolação, uma seriedade que faz com que se possa ler muitas de suas análises com bastante edificação e reconforto. Por outro lado, não se pode omitir que Hegel, ao se voltar unilateralmente contra a ironia pós-fichteana, *deixou de perceber a verdade da ironia*, e, ao identificar toda ironia com aquela, foi injusto com a ironia. Logo que Hegel enuncia a palavra ironia, imediatamente vem a pensar em Schlegel e Tieck, e seu estilo instantaneamente se impregna de uma certa exasperação. No seu devido lugar, deve ser esclarecido em que consiste o errôneo e injustificado na ironia de Schlegel, bem como o mérito de Hegel em relação a isto. Retornemos agora à sua maneira de considerar a ironia de Sócrates.

Anteriormente nós já chamamos a atenção para o fato de que *Hegel*, ao expor o *método de Sócrates*, destaca especialmente duas formas, sua ironia e sua maiêutica (arte de parteira, Gjordemoderkunst). Sua exposição a respeito se encontra na *História da filosofia*, 2º vol., p. 59-67. A análise da ironia socrática é às vezes bastante resumida, em compensação, Hegel aproveita a oportunidade para bradar contra a ironia enquanto princípio geral, e acrescenta, à p. 62: "Foi Frederico Schlegel quem inventou por primeiro este pensamento, Ast repetiu suas palavras"; e depois seguem as palavras sérias que Hegel costuma pronunciar em tais ocasiões. Sócrates finge ser ignorante e, sob aparência de se deixar ensinar, ensina os outros. P. 60: "Este é então o lado da famosa *ironia socrática*. Ela tem nele a configuração subjetiva da dialética, ela é uma maneira de se comportar no trato com os outros; a dialética são as razões da coisa, a ironia é maneira especial de se comportar de pessoa a pessoa". Mas como um pouco antes era dito que Sócrates usa a mesma ironia "quando ele quer ridicularizar o modo dos sofistas", aqui logo emerge uma dificuldade; pois num dos casos Sócrates quer afinal ensinar, e no outro apenas confundir. Hegel lembra então que esta ironia socrática parece conter alguma inverdade; expõe, porém, em seguida, a justeza de seu comportamento. Enfim, mostra ele a verdadeira significação da ironia socrática, a sua grandeza. Esta consiste em que ela leva a concretizar e desenvolver, explicitar as representações abstratas. E acrescenta, à p. 62: "Quando digo que sei o que é a razão, o que é a fé, estas são então representações completamente abstratas; para que se tornem concretas é preciso que elas sejam explicitadas, que se pressuponha não ser conhecido o que elas são propriamente. Sócrates efetuou esta explicação de tais representações; e isto é o que há de verdadeiro na ironia socrática". Mas com isso acaba tudo *confundido*, a apresentação da ironia socrática perde todo seu peso histórico, e a passagem aqui citada é tão moderna que nem lembra Sócrates.

A questão de Sócrates não era, de nenhuma maneira, concretizar o abstrato, e os exemplos aduzidos foram escolhidos sem dúvida com muita infelicidade; pois eu não creio que Hegel pudesse para tanto introduzir analogias, a não ser que ele quisesse tomar todo Platão, sob o pretexto de que o nome de Sócrates é sempre usado em Platão, com o que ele entraria em confronto tanto consigo mesmo quanto com todos os demais. O que Sócrates queria *não era concretizar o abstrato*, mas sim, através do concreto imediato, levar o *abstrato a aparecer*. Por isso, diante destas observações hegelianas, basta lembrarmos, por um lado, a dupla forma de ironia que encontramos em Platão (pois é evidente que Hegel pensa naquela ironia que chamamos platônica, com a qual ele identifica, na p. 64, a ironia socrática), e, por outro lado, também a lei do movimento em toda a vida de Sócrates: ela não consistia em ir do abstrato para o concreto, mas sim ir do concreto para o abstrato, e *chegar constantemente até aí*. Quando, pois, toda investigação sobre ironia socrática em Hegel termina identificando-a com a platônica, e tanto a socrática quanto a platônica ficam sendo "uma maneira de conversação, uma animação social ou mundana, mais do que com ela se pudesse compreender aquela negação pura, aquela relação negativa" (p. 64), temos então que tais observações já foram respondidas nas partes precedentes. Ao expor a *maiêutica* de Sócrates, Hegel também não se sai melhor. Ali ele desenvolveu o significado do questionamento socrático, e tal exposição é tão bela quanto verdadeira; mas *a distinção* que nós fizemos anteriormente, entre perguntar para *receber* uma resposta e perguntar para confundir, não é percebida. O exemplo que ele escolhe no final, do conceito de dever, não tem, com efeito, nada de socrático, a não ser que ele pretenda encontrar um desenvolvimento socrático no *Parmênides*. – E quando ele fala, finalmente, da ironia *trágica* de Sócrates, temos de lembrar que *não* é a ironia de Sócrates, e sim a ironia do mundo com Sócrates. Igualmente, esta noção não pode esclarecer nada com referência à questão da ironia socrática.

No *Comentário às obras de Solger*, à p. 488, Hegel chama a atenção mais uma vez para a diferença entre a ironia de Schlegel e a de Sócrates. Que haja diferença, nós já concedemos, e no lugar adequado ainda iremos mostrar melhor, mas daí não se segue de modo algum que o ponto de vista de Sócrates não seja ironia. Hegel censura Fr. Schlegel porque este, sem compreender o especulativo e deixando-o de lado, arrancou a proposição fichteana sobre a validade constitutiva do eu de seu contexto metafísico, arrancou-a do terreno do pensamento e a aplicou diretamente à realidade "para negar a realidade viva da razão e da verdade e para reduzi-las à aparência no sujeito e ao parecer para os outros". Ele então chama a atenção para o fato de que, para caracterizar esta falsificação da verdade em aparência, ousou-se deturpar o nome da inocente ironia socrática. Com efeito, quando se colocou a semelhança no fato de que Sócrates sempre entrava em uma investigação asseverando nada saber, para confundir os sofistas, o resultado deste comportamento é sempre algo negativo, que fica sem resultado científico. Até aí a asserção de Sócrates, de que nada sabia, está dada como seriedade completa, e assim ele *não é irônico*. Eu não quero aqui aprofundar a questão da dificuldade que surge ao mostrar Hegel aí que o ensinamento de Sócrates acabava sem resultado, quando aproximamos isto da outra explicação hegeliana, apresentada anteriormente, de que o ensinamento de Sócrates concretizava o abstrato, mas por outro lado eu quero ver em maiores detalhes *até que ponto* a ignorância era *algo de sério para Sócrates*.

Anteriormente já foi mostrado que Sócrates, quando dizia que era ignorante, sabia, contudo, dado que tinha ciência de sua insciência, e também se mostrou que sua ciência não era contudo uma ciência de algo, quer dizer, não tinha um conteúdo positivo, e, portanto, sua ignorância era irônica, e dado que Hegel, conforme eu vejo, inutilmente tentou vindicar para ele um conteúdo positivo, eu acho que o leitor neste ponto pode dar-me razão. Se o seu saber fosse um saber de algo, então sua ignorância teria sido apenas uma *Conversationsform* (forma de conversação). Agora, porém, *sua ironia está completa em si* mesma. Neste ponto, *é séria* a sua ignorância *ao mesmo tempo em que também não é séria*, e neste *ponto extremo* temos que manter Sócrates. Que alguém saiba que não sabe é o início do ficar sabendo, mas quando não se sabe mais do que isso, então é só um início. É este saber que mantém Sócrates irônico. Logo que Hegel, tendo chamado a atenção para o fato de que a ignorância de Sócrates era uma coisa séria, acha que pode mostrar com isso que sua ignorância não era irônica, parece de novo que Hegel não é constante. Com efeito, quando a ironia deve formular um enunciado supremo, acontece aí como para todos os pontos de vista negativos, ela pronuncia algo de positivo, ela leva a sério aquilo que diz. Para a ironia nada está estabelecido, ela vira e mexe com tudo *ad libitum*; mas se ela quer enunciar isto, diz algo de positivo, com o que então a sua soberania neste ponto acaba.

Quando, pois, Schlegel ou Solger diz: a realidade é apenas aparência, ilusão, apenas vacuidade, um nada, ele quer dizer isto evidentemente com seriedade, e não obstante Hegel diz que isto é ironia. A dificuldade que aqui se encontra está propriamente em que ironia no sentido estrito jamais pode ser formulada num enunciado, porque a ironia é *uma determinação do sujeito que-é-para-si*, que em constante agilidade nada deixa subsistir, e por causa desta agilidade *não consegue concentrar-se* numa *visão de conjunto* como esta de não deixar nada subsistir. A consciência que Schlegel e Solger têm de que a finitude não é nada, é evidentemente tão seriamente pensada como a ignorância de Sócrates. Em última instância, o irônico precisa sempre pôr algo, mas aquilo que ele assim põe é nada. Ora, é impossível que se possa tomar a sério o nada, sem se chegar a algo (o que acontece, quando ele é tomado especulativamente a sério), ou então se desesperar (quando ele é tomado pessoalmente a sério). Entretanto, o irônico não faz nem uma coisa nem outra, e neste sentido se pode dizer que ele não leva a sério nada disso. A ironia é o jogo infinitamente leve com o nada, que não se assusta com ele, mas torna sempre a enfrentá-lo de cabeça erguida. Quando não se toma o nada especulativamente ou pessoalmente a sério, então é claro que ele é tomado levianamente, e é *nesta medida* que ele não é levado a sério. Caso Hegel quisesse dizer que Schlegel não levava a sério que a existência é um nada sem realidade, deveria haver aí alguma coisa que para Schlegel tivesse validade, mas então sua ironia seria mera forma. Pode-se dizer então da ironia que ela *leva* (*o*) *nada a sério*, na medida em que não leva coisa alguma a sério. Ela concebe o nada sempre em oposição a algo, e, para libertar-se da seriedade de alguma coisa, agarra o nada. Mas o nada também não é levado a sério, a não ser no sentido de que não há seriedade em relação a nenhuma coisa. Assim ocorre também com a ignorância de Sócrates, sua insciência é o nada, com o qual ele aniquila qualquer saber. Isto se pode ver melhor em sua concepção da morte.

Ele não sabe o que é a morte e o que há depois da morte, se há algo ou simplesmente não há nada, ele é então ignorante: mas esta ignorância não o incomoda, pelo contrário, ele se sente propriamente bem livre nela, e, no entanto, para ele há uma seriedade total no fato de ele ser ignorante. – Eu creio, por isso, que me darão razão num ponto: que com essas observações de Hegel não fica estabelecido nada que proíba supor que o ponto de vista de Sócrates é ironia.

Resumamos: o que na primeira parte desta dissertação foi salientado como característico do ponto de vista de Sócrates, que toda a vida substancial do helenismo tinha perdido a validade para ele, isto quer dizer: que a realidade existente era para ele irreal, e isto não num ou noutro sentido apenas, mas sim em sua totalidade global como tal: que ele, em relação a esta realidade sem validade, fingiu deixar a ordem estabelecida subsistir, e assim a conduziu à ruína: que ele então ia ficando cada vez mais leve, sempre mais leve, cada vez mais livre negativamente: assim nós vemos que *este ponto de vista de Sócrates*, de acordo com a análise que fizemos, era, enquanto *negatividade infinita absoluta, ironia*. Entretanto, não era a realidade em geral que ele negava, mas era a realidade dada a uma certa época, a da substancialidade tal como existia na Grécia, e o que a ironia exigia era a realidade da subjetividade, a realidade da idealidade. A história julgou que Sócrates estava justificado aos olhos da história universal. Ele foi uma vítima. É sem dúvida um destino trágico, no entanto, a morte de Sócrates propriamente não é trágica: no fundo, o Estado grego chega tarde com sua condenação à morte, e, por outro lado, não tira uma grande edificação da execução da pena de morte, pois a morte não tinha para Sócrates nenhuma realidade. Para o herói trágico, a morte tem validade; para ele, a morte é na verdade a última luta e o último sofrimento. Com isso, a contemporaneidade que ele queria aniquilar pode satisfazer sua sede de vingança. Mas uma tal satisfação o Estado grego não podia conseguir com a morte de Sócrates; pois Sócrates, com sua ignorância, tinha impedido toda comunicação mais plena de sentido com o pensamento da morte. É verdade que o herói trágico não teme a morte, mas reconhece nesta um sofrimento, uma passagem pesada e dura, e neste sentido tem validade sua condenação, mas Sócrates não sabe simplesmente nada, e neste sentido é uma *ironia sobre o Estado*, que o condena a perder a vida, e com isso crê que o *puniu*.

A IRONIA APÓS FICHTE

Foi, para lembrarmos apenas coisas suficientemente conhecidas, em Kant que a moderna especulação, que agora se sentia adulta e emancipada, cansou-se da tutela, na qual tinha vivido até ali sob o *dogmatismo* e se dirigiu, como o filho pródigo, ao seu pai e exigiu que fizesse o inventário e a partilha com ela. É bem conhecido o resultado desta partilha, e como a especulação nem precisou viajar ao estrangeiro para desperdiçar seus meios, pois não havia abundância. Quanto mais, *no criticismo*, o eu mergulhava na contemplação do eu, tanto mais magro, sempre mais magro ficava este eu, até que acabou tornando-se um fantasma, imortal como o marido de Aurora*. Aconteceu com o eu o mesmo que com o corvo, que, encantado com os elogios da raposa sobre sua pessoa, deixou cair o queijo. Enquanto a reflexão refletia constantemente sobre a reflexão, o pensamento se desencaminhou, e cada passo que ele dava adiante o afastava naturalmente mais e mais de todo conteúdo. Aqui se mostrou o que se mostrará em todos os tempos, que quando se quer especular é especialmente importante estar na direção correta. O pensamento nem percebeu que aquilo que procurava estava no seu próprio procurar, e que se não o quisesse procurar ali, não o encontraria em toda a eternidade. Aconteceu com a filosofia o mesmo que com um homem que está de óculos e apesar disto procura por eles, procura diante do nariz o que está em seu nariz, e por isso nunca o encontra.

Mas este dado exterior para a experiência, que como um corpo sólido colidia com aquele que fazia a experiência, ambos se distanciando em seguida com a força da velocidade da colisão, a *Ding an sich* (coisa em si), que continua sempre tentando o sujeito da experiência (assim como uma certa escola na Idade Média acreditava que os sinais sensíveis na Eucaristia estavam aí para tentar a fé) – este exterior, esta *Ding an sich* era o que constituía a fraqueza do sistema de Kant. Sim,

---

* Segundo a mitologia grega, Aurora, a deusa de dedos de rosa, conseguiu a imortalidade para seu marido, Titão, mas sem a permanente juventude. Com o tempo, o belo amante se converteu num velho decrépito [N.R.].

permaneceu a pergunta, se o eu não seria ele mesmo uma *Ding an sich*. Esta questão foi levantada e respondida por *Fichte*. Ele removeu a dificuldade com este *an sich*, colocando-o no interior do pensamento, infinitizou o eu no Eu-Eu. O eu producente é o mesmo que o eu produzido. O Eu-Eu é a identidade abstrata. Com isso Fichte liberou infinitamente o pensamento. Mas esta *infinitude do pensamento*, em Fichte, é, como toda infinitude fichteana, uma *infinitude negativa* (sua infinitude moral é um contínuo esforço pelo esforço; sua infinitude estética é continuamente produzir pelo produzir; a infinitude de Deus é continuamente desenvolvimento pelo desenvolvimento), é, pois, uma infinitude em que não há nenhuma finitude, uma infinitude sem nenhum conteúdo. Ao infinitizar desta maneira o eu, Fichte fez valer um idealismo, em relação ao qual toda realidade empalidecia, um acosmismo, em relação ao qual seu idealismo se tornou realidade, embora fosse docetismo. Com Fichte, o pensamento se torna infinitizado, a subjetividade se torna a negatividade infinita, absoluta, a tensão e a aspiração infinitas. Daí provém a importância de Fichte na ciência. Sua *Wissenschaftslehre* (Doutrina da Ciência) infinitizou o saber. Mas o infinitizou negativamente, e assim ele obteve, em vez da verdade, a certeza, alcançou não a infinitude positiva, mas negativa, na identidade absoluta do Eu consigo mesmo; em vez de um esforço positivo, isto é, a felicidade, um esforço negativo, isto é, um dever.

Mas, justamente por este fator negativo, o seu ponto de vista tinha um entusiasmo infinito, uma infinita elasticidade. Kant carece da infinitude negativa, Fichte, da positiva. Fichte tem por isso um mérito absoluto na questão do método; com ele a ciência se tornou um todo de um só bloco. Mas na medida em que Fichte fixou a identidade abstrata no Eu-Eu, na medida em que ele, em seu reino idealista, não quis ter nada a ver com a realidade, ele alcançou o *início absolu-*

to, a partir do qual queria construir o mundo, e a respeito do qual tanto se falou. O eu se tornou o constituinte. Mas dado que o eu só era concebido de maneira formal e, portanto, negativa, Fichte permaneceu propriamente parado nos *molimina* (esforços) infinitamente elásticos de um início. Ele tem o impulso infinito do negativo, seu *nisus formativus* (esforço criador), mas o tem como uma impetuosidade que não consegue sair do lugar, o tem como uma impaciência divina e absoluta, como uma força infinita, contudo inoperante, porque nada há a que ela se possa aplicar. É uma potenciação, uma exaltação, potente como um deus, capaz de levantar o mundo inteiro, e, contudo, nada tendo para levantar. O ponto de partida do problema da filosofia foi assim trazido à consciência, é com a ausência de pressuposições que ela deve começar, mas a enorme energia deste começo não vai adiante. Pois, para que o pensamento, a subjetividade, adquira sua plenitude e verdade, *é preciso que se deixe nutrir*, precisa mergulhar na profundidade da vida substancial, abrigar-se ali como a comunidade se abriga em Cristo, é preciso, em parte com angústia, em parte com simpatia, em parte recuando, em parte se entregando, que se deixe tragar pelas ondas do mar substancial, assim como no instante do entusiasmo o sujeito quase se perde diante de si, mergulha e afunda naquilo que o entusiasma, e, contudo, sente um suave arrepio, porque se trata da sua vida. Há que ter coragem, porém, isto é necessário, pois todo aquele que quiser salvar a sua alma perdê-la-á. Mas não é a coragem do desespero; pois como Tauler diz, de maneira tão bela, a propósito de uma situação muito mais concreta:

> "Doch dieses Verlieren, dies Entschwinden
> Ist eben das echte und rechte Finden"
> (Pois este perder, este desaparecer,
> é justamente o verdadeiro encontrar).

É sabido que Fichte abandonou mais tarde este ponto de vista, que tenha tido muitos admiradores e poucos seguidores, e procurou em alguns escritos de ocasião numa maneira mais edificante acalmar e diminuir a "plerosofia" (plenitude do entendimento) anterior. Por outro lado, ele também procurou, como se depreende dos escritos póstumos, publicados por seu filho, tornar-se senhor e mestre daquela infinitude negativa, em se aprofundando na essência própria da consciência. Isto, entretanto, não concerne à nossa investigação, enquanto, pelo contrário, eu quero aqui ater-me somente ao ponto de vista que se liga *ao primeiro Fichte*, isto é, à ironia de Schlegel e de Tieck.

Com Fichte, a subjetividade se tornara livre, de maneira infinita e negativa. Mas para sair deste movimento da ausência de conteúdo, em que se movia em infinita abstração, ela precisava ser negada; para que o pensamento pudesse ser real, precisava tornar-se concreto. Com isso destaca-se a questão da realidade metafísica. Este princípio fichteano, de que a subjetividade, o *eu*, tem *validade constitutiva* e é o único onipotente, conquistou *Schlegel* e *Tieck*, e a partir daí eles operaram no nível do mundo. Disto resultou uma dupla dificuldade. Em primeiro lugar, confundiu-se o eu empírico e finito com o Eu eterno; em segundo lugar, confundiu-se a realidade metafísica com a realidade histórica. Aplicou-se assim sem mais nem menos um ponto de vista *metafísico* incompleto à *realidade*. Fichte queria construir o mundo; mas o que ele tinha em mente era um construir sistemático. Schlegel e Tieck queriam inventar um mundo[8].

Daí se vê que esta ironia não estava a serviço do espírito do mundo. Não era um momento da realidade dada que devia ser negado e desalojado por um novo momento; mas toda *realidade histórica* era negada, para abrir lugar a uma realidade autoproduzida. Não era a subjetividade o que devia surgir aqui, pois a subjetividade já estava presente nas relações do mundo, mas era uma subjetividade exaltada, uma *segun-*

da potência da subjetividade. Logo se vê que esta ironia era completamente injustificada, e que a atitude de Hegel frente a ela tem sua razão de ser.

A ironia[9] se apresentava então como aquela, diante da qual nada estava estabelecido, nada subsistia (Intet var Bestaaende), como aquela que tinha acabado com tudo, e ao mesmo tempo como aquela que tinha plenos poderes para fazer tudo. Quando deixava algo subsistir, é que sabia que tinha poder para aniquilá-lo, e o sabia, no mesmo instante em que o deixava subsistir. Se ela punha algo, é que sabia que tinha autoridade para aboli-lo, e o sabia no mesmo instante em que o punha. Ela se sabia de posse do *poder absoluto para ligar e desligar*. Ela tinha o domínio tanto sobre ideias quanto sobre fenômenos, e aniquilava uns pelos outros. Ela aniquilava o fenômeno mostrando que ele não correspondia à ideia; aniquilava a ideia mostrando que ela não correspondia ao fenômeno. Em ambos os casos com toda razão, dado que a ideia e o fenômeno só existem um no outro e um com o outro. E, em tudo isso, a ironia ia levando sua vida sem cuidados; pois o sujeito era suficientemente homem para fazer tudo isso; pois quem é tão grande como Alá, e quem pode subsistir diante dele?

Mas a realidade (a realidade histórica) entra *em relação* com o sujeito *numa dupla maneira*: parte como *um dom*, que não se deixa desdenhar, e parte como *uma tarefa*, que quer ser realizada. A discrepância, que a ironia estabelece com a realidade, já está suficientemente indicada quando se diz que a *orientação irônica é essencialmente crítica*. Tanto o seu filósofo (Schlegel) como o seu poeta (Tieck) são críticos. Não se emprega então o sétimo dia – que sob muitos aspectos se pretende que deva ter chegado em nosso tempo – para descansar da obra histórica, mas sim para criticar. Mas crítica geralmente exclui simpatia, e existe uma crítica, para a qual qualquer coisa estabelecida subsiste tão pouco quanto qualquer inocência diante da desconfiança política. Entretanto, não se criticaram os antigos clássicos, não se criticou, como Kant, a consciência, mas se criticou a própria realidade. Ora, bem pode haver muita coisa na realidade que exige a crítica, e o mal no sentido de Fichte, a indolência e a preguiça, podem muito bem ter tomado conta de muita coisa, e sua *vis inertiae* (força de inércia) pode exigir uma correção, ou, com outras palavras, pode ter havido muito existente de fato que, justamente porque não era realidade, precisava ser cortado; mas por causa disso de maneira nenhuma se poderia justificar dirigir seu ataque crítico contra toda a realidade. Que Schlegel foi crítico, basta que eu o lembre; mas que Tieck também foi crítico, aí igualmente se me dará razão, se não se pretender contestar-me o fato de que Tieck introduziu em seus dramas sua polêmica contra o mundo, e de que esta, para ser compreendida, pressupõe um indivíduo polemicamente desenvolvido, uma circunstância que também contribuiu para que eles permanecessem relativamente menos populares do que teriam merecido devido à sua genialidade.

Quando eu dizia, mais acima, que *a realidade* em parte *se apresenta como um dom* (*Gave*), ficava assim expressada a relação do indivíduo com um passado. Este passado quer então ter validade para o indivíduo, não quer ficar despercebido ou ser ignorado. Para a ironia, ao contrário, propriamente não há *nenhum passado*. Isto se deve a que a ironia se evadiu de investigações metafísicas. Ela confundiu o eu temporal com o Eu eterno. Mas este Eu eterno não tem nenhum passado, e por conseguinte este eu temporal também não tem nenhum. Na medida, porém, que a ironia quer ter a gentileza de assumir um passado, este precisa ser *de tal natureza* que a ironia possa resguardar sua liberdade sobre ele, e possa fazer o seu jogo com ele. É por isso que a parte mítica da história – as sagas e as aventuras – foi o que mais encontrou graça aos seus olhos. Por outro lado, a história propriamente dita, onde o verdadeiro indivíduo tem sua liberdade positiva, porque é nela que ele tem suas premissas, precisava ser deixada de fora. Para tanto, a ironia fez como Hércules, quando este lutou contra Anteu, invencível enquanto tivesse contato com a terra. Hércules, como se sabe, levantou Anteu, afastando-o do chão, e assim o dominou. A ironia fez a mesma coisa com a realidade histórica. Com um gesto toda história se tornou mito – poesia – lenda – aventura. E desta maneira a ironia ficava novamente livre. Agora ela podia fazer sua escolha e agir como bem entendesse. Suas preferências foram principalmente para a Grécia e a Idade Média. Entretanto, ela não se perdia em concepções históricas, o que ela sabia era *Dichtung und Wahrheit* (Poesia e Verdade). Ora ela vivia na *Grécia*, sob o belo céu grego, perdida no gozo presente da vida harmônica grega, e aí vivia de modo a ter sua realidade nisto.

Mas quando ficava fatigada disso, empurrava esta realidade posta arbitrariamente para tão longe de si, que esta desaparecia completamente. O mundo grego não tinha nenhuma validade para ela como um momento da história do mundo, mas tinha validade para ela, e validade absoluta, só porque isto lhe agradava. Ora ela mergulhava nas florestas primitivas *da Idade Média*, escutava o murmúrio misterioso das árvores e se aninhava em suas cristas frondosas, ora se refugiava em suas cavernas obscuras, em resumo, buscava na Idade Média sua realidade na companhia de cavalheiros e trovadores, apaixonava-se por uma nobre donzela, montando um corcel fogoso e com um falcão de caça agarrado ao seu braço estirado. Mas quando esta história de amor perdia sua validade, a Idade Média recuava ao infinito, e se perdia mais e mais, seus contornos cada vez mais vagos nos bastidores da consciência. A Idade Média não tinha nenhuma validade para ela enquanto um momento da história universal, mas validade e validade absoluta, só porque a ironia se comprazia nisto. A mesma coisa se repete em *todos os domínios* teóricos. Por um momento, *esta ou aquela religião* era o absoluto para ela; mas ela sabia todo tempo muito bem que a razão pela qual isto era o absoluto era porque a própria ironia assim o queria, e, com isso, ponto-final. No instante seguinte ela já queria outra coisa. Ela ensinava, por conseguinte, assim como é ensinado em *"Nathan, o Sábio"*, que todas as religiões são igualmente boas, e o cristianismo talvez a pior, e só para variar lhe agradava ser ela mesma uma cristã. A mesma coisa no terreno científico. Julgava e condenava todo e qualquer *ponto de vista científico*, estava sempre ditando sentença assentada o tempo todo na cátedra do juiz; agora, investigar, isto ela não fazia. Situava-se constantemente acima do objeto, e isto era aliás muito natural; pois só agora a realidade deveria iniciar. Com efeito, a ironia se evadira da questão metafísica sobre a relação da ideia com a realidade; mas a realidade metafísica sobrepaira ao tempo, e assim era impossível à realidade cobiçada pela ironia ser dada no tempo. É esta conduta, que só julga e condena, que Hegel (vol. XVI, p. 465) combate principalmente em Fr. Schlegel. Neste aspecto, jamais se poderá reconhecer suficientemente os grandes méritos *de Hegel* na compreensão *do passado histórico*. Ele não recusa o passado, mas sim o compreende; não despreza outros pontos de vista científicos, mas os ultrapassa.

Com Hegel, portanto, fica posta uma barreira contra aquela interminável conversa fiada de que a história universal deve iniciar agora, como se ela devesse iniciar precisamente às quatro horas ou no mais tardar antes das cinco. Se um ou outro hegeliano deu uma arrancada histórica tão formidável que não consegue mais deter-se e numa corrida tremenda vai para os quintos do diabo, Hegel não tem culpa nenhuma disso; e ainda que se possa, no que tange à contemplação histórica, realizar mais do que Hegel o fez, certamente ninguém que tenha uma ideia da significação da realidade efetiva será tão ingrato a ponto de, precipitando-se em ultrapassar Hegel, chegar a esquecer o que deve a este, se é que alguma vez o entendeu. Se se quisesse dizer o que é que autoriza a ironia a tomar a atitude mencionada, então se deveria dizer que é porque a ironia sabe que o fenômeno não é a essência. A ideia é concreta, e por isso tem de tornar-se concreta, mas este tornar-se concreto da ideia é justamente a realidade histórica. Nesta realidade histórica, cada elo particular tem sua validade como momento. A ironia, porém, não reconhece esta validade relativa. Para a ironia, a realidade histórica ora tem uma validade absoluta, ora não tem nenhuma; pois, afinal, ela assumiu para si o importante encargo de produzir a realidade.

Mas *a realidade* é também, para o indivíduo, *uma tarefa (Opgave) que quer ser realizada*. Aqui, se deveria crer, a ironia teria de mostrar-se em seu lado mais favorável; pois tendo ultrapassado toda a realidade dada, dever-se-ia crer que ela teria algo de bom para colocar no lugar desta. Mas este não é o caso, de maneira nenhuma; pois, como a ironia conseguiu dominar a realidade histórica fazendo-a flutuar, assim também ela própria acabou por tornar-se flutuante. *Sua realidade é somente possibilidade*. Com efeito, se o indivíduo agente deve estar em condições de resolver sua tarefa de realizar a realidade efetiva (at realisere Virkeligheden), então ele tem de se sentir integrado em um contexto maior, tem de sentir a seriedade da responsabilidade, tem de sentir e respeitar todas as consequências racionais. Disto a ironia está livre. Ela se sabe na posse de um poder de iniciar tudo de novo quando bem lhe parecer; não há passado que a comprometa, e assim como no plano teórico a ironia goza em liberdade infinita o seu poder crítico, assim também no plano prático ela goza uma liberdade divina semelhante que não conhece nenhum vínculo ou entrave, mas joga desenfreada e alegremente, retouçando como um Leviatã no mar. Livre a ironia o é, certamente, livre dos cuidados da realidade, mas também livre de suas alegrias, livre de suas bênçãos; pois como não há nada acima dela mesma, não pode receber nenhuma bênção; pois é sempre o menor que recebe a bênção do maior. É por essa liberdade que a ironia anseia. Por isso ela se vigia e nada a assusta mais do que ser dominada por alguma impressão; pois só quando se é livre desta maneira vive-se poeticamente e, como se sabe, a grande exigência da ironia é de que se deve *viver poeticamente*. Mas "viver poeticamente" era entendido pela ironia como algo de diferente e algo mais do que aquilo que qualquer homem sensato que tenha algum respeito pelo valor humano e alguma compreensão de sua originalidade entenderia com esta expressão. Ela *não* entendia, com tal expressão, a seriedade artística que vem em auxílio do divino no homem, e silenciosa e calmamente fica à escuta da voz do que é característico numa individualidade, buscando surpreender seus movimentos, para então colocá-los à disposição do indivíduo, fazendo com que toda a individualidade harmonicamente se desenvolva rumo a uma figura plástica completa em si mesma (i sig selv afrundet). Ela *não* entendia com isso o que vem à mente do cristão piedoso, quando ele toma consciência de que a vida é uma educação, uma formação que, bem-entendido, não deve fazer dele algo de totalmente diferente (pois o Deus dos cristãos não possui a onipotência negativa infinita do Deus dos maometanos, para o qual um homem do tamanho de uma montanha e uma mosca do tamanho de um elefante são tão possíveis quanto uma montanha da altura de um homem e um elefante tão pequeno quanto uma mosca, todas as coisas podendo ser perfeitamente diferentes do que são), mas deve justamente desenvolver os germes que o próprio Deus plantou no homem, já que o cristão tem consciência de si como aquele que tem realidade diante de Deus. Aqui o cristão também vem em auxílio de Deus, torna-se como que o seu colaborador no terminar a boa obra que o próprio Deus começou.

Com aquela expressão a ironia *não* se contentou com um protesto contra toda a vulgaridade, que não é outra coisa senão o produto lamentável do seu meio, contra todos estes homens ordinários, produzidos às dúzias, de que o mundo está cheio; ela queria algo mais. Pois uma coisa é se criar (poeticamente) a si mesmo, e uma outra coisa é se deixar criar. O cristão se deixa criar, e neste sentido um cristão bem simples vive muito mais poeticamente do que uma porção de cabeças talentosas. Mas até aquele que se cria a si mesmo no sentido grego reconhece que lhe foi posta uma tarefa. Por isso lhe importa tanto tomar consciência do dado original que há nele, e esta originalidade é o limite no interior do qual ele cria, e no interior do qual ele é poeticamente livre. A *individualidade* tem, portanto, um *fim*, que é seu fim absoluto, e sua atividade busca precisamente realizar este fim, saborear a si mesma em e durante esta realização, quer dizer, sua atividade consiste em se tornar *für sich* (por si) o que ela é *an sich* (em si). Mas assim como os homens ordinários não possuem nenhum "an sich", podendo vir a ser qualquer coisa, assim também o irônico não tem nenhum *an sich*. Não é, entretanto, por ele ser mero produto de seu meio; muito pelo contrário, ele paira acima de todo o seu meio; mas para bem poder viver poeticamente e para bem poder criar a si mesmo, o *irônico não pode ter nenhum an sich*.

Deste modo, a própria ironia se afunda naquilo que ela mais combate; pois um irônico adquire uma certa semelhança com o homem mais prosaico, só que o irônico tem a liberdade negativa, com a qual ele está por cima de si mesmo criando poeticamente. É por isso que o irônico tão frequentemente se torna em nada; pois para o homem vale o que não vale para Deus: que do nada não surge nada. Mas o irônico conserva constantemente para si sua liberdade poética, e quando ele nota que não se torna nada, então poetiza isto também; sabe-se que, entre as posições e colocações poéticas da vida preconizadas pela ironia, a mais nobre dentre elas é a de tornar-se simplesmente nada. Um *Taugenichts* (imprestável), por conseguinte, na poesia da escola romântica, é sempre a pessoa mais poética, e aquilo de que os cristãos, especialmente em tempos agitados, falam tão frequentemente, do tornar-se um louco aos olhos do mundo, o irônico já realizou à sua maneira, só que ele não está buscando o martírio, pois para ele aquilo é o gozo poético supremo. Entretanto, a infinita liberdade poética, que é sempre indicada como incluída neste "tornar-se nada", exprime-se também de uma maneira mais positiva, pois o indivíduo irônico frequentemente *percorreu na forma da possibilidade* uma multiplicidade de determinações, ele se vivenciou poeticamente nelas, antes de acabar no nada. Na ironia, a alma está sempre em peregrinação, assim como na doutrina pitagórica sobre o mundo, só que agora sem precisar de tanto tempo. Mas se fica para trás com relação ao tempo, ela leva vantagem em relação à multiplicidade de determinações, e certamente existem muitos irônicos que antes de encontrar descanso no nada percorreram *destinos* muito mais extraordinários que o daquele galo de que fala Luciano, um galo que primeiro tinha sido Pitágoras em pessoa, antes de se tornar Aspásia, a beleza ambígua de Mileto, depois fora o cínico Crates, depois um rei, um mendigo, um sátrapa, um cavalo, uma gralha, um sapo e mil outras coisas, que seria muito prolixo enumerar, finalmente um galo, e isto mais de uma vez, porque era o que mais lhe agradava. Para o irônico tudo é possível. Nosso Deus está no céu e faz tudo o que lhe agrada; o irônico está na terra e faz tudo o que lhe dá prazer. Não obstante, não se pode levar a mal no irônico que lhe custe tanto tornar-se alguma coisa; pois quando se tem diante de si uma possibilidade tão imensa, não é nada fácil escolher. Só para variar, o irônico acha justo deixar o *destino e o acaso* decidirem. Ele conta, por isso, nos dedos, como as crianças: *Edelmann, Bettelmann* (príncipe, mendigo), e assim por diante. E no entanto, como todas estas determinações só valem para ele como possibilidades, ele pode percorrer toda a escala quase tão depressa quanto as crianças. O que às vezes custa tempo ao irônico é o esmero que ele emprega *para vestir a roupagem correta*, adequada à personagem que ele mesmo inventou de ser. Neste aspecto, o irônico entende do assunto e possui um lote considerável de máscaras e fantasias à sua livre escolha. Ora ele anda com a face orgulhosa de um patrício romano, envolto em uma toga com orlas de púrpura, ou senta imponente com uma seriedade romana em uma *sella curulis* (cadeira curul); ora se oculta num humilde traje de peregrino penitente; ora se assenta com as pernas cruzadas como um paxá turco em seu harém; ora ele erra por aí sob os trajes de um terno tocador de cítara, com a leveza e a liberdade de um passarinho. Eis aí o que o irônico tem em mente quando diz que se deve *viver poeticamente*, e é isso que ele consegue ao poetizar a si mesmo.

Mas retornemos à observação anterior, de que uma coisa é *se deixar criar poeticamente* e uma outra é *criar a si mesmo poeticamente* (*digte sig selv*). Com efeito, aquele que se deixa criar tem também um contexto dado determinadamente, ao qual ele deve ajustar-se, e assim ele não se torna uma palavra sem sentido, arrancada de sua conexão. Mas, para o irônico, este contexto, que ele qualificaria de apêndice, não tem nenhuma validade, e como ele não está interessado em formar-se a si mesmo de maneira a ajustar-se ao seu meio, é preciso que aquilo que o circunda se deixe conformar com ele, ou seja, ele não apenas cria poeticamente a si mesmo, mas *poetiza igualmente seu mundo circundante*. O irônico fica aí parado, orgulhosamente fechado em si mesmo, e faz os homens desfilarem diante dele, como Adão com os animais, e não encontra companhia para si. Por essa atitude ele entra constantemente em colisão com a realidade a que pertence. Torna-se por isso importante *suspender* aquilo que é o constituinte da realidade efetiva, aquilo que a ordena e sustenta, isto é, *a moral e a vida ética*. E eis que nos encontramos agora no ponto que foi o principal objeto de ataque de Hegel. Tudo o que subsiste na realidade dada tem para o irônico *somente validade poética*; pois, afinal, ele vive poeticamente. Mas quando a realidade dada perde, desta maneira, a sua validade para o irônico, isto não acontece porque ela era uma realidade caduca, que devia ser substituída por uma outra mais verdadeira, e sim porque o irônico é aquele Eu eterno, para o qual nenhuma realidade é a adequada. Assim descobrem-se também agora as razões pelas quais o irônico se coloca para além da moral e da vida ética, atitude que o próprio Solger reprova, quando diz que não é o que ele entende por ironia. Propriamente não se pode dizer que o irônico se coloca fora e acima da moral e da vida ética, mas ele vive de uma maneira demasiado abstrata, demasiado metafísica e estética para poder chegar à concreção do moral e do ético. Para ele, a vida é um drama, e o que o ocupa é o enredo engenhoso do drama. Ele mesmo é espectador, ainda quando ele próprio é o ator. Infinitiza por isso o seu eu, volatiliza-o metafísica e esteticamente, e embora de vez em quando se recolha tão egoística e estreitamente quanto possível, em outras horas tremula tão solto e distendido, que o mundo inteiro poderia caber nele. Ele se entusiasma diante de uma virtude que se sacrifica, assim como um espectador se entusiasma no teatro; ele é um crítico rigoroso que sabe muito bem quando esta virtude se torna insípida e falsa. Ele é capaz de se arrepender, mas se arrepende estética e não moralmente. No instante do arrependimento, ele está esteticamente por cima de seu arrependimento, examina se este está correto esteticamente e se caberia bem como uma réplica na boca de uma personagem poética.

Na medida em que o irônico, com a licença poética maior possível, se cria a si mesmo e ao mundo circundante, na medida em que assim ele vive sempre no modo hipotético e subjuntivo, a sua vida *perde toda continuidade*. Com isso, ele se submete totalmente ao estado de ânimo (Stemning). Sua vida se reduz a *meras disposições afetivas* (lutter Stemninger). Ora, é certo que ter estas disposições de ânimo pode ser algo de muito verdadeiro, e nenhuma vida terrena é tão absoluta ao ponto de ignorar a contradição que aí reside. Mas numa vida saudável a disposição afetiva é afinal apenas uma potenciação da vida que de resto se agita e se move em alguém. Um cristão sério sabe muito bem que há instantes em que ele está tomado mais profundamente e de maneira mais viva pela vida cristã do que habitualmente; mas nem por isso ele se torna um pagão quando a disposição de ânimo passa. Quanto mais saudável e seriamente ele vive, tanto mais quer permanecer senhor de seu estado afetivo (Stemningen), quer dizer, tanto mais quer humilhar-se sob este e com isso salvar sua alma. Mas dado que não há nenhuma continuidade no irônico, assim se sucedem um ao outro os mais opostos estados de ânimo. Ora ele é um deus, ora um grão de areia. Suas tonalidades afetivas (Stemninger) são tão casuais como as encarnações de Brahma. E o irônico, que *se crê livre*, cai por isso sob a lei terrível da ironia do mundo e fica penando sob *a mais assustadora escravidão*. Mas o irônico é um poeta, e daí resulta que, mesmo sendo uma bola jogada pelos caprichos da ironia do mundo, nem sempre ele dá a impressão de o ser. Ele poetiza tudo, e poetiza junto os estados de ânimo.

Para ser livre de fato, ele precisa ter as tonalidades afetivas em seu poder, por isso cada tonalidade afetiva tem de ser instantaneamente substituída por outra. Se às vezes acontece que os estados de ânimo se sucedem um ao outro de maneira desesperada, até ele percebe que as coisas não andam muito bem; então ele se poetiza. *Ele inventa poeticamente* que é ele próprio que evoca os estados de ânimo, ele *poetiza* até paralisar-se espiritualmente e deixar de poetizar. A própria tonalidade afetiva, portanto, não tem nenhuma realidade para o irônico, e é raro que ele dê livre curso às tonalidades afetivas senão *sob a forma do contraste*. Suas aflições se ocultam no nobre incógnito do gracejo, sua alegria é envolvida em lamentações. Ora ele está a caminho do convento, e durante o trajeto visita a montanha de Vênus, logo ele se dirige à montanha de Vênus e durante a viagem reza em um convento.

Também os empreendimentos científicos da ironia avançam de acordo com o estado de ânimo. É isso principalmente o que Hegel condena em Tieck, e que também vem à luz em sua correspondência com Solger: ora tem todas as respostas, ora ele ainda procura; ora ele é dogmático, ora é cético; ora vai a Jacob Böhme, ora aos gregos, e assim por diante: é tudo uma questão de ânimo (*lutter Stemninger*). E no entanto, como afinal sempre deve haver um laço, para ligar num conjunto estes opostos, uma unidade onde se resolvam as enormes dissonâncias dessas tonalidades afetivas, olhando as coisas mais de perto também se encontrará esta unidade no irônico. *Tédio* é a *única continuidade* que o irônico tem. Tédio, esta eternidade sem conteúdo, esta felicidade sem gozo, esta profundidade superficial, esta saciedade faminta. Mas o tédio é precisamente a unidade negativa assumida numa consciência pessoal, em que os contrários desaparecem. Ninguém há de contestar que no momento atual tanto a Alemanha quanto a França possuem uma quantidade imensa de tais irônicos, e não precisam mais fazer-se iniciar nos mistérios do tédio por algum lorde inglês, membro itinerante de um clube do *spleen*; e alguns dentre estes jovens rebentos da Jovem Alemanha e da Jovem França há muito tempo estariam mortos de tédio se seus respectivos governos não se tivessem mostrado bastante paternais mandando prendê-los e assim lhes dando algo para refletir. Se se quiser ter um retrato magnífico de um tal irônico, que justamente por sua duplicidade de existência carece de existência, eu gostaria de lembrar apenas Asa-Loke*.

Vemos aqui como *a ironia permanece sempre negativa*: no aspecto teórico ela estabelece um desacordo entre ideia e realidade, entre realidade e ideia; no aspecto prático entre possibilidade e realidade, entre realidade e possibilidade. Para demonstrar isso, a seguir, no fenômeno histórico da ironia, eu devo percorrer um pouco mais em detalhes os seus representantes mais importantes.

FRIEDRICH SCHLEGEL

De Friedrich Schlegel, aqui se deve tomar como objeto de discussão o bem conhecido romance *Lucinde*, que se tornou o evangelho da Jovem Alemanha, o sistema para a sua "Reabilitação da Carne", e que para Hegel era algo abominável[10]. Esta discussão não está livre, contudo, de dificuldades; pois já que, como se sabe, *Lucinde* é um livro bastante lascivo, facilmente eu corro o perigo de, ao ressaltar tal ou qual passagem para um exame mais detalhado, tornar impossível para o leitor mais puro sair dessa totalmente são e salvo. Eu serei, contudo, tão cuidadoso e moderado quanto possível.

---

* Divindade escandinava, cujas ações – ora amistosas ora desleais – explicam a "duplicidade" a que se refere o autor [N.R.].

Para não cometer injustiça com Schlegel, deve-se recordar *as muitas inversões* que se introduziram furtivamente nos mais variados domínios da vida e têm sido incansáveis em tornar o *amor* tão dócil, tão bem amestrado, tão lânguido e rasteiro, tão indolente, tão útil e aproveitável como um animal doméstico, numa palavra, tão privado de erotismo quanto possível. Neste sentido, dever-se-ia estar muito grato a Schlegel se ele tivesse conseguido encontrar uma saída, mas infelizmente o clima descoberto por ele, o único sob o qual o amor poderia prosperar, não é um clima mais meridional em relação ao nosso clima do norte, mas é um clima idealizado que não se encontra em lugar nenhum. Por isso, não basta que os gansos e os patos domésticos do amor caseiro batam as asas e elevem uma formidável gritaria quando ouvem o pássaro selvagem do amor zunindo acima de suas cabeças; mas todo homem com um senso poético mais profundo, com anseios fortes demais para se deixar prender nas teias de aranha românticas, e com exigências à vida poderosas demais para se contentar com escrever um romance, deve aqui levantar seu protesto, justamente em nome da poesia, e deve procurar demonstrar que não é uma saída o que Fr. Schlegel encontrou, mas sim um desvio em que ele se desencaminhou, deve procurar demonstrar que viver não é a mesma coisa que sonhar. Se olharmos mais de perto aquilo que Schlegel combate com sua ironia, certamente ninguém há de negar que havia e que há muita coisa no início, na continuação e na conclusão da vida conjugal que merece uma tal correção e que leva o sujeito naturalmente a se libertar de tais coisas. Existe aí uma seriedade bitolada demais, uma ênfase na conveniência ou utilidade, uma *miserável teleologia* idolatrada por tantos homens e que exige como vítima adequada o sacrifício de todas as ambições infinitas. Assim, o amor não é *nada em si e para si*, mas apenas se torna algo graças a uma finalidade, submetendo-se assim àquela mesquinhez que faz "Furore" no teatro privado da família. "Ter intenções, agir por intenções, e urdir intencionalmente, de maneira artística, intenções com intenções; este mau costume está tão profundamente enraizado na louca natureza do homem semelhante a Deus que, se ele alguma vez quiser movimentar-se livremente na correnteza interior das imagens e dos sentimentos que fluem eternamente, até para isso ele terá de ditar-se verdadeiras prescrições e transformar isso em uma intenção" (p. 153). "É claro, a maneira como as pessoas amam, é outra coisa. Aí o homem ama na sua mulher o outro sexo, a mulher ama o marido somente em função de suas qualidades naturais e de sua existência burguesa, e ambos amam nos filhos apenas a obra e a propriedade deles" (p. 55). "Oh! é verdade, minha amiga, o ser humano é por natureza uma besta sisuda" (p. 57). Há uma rigidez moral, uma camisa de força, dentro da qual nenhum homem razoável consegue mover-se. Em nome de Deus, que se rompam! Em contraste com isso, há núpcias teatrais enluaradas de um romantismo exagerado, para as quais a natureza pelo menos não pode colocar nenhuma finalidade, e com cujas dores ínfecundas e abraços impotentes nem os estados cristãos nem os pagãos são servidos. Que a ironia desabe contra estas coisas. Porém, não é unicamente contra todas estas coisas que Schlegel dirige o seu ataque.

Há uma *concepção cristã* do casamento que teve audácia suficiente para anunciar, no momento mesmo das núpcias, a maldição, antes de proclamar a bênção. Há uma concepção cristã que submete tudo ao pecado, não conhece nenhuma exceção, nada poupa, nem a criança no seio da mãe, nem a mais bela das mulheres. Há uma seriedade nesta concepção, profunda demais para ser compreendida pelos ocupados trabalhadores do prosaico dia a dia, severa demais para ser ridicularizada pelos improvisadores do casamento. – Assim, já se passaram os tempos em que os homens viviam tão felizes sem cuidados e preocupações, tão inocentes, quando tudo era tão humano; então, os próprios deuses davam o tom, de vez em quando depunham sua dignidade celestial para surripiar o amor de mulheres terrenas; então, aquele que cautelosa e secretamente se dirigia furtivamente para um encontro marcado, podia temer, ou mesmo lisonjear-se com a possibilidade de ver um deus entre seus rivais; aqueles tempos em que o céu, alto e belo, curvava-se sobre amores felizes como testemunha amistosa, ou calma e seriamente os ocultava na quietude solene da noite; quando então tudo vivia para o amor, e tudo, por sua vez, era para os amantes felizes apenas um mito do amor. É aqui que se situa a dificuldade, e é a partir deste ponto de vista que se devem julgar todas as tentativas de Schlegel e da nova e da antiga geração romântica. *Aqueles tempos já passaram*, e mesmo assim *a nostalgia romântica recua* até eles, rumo aos quais empreende não *peregrinationes sacras*, mas *profanas*. Se fosse possível reconstruir um tempo desaparecido, então se deveria reconstruí-lo em toda a sua pureza, e deste modo o helenismo em toda a sua ingenuidade.

Mas isto o romantismo não faz. Propriamente, não é o helenismo que ele reconstrói, mas ele inventa um continente desconhecido. E não apenas isto, mas o seu prazer é altamemte refinado; pois ele não se contenta apenas em gozar ingenuamente, mas ao mesmo tempo quer permanecer consciente do aniquilamento da eticidade dada; é como que o paroxismo do seu gozo sorrir daquela eticidade sob o jugo da qual os outros, como se crê, suspiram, e aí está o livre jogo da arbitrariedade irônica. Ao colocar o espírito, o cristianismo pôs a discórdia entre a carne e o espírito[11], e, ou o espírito deve negar a carne, ou a carne negar o espírito. Esta última alternativa é a que o romantismo quer, e nisto é diferente do helenismo: porque no gozo da carne goza ao mesmo tempo a negação do espírito. Com isto ele intenta então *viver poeticamente*; eu creio, porém, que se mostrará que ele fica privado justamente do poético, pois só através da resignação resulta a verdadeira infinitude interior, e somente esta infinitude interior é em verdade infinita e em verdade poética.

A *Lucinde de Schlegel* quer suspender toda eticidade, ou, como Erdmann se exprime, com bastante felicidade: "Todas as determinações éticas são apenas jogo, é arbitrário para aquele que ama, se o casamento é monogamia, se o casamento é *en quatre* (a quatro) etc.[12]" E, vamos admitir, se Lucinde fosse meramente um capricho, filho fantasioso da arbitrariedade, balançando alegremente as pernas como a pequena Guilhermina, sem se preocupar com seu vestido e nem com o que os outros poderiam julgar; se fosse apenas uma travessura jocosa que encontrasse sua alegria em colocar tudo de cabeça para baixo, virando e revirando tudo; se fosse apenas uma ironia engraçada sobre toda a eticidade que se identifica com os usos e os costumes: quem haveria de querer ser tão ridículo para não rir disso tudo, onde haveria alguém tão cabeçudo que não se divertisse deliciosamente de bom grado? Entretanto, este não é de modo algum o caso, muito pelo contrário, Lucinde tem um *caráter* altamente *doutrinário*, e uma certa seriedade melancólica, que perpassa o livro, parece provir do fato de seu herói ter chegado tão tarde ao conhecimento daquela verdade maravilhosa, e assim uma parte de sua vida ter-se passado sem proveito. A "impudência" (*Frechheit*), à qual este romance se refere tão frequentemente, como que conclamando a ela, não é, portanto, uma caprichosa suspensão momentânea de valores objetivos, como se o emprego da palavra "impudência" aqui não fosse mais que uma travessura, que, por pura petulância, se aplicava em empregar uma expressão mais forte; não, esta impudência é aquilo que a gente chama sem mais nem menos impudência, mas que é tão amável e interessante que *a honestidade*, *a modéstia* e *a decência*, à primeira vista atraentes, ao seu lado se mostram como *personagens realmente insignificantes*. Que *Lucinde* tenha um tal caráter doutrinário (romance de tese), sobre isto concordará qualquer um que tenha lido o livro. E se alguém pretendesse negá-lo, eu lhe pediria para explicar a dificuldade seguinte: Como é que a Jovem Alemanha pôde enganar-se tanto? Se ele conseguisse responder satisfatoriamente, então eu gostaria de recordar que Schlegel, como se sabe, tornou-se católico depois, e como tal descobriu que a Reforma foi a segunda queda no pecado, o que indica suficientemente que ele levara a sério *Lucinde*.

Portanto, o que *Lucinde* pretende é *superar* toda eticidade, não só no sentido de usos e costumes, mas sim toda aquela eticidade que é a validade do espírito, *a dominação do espírito sobre a carne*. Também se mostrará, portanto, que ela corresponde exatamente àquilo que anteriormente caracterizamos como sendo o específico para o esforço da ironia: suprimir toda a realidade e pôr em seu lugar uma realidade que não é nenhuma realidade; e por isso também está totalmente certo que aquela jovem, ou melhor, aquela mulher, em cujos braços Julius encontrava repouso, que *Lucinde* "fosse também uma daquelas que têm uma queda muito grande para o romântico, e que não vivem no mundo ordinário, mas num mundo que elas mesmas criaram e pensaram" (p. 96), uma daquelas, portanto, que propriamente não têm nenhuma outra realidade além da realidade sensível, assim como uma das maiores tarefas de Julius fosse a de imaginar um abraço eterno, provavelmente como a única verdadeira realidade.

Se consideramos então *Lucinde* como um tal catecismo do amor, ele exige de seus discípulos "o que Diderot chama um conhecimento sensível da carne", "um dom raro", e se compromete a desenvolvê-lo até aquele senso artístico superior da volúpia (p. 29 e 30), e Julius se apresenta como sacerdote deste culto divino, "não sem unção", como aquele, "a quem a voz do próprio espírito se fez escutar através do céu aberto: Tu és meu filho amado, em quem tenho minha afeição" (p. 35), como aquele que conclama a si mesmo e aos outros: "Consagra-te a ti mesmo e anuncia que só a natureza é digna de honra e só a saúde é amável" (p. 27). O que Lucinde quer é *aquela sensualidade nua*, para a qual o espírito é um *momento negado*; aquilo a que ela se opõe é *aquela espiritualidade*, na qual a sensualidade é um *momento acolhido e incorporado*. Neste sentido, é incorreto quando a pequena Guilhermina, com dois anos de idade, "a pessoa mais espirituosa de sua época ou de sua idade" (p. 15), é apresentada como o seu ideal, pois em sua esfera sensível o espírito não é negado, dado que o espírito ainda não está presente. O que ele quer é a nudez, e é por isso que detesta o frio nórdico; quer escarnecer da estreiteza mental, que não consegue suportar a nudez. Se isto é de fato estreiteza mental, ou se, antes, a vestimenta que nos cobre é uma bela imagem de como deve ser toda sensualidade – pois quando a sensualidade está dominada espiritualmente ela não está de todo nua –, sobre isto não quero insistir, mas apenas recordar que se costuma desculpar a Arquimedes o fato de ter percorrido pelado as ruas de Siracusa, e certamente não por causa do clima ameno, meridional, mas sim porque a sua alegria espiritual, seu heureka, heureka o cobria suficientemente.

A confusão e a desordem que *Lucinde* quer introduzir no mundo estabelecido, o romance tenta ilustrar plasticamente com a mais completa *confusão na estrutura*. Julius narra por isso, logo no início, que junto com as demais regras da razão e da virtude ele também abandonou o estilo (p. 3), e à p. 5 ele diz: "Para mim e para este escrito, para meu amor por ele e para seu desenvolvimento em si, não há nada mais adequado do que, logo de começo, eu aniquilar aquilo que nós chamamos ordem e afastá-la bem dele e reivindicar para mim o direito a uma estimulante confusão, afirmando-a na prática". Com isso ele quer então alcançar o verdadeiramente poético, e quando ele renuncia a todo entendimento e deixa a fantasia reinar sozinha[13], bem pode ser que ele tenha sucesso e também o leitor, se colaborar, e consigam manter pela força da imaginação esta confusa mistura em uma única imagem em eterno movimento. – A despeito desta confusão eu quero mesmo assim me esforçar por trazer *uma espécie de ordem* à minha exposição e fazer com que o todo se agrupe em um determinado ponto.

O herói deste romance, Julius, não é nenhum Don Juan (o qual, com sua sensualidade genial, encanta a todos, como um feiticeiro; e que aparece com uma autoridade imediata, que mostra ser ele senhor e príncipe, uma autoridade que a palavra não pode descrever, mas da qual se pode ter uma ideia em alguns toques de arco absolutamente imperiosos de Mozart; e que não seduz, mas por quem todas querem ser seduzidas, e se sua inocência lhes fosse devolvida elas só desejariam ser seduzidas outra vez; um demônio, que não tem nenhum passado, nenhuma história do seu desenvolvimento, mas que como Minerva já salta para a vida completamente armado); o herói deste romance é uma *personalidade presa à reflexão*, que só se desenvolve sucessivamente. Em *Lehrjahre der Männlichkeit* (Anos de aprendizado da masculinidade) nós ficamos conhecendo esta sua história mais de perto. "Brincar de faraó com a aparência da mais viva paixão e contudo estar distraído e ausente; em um instante de ardor arriscar tudo e, logo depois de ter perdido, afastar-se dali indiferente: este era um dos maus hábitos, sob os quais Julius ia levando sua juventude selvagem" (p. 59). O autor crê ter *descrito a vida de Julius suficientemente com este único traço*. E nisto nós estamos plenamente de acordo com ele. Julius é um homem jovem que interiormente está dilacerado e exatamente graças a este dilaceramento recebeu uma ideia viva daquela magia dos duendes, que em poucos instantes podia tornar um homem muitos, muitos anos mais velho; um jovem que graças ao seu dilaceramento está na posse aparente de uma enorme quantidade de forças, tão certo como o entusiasmo do desespero dá forças atléticas; um jovem que já há muito tempo iniciou o *gran finale*, mas ainda levanta sua taça para o mundo com uma certa dignidade e graça, com uma certa leveza espiritual e reúne todas as suas forças num único alento para com uma partida brilhante lançar uma luz maravilhosa sobre sua vida que não teve nenhum valor e que não deixará nenhuma lacuna atrás de si; um homem jovem, que durante muito tempo esteve familiarizado com a ideia de um suicídio, mas as tempestades de sua alma não lhe deixaram tempo para tomar uma decisão. É, portanto, o amor quem o deverá salvar. Depois de ter estado bem próximo de seduzir uma inocente menininha (uma aventura que entretanto não tem absolutamente nenhuma outra consequência; pois ela era evidentemente inocente demais para poder satisfazer sua avidez de saber), encontrou em Lisette a mestra que ele precisava, uma instrutora que já há muito tempo se tinha consagrado aos mistérios noturnos do amor, e cujas lições públicas Julius tenta em vão restringir a aulas particulares e exclusivas.

O retrato de Lisette é talvez uma das coisas mais minuciosamente elaboradas de todo o romance, e o autor o tratou com visível predileção, tudo fazendo para lançar sobre ele uma luz poética. Como criança, ela tinha sido mais melancólica do que animada, mas já então *demoniacamente entusiasmada pela sensualidade* (p. 78). Depois tinha sido atriz, mas somente por pouco tempo, e sempre escarnecia de sua falta de jeito e do tédio que suportara. Por fim, ofertara-se totalmente ao serviço da sensualidade. Além da sua independência, o que ela amava desmesuradamente era o dinheiro, que, porém, sabia empregar com bom gosto. Compensavam seus favores ora uma soma de dinheiro, ora a satisfação de suas predileções caprichosas por um indivíduo. Seu *boudoir* era simples e despojado de todos os móveis costumeiros, apenas por todos os lados espelhos grandes e caros, e, entre estes, quadros suntuosos de Correggio e Ticiano. Em vez de cadeiras, autênticos tapetes orientais e alguns grupos de mármore da metade do tamanho natural. Aí ela se assentava à maneira turca durante o dia inteiro, sozinha, *com os braços cruzados ociosamente*, pois tinha horror a todo trabalho feminino. Ela se refrescava apenas de tempos em tempos com perfumes, e deixava então que o seu *jockey*, um garoto de uma beleza de estátua, que ela mesma seduzira quando ele tinha quatorze anos, lesse para ela história, relatos de viagens e contos. *Prestava pouca atenção*, a não ser quando surgia algo ridículo ou uma observação geral que ela considerasse verdadeira; pois não estimava nem tinha ouvidos para nada que não fosse realidade, e achava ridícula toda poesia. É esta a descrição que Schlegel faz de uma vida que, por mais pervertida que fosse, parece ter tido a pretensão de ser poética. O que aí predomina especialmente é o *ócio aristocrata*, que não está a fim de nada, não está a fim de trabalhar, e antes aborrece qualquer atividade feminina; não está a fim de ocupar o seu espírito, mas deixa aos outros esta tarefa; uma ociosidade que devora e esgota todas as forças da alma em um *gozo efeminado*, e deixa a própria consciência evaporar-se em um crepúsculo repulsivo. Mas gozo isto tinha de ser, pois afinal de contas gozar é viver poeticamente. O autor parece também querer atribuir um valor poético ao fato de que ao distribuir os seus favores ela nem sempre pensava em dinheiro; naqueles momentos em que o que determinava sua escolha não era o dinheiro, o autor parece querer elevar o seu miserável amor, dando-lhe um reflexo daquela dedicação que só o amor inocente possui, como se fosse mais poético ser um servo do humor do que ser escravo do dinheiro. Aí ela senta então neste aposento suntuoso, e, *perdida* para si mesma, é a *consciência* exterior, que os grandes espelhos produzem refletindo sua imagem de todos os lados, a única consciência que ela conservou. É por isso também que ela costumava, ao falar de si mesma, chamar-se de Lisette, e frequentemente dizia que, se soubesse escrever, escreveria a sua história, *como se fosse a de uma outra pessoa*, e falava geralmente de si mesma de preferência na terceira pessoa.

Mas isto não era, absolutamente, porque suas façanhas na terra tivessem a significação histórica igual às de César, como se sua vida não lhe pertencesse, mas ao mundo; era, isso sim, porque esta *vita ante acta* (vida anterior) lhe pesava demais, para que ela pudesse aguentar o seu peso. Refletir sobre esta vida, permitir que essas figuras ameaçadoras a julgassem, isso seria demasiado *sério* para poder ser poético. O que ela queria era deixar esta vida miserável diluir-se em contornos indefinidos, olhá-la pasmada, como algo completamente exterior a si mesma. Queria chorar por esta menina infeliz e abandonada, gostaria talvez de lhe dedicar alguma lágrima; porém, que esta menina fosse ela mesma, isto queria esquecer. Querer esquecer é uma fraqueza, e contudo em tal empenho pode às vezes revolver-se uma energia que aponta para algo de melhor; entretanto, pretender reviver poeticamente a si mesma de tal maneira que o arrependimento perca seu aguilhão, porque afinal de contas se trata de uma estranha, que não diz respeito a ela, e que o gozo ainda se possa elevar pela secreta cumplicidade, isto sim, é uma *covardia* terrivelmente efeminada. E não obstante é *este seu mergulhar na narcose estética*[14] que, propriamente, em todo o *Lucinde*, aparece como uma caracterização do que seja *viver poeticamente*, e que, ao envolver o eu mais profundo em um estado de sonambulismo, proporciona ao eu arbitrário um espaço livre para sua autossatisfação irônica.

Isso ainda deve ser objeto de uma investigação um pouco mais aprofundada. Muita gente procurou mostrar que esta espécie de literatura, à qual pertence *Lucinde*, é imoral; muita gente gritou oh! ai de vós! e tais lamúrias sobre o livro; e contudo, enquanto se permitir ao autor afirmar abertamente e ao leitor acreditar piamente que tais livros são poéticos, não se terá conseguido grande coisa, e isto tanto menos quanto o homem tem um direito ao poético tão grande como o direito que a moral tem sobre o homem. Que se diga então, e ainda por cima se prove, que eles são não apenas imorais, mas também *carentes de poesia* porque são *irreligiosos*; e que se diga de uma vez por todas que qualquer homem *pode viver poeticamente se o quiser em verdade*. Com efeito, se perguntarmos o que é poesia, poderemos responder com uma caracterização bem geral que ela é: uma vitória sobre o mundo; é através de uma negação daquela realidade imperfeita que a poesia inaugura uma realidade superior, alarga e transfigura o imperfeito em perfeito, e com isso atenua a dor profunda que quer escurecer tudo. Desta maneira, *a poesia é uma espécie de reconciliação*, mas *não é a verdadeira reconciliação*; pois ela não me reconcilia com a realidade em que eu vivo, com sua reconciliação não ocorre nenhuma transubstanciação da realidade dada, e sim ela me reconcilia com a realidade dada proporcionando-me uma outra realidade, superior e mais perfeita.

Quanto maior for então a oposição, tanto mais imperfeita será propriamente a reconciliação, de modo que muitas vezes não se tornará uma reconciliação, mas antes uma hostilidade. Somente o religioso estará, portanto, propriamente em condições de produzir ou viabilizar *a verdadeira reconciliação*; pois ele infinitiza a realidade para mim. O poético é por isso uma espécie de vitória sobre a realidade, mas a infinitização consiste aí mais numa emigração para fora da realidade do que num permanecer nela. Viver poeticamente é, portanto, viver infinitamente. Mas a infinitude pode ser ou uma infinitude exterior ou uma infinitude interior. O que quer gozar em poética infinitude tem então uma infinitude para si, mas esta é uma *infinitude exterior*. Com efeito, ao gozar eu estou constantemente fora de mim mesmo no outro. Mas uma tal infinitude deve necessariamente abolir a si mesma. Somente quando eu, ao gozar, não estou fora de mim mesmo, mas sim em mim mesmo, somente então o meu gozo é infinito; pois ele é *interiormente infinito*. Quem goza poeticamente, mesmo que gozasse o mundo inteiro, careceria ainda de um gozo, pois ele não goza a si mesmo. Mas gozar a si mesmo (naturalmente não no sentido estoico ou egoístico, pois aí novamente não há uma verdadeira infinitude, e sim no sentido religioso) é a verdadeira infinitude.

Feitas essas considerações, voltemos a encarar a exigência do *viver poeticamente como idêntico ao gozar* (e justamente porque o nosso tempo está tão profundamente penetrado pela reflexão, esta oposição entre a realidade poética e a realidade dada tem de se mostrar em uma configuração muito mais profunda do que jamais se viu no mundo; pois antigamente o desenvolvimento poético andava mano a mano com a realidade dada, mas hoje o que vale, em verdade, é o ser ou não ser, já que a gente não se contenta de viver poeticamente de vez em quando, mas exige que toda a vida seja poética): mostra-se então facilmente que se *perde o gozo supremo*, a verdadeira bem-aventurança, onde o sujeito não sonha, mas se possui a si mesmo em infinita lucidez, é absolutamente transparente a si mesmo; pois isto só é possível para o indivíduo religioso, que não tem sua infinitude fora de si, mas em si. – O vingar-se é assim um gozo poético, e os pagãos acreditavam que os deuses tinham reservado para si a vingança por ela ser doce; entretanto, ainda que eu satisfizesse absolutamente minha vingança, ainda que eu fosse um deus no sentido pagão, diante de quem tudo tremesse, e cujo fogo da ira pudesse consumir tudo, ainda assim, na vingança eu só gozaria a mim mesmo egoisticamente, meu gozo seria apenas uma infinitude exterior, e o mais simples de todos os homens, que não cedesse ao furor da vingança, mas dominasse sua ira, estaria muito mais próximo de ter vencido o mundo, e só ele gozaria a si mesmo em verdade, só ele teria infinitude interior, só ele viveria poeticamente. – Se quisermos, a partir deste ponto de vista, considerar a vida que em *Lucinde* é apresentada como uma vida poética, poderemos então admitir que há nela todo gozo possível, mas um predicado não se há de negar que temos o direito de usar para ela: que ela é uma vida *infinitamente covarde*.

Caso não se queira afirmar que ser covarde é idêntico a viver poeticamente, então seria bem possível que esta vida poética se mostrasse como bastante, ou, melhor dito, *completamente desprovida de poesia*; pois viver poeticamente não quer dizer tornar-se opaco a si mesmo, derreter-se a si mesmo num calorão repugnante, porém, quer dizer tornar-se lúcido e transparente a si mesmo, não em satisfação finita e egoística, mas sim em seu absoluto e eterno valor. E se isso não é possível para todo e qualquer homem, então a vida é loucura, e, portanto, é uma temeridade louca e sem igual que o indivíduo (den Enkelte), ainda que seja o mais talentoso entre todos os que viveram no mundo, queira imaginar que para ele foi reservado o que foi negado aos outros; pois das duas uma: ou ser homem é o absoluto, ou toda a vida é sem sentido, e o desespero a única coisa reservada para qualquer um que não seja tão insensato, tão desamoroso e orgulhoso, ou tão desesperado a ponto de crer que seja o eleito. A gente não se deve, portanto, restringir a ficar declamando algumas máximas morais contra toda aquela tendência que desde *Lucinde*, frequentemente com muito talento, frequentemente encantando bastante, se propôs, não a orientar, mas a desorientar as pessoas; mas a gente não *deve permitir* que *se convençam a si mesmos e aos outros* que *eles são poéticos*, ou que é neste caminho que se logrará aquilo a que todo e qualquer homem tem um direito incontestável: viver poeticamente.

Mas nós retornamos mais uma vez a Julius e Lisette. Lisette acaba sua vida como tinha começado, cumprindo o gesto que Julius, por falta de tempo, não pode completar, e com um suicídio busca alcançar o objetivo de todas as suas poéticas aspirações – *livrar-se de si mesma*. Ela conserva, contudo, o tato estético até o extremo, e sua última réplica, que ela, de acordo com seu serviçal, pronunciou em voz alta: "Lisette deve ir ao fundo, ao fundo agora em seguida: assim o quer o inflexível destino", deve ser encarada como uma espécie de tolice dramática, bem natural para alguém que primeiramente fora artista no teatro e mais tarde o foi na vida. – A morte de Lisette devia naturalmente impressionar Julius. Eu quero, entretanto, dar a palavra ao próprio Schlegel, para que não se pense que estou falseando. "A primeira consequência da ruína de Lisette foi que ele passou a *idolatrar sua lembrança* com romanesco respeito" (p. 77). Todavia, este evento não bastou para amadurecer Julius: "Esta exceção àquilo que Julius considerava comum ao sexo feminino" (o habitual nas mulheres era o não possuir a "extrema energia" de Lisette), "era demasiado inédito e o ambiente onde ele a encontrou demasiado impuro para poderem levá-lo a uma visão verdadeira" (p. 78).

Depois, após ter deixado Julius retraído por algum tempo na solidão, Schlegel novamente o coloca em contato com a vida social e em uma relação mais intelectual com alguns membros femininos desta sociedade, atravessa mais uma vez muitos episódios amorosos, até que finalmente encontra em *Lucinde* a unidade de todos aqueles momentos discretos, encontra, por assim dizer, tanta *sensualidade* quanto *riqueza de espírito*. Como, entretanto, estas ligações amorosas não estão fundadas mais profundamente do que numa sensualidade intelectualizada, como não têm em si *nenhum momento de resignação*, com outras palavras, como não se trata de nenhum casamento, como se mantém a concepção de que a passividade e vida vegetativa são expressões de uma ordem perfeita, *a eticidade é aqui mais uma vez negada*. Uma tal ligação amorosa não pode, portanto, receber nenhum conteúdo, no sentido mais profundo não pode ter nenhuma história, os amantes passam simplesmente a fazer *en deux* (a dois), o que Julius acreditava ser o melhor a fazer com a solidão, ou seja, meditar sobre o que uma ou outra senhora culta poderia dizer ou responder nesta ou naquela ocasião picante. Trata-se, portanto, de um amor sem nenhum conteúdo real, e a eternidade da qual ainda se fala bastante não é outra coisa senão o que se poderia chamar de o instante eterno do gozo, uma infinitude que não é nenhuma infinitude, e como tal carece de poesia. Não se consegue então evitar o sorriso quando uma ligação amorosa tão débil e frágil pretende ser capaz de resistir às tempestades da vida, pretende imaginar-se com força suficiente para considerar "o mais áspero capricho do acaso como sendo uma bela tirada de espírito e uma exuberante arbitrariedade" (p. 9), já que este amor, afinal de contas, não habita no mundo real, e sim num mundo imaginado, onde os amantes são eles mesmos senhores das tempestades e dos furacões. Uma vez que tudo numa tal ligação está voltado para o gozo, ela concebe também egoisticamente, é claro, sua relação com a geração que lhe deve a vida: "Assim a religião do amor enlaça o nosso amor de maneira sempre mais forte e profunda; e assim também a criança redobra, como um eco, o prazer dos pais carinhosos" (p. 11). Seguidamente encontram-se pais que com estúpida seriedade desejam ver seus filhos tão logo quanto possível bem-estabelecidos, talvez até vê-los bem-enterrados; contrastando com estes, Julius e Lucinde parecem querer segurar os filhos de preferência na idade da pequena Guilhermina para terem neles seu *entretenimento*.

O que é estranho em *Lucinde* e em toda a tendência que segue a este romance é que, partindo *da liberdade do eu* e da maturidade constitutiva, em vez de chegarem a uma maior espiritualidade, acabam *na mera sensualidade*, e, com isso, acabam no seu contrário. Na eticidade a relação do espírito ao espírito é indicada, mas quando o eu quer uma liberdade mais alta, quer negar o espírito ético, acaba caindo sob a lei da carne e do instinto. Mas como esta sensualidade não é ingênua, segue-se que a mesma arbitrariedade que a colocou em seus pretensos direitos pode revirar-se no instante seguinte, para reivindicar uma espiritualidade abstrata e exagerada. Estas vibrações podem então ser compreendidas em parte como o jogo da ironia do mundo com o indivíduo, e em parte como a tentativa do indivíduo de imitar a ironia do mundo.

TIECK

De Tieck comentaremos especialmente alguns dramas satíricos e sua lírica. Suas novelas mais antigas situam-se antes da época em que ele, graças aos irmãos Schlegel, foi levado ao conhecimento da verdade; suas últimas novelas aproximam-se mais e mais da realidade e não raro procuram chegar a uma total congruência com esta, com uma certa amplitude.

Em Tieck eu já respiro um pouco melhor, e se então volto a olhar para Lucinde, sinto como se estivesse acordando de um sonho de inquietante angústia, no qual eu teria ao mesmo tempo ouvido os acordes sedutores da sensualidade e o uivo de uma fera selvagem, aí misturados; sinto como se me tivessem oferecido uma beberagem repugnante, preparada no caldeirão das bruxas, e que tira de quem a bebe todo gosto, todo apetite pela vida. Schlegel teoriza (docerer), dirigindo-se diretamente contra a realidade. Com Tieck não é este o caso: ele se entrega a uma *animação poética*, mantendo-a, porém, na sua *indiferença frente à realidade*. Só quando não procede assim é que se aproxima de um ataque à realidade, e mesmo nestas ocasiões a ataca só de forma mais indireta. Ninguém pretenderá negar que uma tal animação poética, que transborda completamente num upa-upa excessivamente irônico, tenha a sua validade. Neste ponto, Hegel cometeu frequentemente injustiça com Tieck, e eu preciso concordar totalmente com a observação, feita aliás por um fervoroso hegeliano, a este respeito[15]: "Ele se sentia igualmente à vontade nas brincadeiras e na alegria. Contudo, os pontos mais profundos do humor lhe ficaram em parte inacessíveis, e a forma mais recente da ironia repugnava a tal ponto sua orientação que quase lhe faltava a capacidade para reconhecer e chegar mesmo a apreciar o que havia também de autêntico nela". Entretanto, quanto mais uma tal elaboração poética se aproxima da realidade, quanto mais ela depende da ruptura com a realidade para se tornar inteligível, quanto mais polêmica ela encerra em si, quanto mais ela faz do desenvolvimento polêmico uma condição da simpatia do leitor, tanto mais ela *se afasta da indiferença poética*, perde sua inocência e torna-se intencional. Não se trata mais da licença poética, que como Münchhausen se agarra a si mesmo pela nuca e deste modo, sem um ponto de apoio, suspenso no ar, executa piruetas, uma mais estranha do que a outra; não se trata mais da infinitude panteística da poesia; mas é o sujeito finito que arma a alavanca da ironia para arrancar toda a existência de seus gonzos mais firmes. Toda existência se torna agora um *mero jogo* para a arbitrariedade poética, que não menospreza nenhum detalhe, nem mesmo o mais insignificante, mas para a qual nada subsiste, nem mesmo o mais essencial. Neste sentido, precisa-se apenas percorrer a lista das personagens de uma peça de Tieck ou de qualquer outro poeta romântico para se ter uma noção de quanta coisa inaudita e altamente inverossímil ocorre neste mundo poético. Os animais falam como homens, os homens como os bichos, cadeiras e mesas tomam consciência de sua significação na existência, os homens sentem a existência como uma coisa sem significação, o nada se torna tudo e tudo se transforma em nada, tudo é possível, até o impossível, tudo rima com tudo, até o disparate, que com nada combina.

É preciso, entretanto, recordar que Tieck e toda a *escola romântica* entraram, ou pelo menos pensaram entrar, em contato com uma época em que os homens estavam, por assim dizer, totalmente *petrificados numa ordem social definitiva*. Tudo estava pleno e acabado num divino otimismo chinês que não deixava insatisfeita nenhuma aspiração legítima, nem irrealizado nenhum desejo razoável. Os princípios e as máximas admiráveis da tradição eram objeto de uma devota adoração; tudo era absolutamente o próprio Absoluto; a gente se abstinha da poligamia e andava com chapéu armado. Tudo tinha a sua importância. Cada um media, com uma dignidade matizada e de acordo com sua situação ou posição social, o quanto poderia realizar e que importância teriam seus esforços incansáveis para si e para o todo social. Não se vivia, como os *quakers* levianamente o fazem, sem respeitar as horas e as batidas do campanário; em vão tal impiedade tentava introduzir-se sorrateiramente. Tudo andava em seu passo tranquilo, medido, mesmo aquele que queria iniciar um noivado, pois sabia, afinal de contas, que sua causa era legítima e que estava dando um passo extremamente sério. Tudo seguia o bater das horas. No dia de São João, a gente se espalhava ao ar livre, entusiasticamente; no grande dia da Penitência, a gente ficava contrito sob a poeira; a gente se apaixonava ao completar vinte anos; às dez horas em ponto a gente ia para a cama. A gente contraía matrimônio, vivia para as coisas domésticas e para a posição social dentro do Estado; a gente ganhava filhos, ganhava preocupações caseiras; chegava ao vigor da idade, como homem, era observado nos altos postos em sua abençoada atividade, tinha um trato amigável com o pastor, sob cujos olhos a gente levava a cabo epicamente muitos daqueles gestos generosos que fazem honrado um nome, e a gente tinha certeza de que o pastor um dia, com o coração emocionado, em vão procuraria palavras para descrevê-los, a gente era amigo no verdadeiro e sincero sentido desta palavra, um amigo de verdade, assim como se era Conselheiro de Estado de verdade.

A gente entendia do mundo, e educava os filhos para que estes também chegassem a isto, e uma noite por semana a gente se entusiasmava ouvindo o hino de um poeta sobre a beleza da existência; e de novo a gente era tudo para os seus, ano após ano, com segurança e precisão, sem se atrasar um minuto. O mundo se infantilizava, ele *precisava* rejuvenescer. E neste sentido o romantismo fez bem. Atravessa o romantismo uma rajada de vento fresco, uma refrescante brisa matinal vinda das florestas virgens medievais ou do éter puro da Grécia; os filisteus sentem um calafrio perpassar-lhes a espinha, porém isto é necessário para varrer o mau cheiro bestial que até então a gente tinha respirado. Os cem anos passaram, o castelo encantado ressurge da terra, seus habitantes despertam, a floresta respira suavemente, os pássaros cantam, a bela princesa atrai outra vez pretendentes para junto de si; na floresta ressoam de novo as cornetas de caça e o latido dos cães, as campinas exalam perfumes, canções e poesias se soltam da natureza e esvoaçam em círculos, e ninguém sabe de onde vêm ou para onde vão. O mundo rejuvenesce, mas, como Heine observou com muito espírito, rejuvenesceu tanto com o romantismo que se tornou *de novo uma criancinha*. Esta é a desgraça do romantismo: não é a realidade o que ele agarra. A poesia desperta, as fortes aspirações, os anseios secretos, os sentimentos que exaltam e a natureza despertam, a princesa encantada desperta – e o *romântico* adormece. É em *sonhos* que ele vivencia tudo aquilo, e se antes tudo dormia ao seu redor, agora tudo está acordado, mas ele dorme. Mas sonhos não enchem barriga. Fatigado e cansado ele acorda, não revigorado, para tornar a deitar-se para dormir, e logo precisa produzir artificialmente estes estados de sonambulismo. Entretanto, quanto mais arte é preciso para isso, tanto mais extravagante se torna também o ideal que o romântico evoca.

É entre estes dois polos que se movimenta o poetar romântico. De um lado está *a realidade dada* com todo o seu miserável espírito filisteu, do outro lado está *a realidade ideal* com suas figuras crepusculares. Estes dois momentos estão numa relação necessária um ao outro. Quanto mais a realidade é caricaturada, tanto mais alto jorra o ideal, só que a fonte que aqui jorra não salta para a vida eterna. O fato, porém, de que esta poesia se movimenta entre opostos, mostra precisamente que ela não é, no sentido profundo, *verdadeira poesia*. O verdadeiro ideal não é, de um jeito ou de outro, um além; ele está atrás de nós, na medida em que é a força que impulsiona; ele está adiante de nós, na medida em que é a meta que entusiasma; mas ao mesmo tempo está em nós, e esta é sua verdade.

Mas é por isso que esta espécie de poesia também não pode entrar numa *relação* verdadeiramente poética *com o leitor*: exatamente porque o próprio poeta não entra numa relação poética autêntica com sua poesia. *O ponto de vista poético*, em que o poeta se posicionou, é a *arbitrariedade* poética; *a impressão de conjunto*, que esta poesia deixa atrás de si, é um *vazio*, no qual nada restou. Esta arbitrariedade se anuncia em toda a construção da obra. Ora a peça se precipita, ora ela estaciona estagnando num episódio, ora ela recua; ora estamos na ruela Peder Madsen, ora no céu; agora ocorre algo altamente inverossímil; mais adiante ouve-se um sino à distância, é o cortejo piedoso dos três reis magos; agora segue um solo de corneta de caçadores[16]; um argumento é sustentado com seriedade e no mesmo instante se mostra o contrário, e a unidade do riso pretende reconciliar as oposições, mas este riso é acompanhado de longínquos sons de flauta profundamente melancólicos etc., etc.

Ora, precisamente porque toda a estrutura não se organiza em uma totalidade poética, porque o elemento poético consiste justamente para o poeta nesta liberdade com que ele dispõe sobre tudo, para o leitor, na liberdade com a qual ele imita os caprichos do poeta, porque, digo eu, toda a estrutura não se organiza em uma totalidade poética, é por isso mesmo que os elementos discretos ficam isolados, ou melhor, é porque os elementos discretos subsistem num esforço isolado que *nenhuma unidade poética* pode surgir. O esforço polêmico jamais encontra repouso, pois o poético consiste justamente em constantemente liberar-se em novas polêmicas; e assim como é difícil para o poeta encontrar o ideal, assim também é difícil para ele encontrar a caricatura. Cada traço polêmico contém sempre um mais, uma possibilidade de ultrapassagem rumo a uma descrição ainda mais espirituosa. O esforço ideal não tem, por outro lado, nenhum ideal, pois todo ideal é no mesmo instante meramente uma alegoria, que encerra dentro de si um ideal ainda mais alto, e assim por diante até o infinito. É por isso que o poeta não pode dar repouso nem para si mesmo, nem para o leitor, pois repouso é justamente o contrário de um tal poetar. O único repouso que ele tem é a eternidade poética, onde ele vislumbra o ideal, mas esta eternidade é um absurdo, já que ela é sem tempo, e por isso, no instante seguinte, o ideal se torna alegoria.

Como Tieck possui uma engenhosidade sem igual para conceber o aspecto filisteu das coisas, uma virtuosidade maravilhosa para a perspectiva falsa, assim o *seu esforço ideal* também tem uma tal profundidade artesiana, que a imagem que deve aparecer no céu vai sumindo infinitamente no infinito. Ele tem um dom singular para suscitar na gente uma sensação misteriosa, maravilhosa, e as figuras humanas ideais que de vez em quando aparecem podem precisamente, por seu aspecto bizarro, fazer a gente tremer de susto, pois se assemelham às vezes a estranhos produtos da natureza, com seu olhar inteligente e fiel inspirando não tanto confiança, mas sim uma certa *unheimliche Angst* (estranha e inquietante angústia)[17].

Dado, pois, que todo o esforço desta poesia consiste essencialmente em uma constante aproximação *para ir chegando perto* daquela atmosfera afetiva – que, contudo, jamais encontra sua expressão completamente adequada, e com isso esta poesia é poesia sobre a poesia até o infinito – e, por outro lado, em colocar o leitor numa atmosfera afetiva – que é incomensurável mesmo para as realizações dessa poesia – naturalmente ela tem a sua força *no elemento lírico*. Mas esta lírica não pode tornar-se pesada e grave, de um conteúdo mais profundo; precisa constantemente aligeirar-se cada vez mais, e ressoar de maneira cada vez mais delicada numa distante resposta de um eco que vai morrendo. *O musical* é o momento subjetivo no lirismo, e ele é desenvolvido de modo totalmente unilateral. Neste sentido, ele se torna a sonoridade no verso, a ressonância, com que um verso evoca o seguinte e responde a ele, o gracioso arabesco, no qual o verso se movimenta com passos de dança leves e ágeis, e para isso, por assim dizer, ele mesmo canta, o que é o mais importante. *A rima* se torna um cavalheiro andante, em busca de aventuras; e aquilo que Tieck e todo o romantismo tanto elaboraram, a experiência de alguém que vê um rosto estranho subitamente e este lhe parece, contudo, tão conhecido, como se já tivesse sido visto há muito, muito tempo num passado que jaz para além da consciência, esta experiência também ocorre em relação à rima, que repentinamente se encontra junto com um velho conhecido de tempos melhores, provocando uma sensação totalmente misteriosa. Cansada e aborrecida de sua companhia habitual, a rima procura novas e interessantes amizades. Por fim, o elemento musical *se isola completamente*, e às vezes o romantismo teve realmente sucesso em reconstruir aquele tipo de poesia que todo mundo conhece, desde sua infância, no belo verso: *Ulen Dulen Dorf.* (Verso infantil no estilo de: "Uni, duni, tê, salamê minguê [...]" [N.T.].) Tais poemas devem naturalmente ser considerados os mais perfeitos; pois aqui a atmosfera afetiva tem, e é isso o que importa, uma absoluta liberdade de ação e está completamente independente, dado que todo conteúdo é negado.

Se então Tieck não negou a realidade com tanta seriedade como Schlegel, o seu ideal exagerado e impotente, que desaparece como uma nuvem no céu ou como sua sombra fugidia sobre a terra, mostra, não obstante, que ele se desencaminhou. Schlegel sossegou no catolicismo; Tieck às vezes encontrou repouso numa espécie de idolatria de toda a existência, pela qual tudo se tornou *igualmente poético*.

SOLGER

Solger foi quem pretendeu tomar consciência filosoficamente das questões relacionadas com a ironia. Ele pôs a sua visão por escrito nas suas *Lições de estética*, publicadas após sua morte[18], bem como em diversos estudos que se encontram nos *Escritos póstumos*[19]. Hegel deu muita atenção às exposições de Solger e o tratou com uma certa predileção. No comentário aos seus escritos póstumos que já citamos muitas vezes, ele se exprime, à p. 486, nos seguintes termos: "Habitualmente nós vemos nela (a ironia) uma aparição fantasmagórica célebre que se quer distinguir; mas, no caso de Solger, nós podemos tratá-la como um princípio". Na introdução à sua *Estética*, Hegel trata também de Solger: "Solger não se contentava, como os demais, com uma cultura superficial, mas sua necessidade mais interior, autenticamente especulativa, o impulsionava a sondar a profundidade da ideia filosófica" (p. 89), e lamenta que Solger tenha morrido cedo demais, sem tempo para chegar a desenvolvê-la de maneira mais concreta.

Não é nada fácil dar aqui uma exposição da concepção de Solger; pois, como Hotho observou corretamente (p. 399), foi "numa clareza filosófica de difícil compreensão" que ele desenvolveu sua maneira de ver. A questão é a seguinte: Solger *se perdeu* completamente *no negativo*; e é por isso que só com algum escrúpulo eu me arrisco por este mar tempestuoso, não tanto por temer aí perder a minha vida, mas antes por causa da preocupação de que venha a tornar-se muito difícil dar ao leitor alguma informação mais ou menos confiável sobre a minha posição ou sobre o lugar em que eu me encontro a cada instante. Com efeito, já que o negativo jamais se torna visível senão com o positivo, e como, porém, aqui o negativo é aquele que domina sozinho e está em toda sua infecundidade, tudo se torna confuso para nós, e no instante em que se confia na possibilidade de se ter uma determinação pela qual a gente se possa orientar tudo desaparece de novo, porque o positivo, que aparece ao longe, examinado mais de perto, revela-se como uma nova negação. Embora Solger tenha, portanto, sua importância no desenvolvimento (geral), não há dúvida de que seria melhor considerá-lo como *uma vítima*, exigida pelo sistema de Hegel. Daí se explica também a predileção de Hegel por ele; Solger é o cavaleiro metafísico do negativo. Por isso ele tampouco entra em colisão com a realidade no mesmo sentido que os demais irônicos; pois sua ironia não se configura de maneira nenhuma em oposição à realidade[20]. Sua ironia é *ironia contemplativa*, ele vê a nulidade de tudo. A ironia é um órgão, um sentido para o negativo.

Os esforços de Solger se situam totalmente dentro do terreno científico. Ora, como ele não nos deu em parte alguma uma exposição coerente e progressiva, rigorosamente científica, mas simplesmente *exclamações aforísticas*, que ora nos conduzem a observações puramente metafísicas, ora a meditações histórico-filosóficas, estéticas, éticas etc., exclamações que tangem todo o domínio da ciência, já resulta daí uma grande dificuldade. Acrescente-se a isso que *sua terminologia* é seguidamente mais poética do que filosófica (como quando ele diz que Deus, ao se manifestar, se sacrifica; pois eu bem sei que uma tal expressão poderia perfeitamente ser empregada em analogia com a significação metafísica em que na ciência recente se utiliza a expressão "Deus se reconcilia com o mundo"; contudo, como também este uso recente constitui uma volatilização do conceito em relação à terminologia cristã, não se poderia aceitar este abuso como uma justificativa racional para o procedimento de Solger em relação a um conceito ainda mais concreto), e se acrescente que ele nem sempre dá ao leitor uma ideia clara da orientação tomada pelo movimento. Expressões tais como negar, aniquilar, superar, são usadas frequentemente, mas, para que o leitor possa verdadeiramente orientar-se, precisa conhecer a lei do movimento. O *negativo* tem, com efeito, *uma dupla função*, em parte ele infinitiza o finito, em parte finitiza o infinito. Quando então não se sabe em qual corrente se está, ou melhor, quando se está ora numa, ora na outra, então tudo fica confuso. Além disso, é preciso estar de acordo sobre a significação daquilo de que se diz que deve ser negado; pois, caso contrário, a negação (como a cesura naquele verso famoso) pode cair num lugar errado. Assim, quando se diz que a realidade deve ser aniquilada, deve ser negada, é preciso saber o que é que se entende neste caso por realidade; pois num sentido a própria realidade apareceu graças a uma negação. Mas em não ocorrendo o acordo, pode-se chegar a confusões do tipo: o homem é o *Nichtige* (nulo, nada)[21] (já aqui é preciso procurar o sentido em que o homem é o *Nichtige*, e ver se não há algo de positivo e válido neste *Nichtige*), e este *Nichtige* deve ser aniquilado (aqui, mais uma vez, é preciso primeiramente explicar até que ponto o próprio homem pode aniquilar o *Nichtige* nele, pelo que ele então num outro sentido não ficaria o *Nichtige*), e não obstante o *Nichtige* é em nós o próprio divino (cf. *Escritos póstumos*, primeira parte, p. 511).

Solger *quer produzir* a absoluta *identidade* entre o finito e o infinito, quer suprimir o muro que de tantas maneiras busca separá-los. Ele labuta, por isso, para atingir o início absoluto, livre de pressuposições; seu esforço é, pois, especulativo. Em seus *Escritos póstumos*, 1º volume, p. 507, diz ele: "Mas é claro que a sua ciência" – do filósofo – "se diferencia essencialmente de todas as demais por ela abranger tudo. Cada uma das outras tem algo de pressuposto, de dado, ou uma determinada forma de conhecimento, como a matemática, ou um determinado material, como história, ciências naturais e semelhantes. Somente ela deve criar a si mesma". Sua ironia contemplativa vê, pois, o finito como o *Nichtige*, como aquilo que deve ser superado[22]. Mas, por outro lado, o infinito também tem de ser negado, não pode subsistir num *An sich* (em si) para-além. Deste modo produz-se a verdadeira realidade. Cf. *Escritos póstumos*, 1º volume, p. 600: "Mas o finito, o fato comum, é tampouco a verdadeira realidade, como o infinito, a relação aos conceitos e às oposições cambiantes, também não é o eterno. A verdadeira realidade é um momento da contemplação, no qual finito e infinito, que nosso entendimento costumeiro só conhece em relação recíproca, vêm a ser totalmente superados, na medida em que Deus ou o Eterno aí se manifesta". Aqui temos, portanto, a ideia no ápice do *início absoluto*; nós a temos, por isso, como a negatividade infinita e absoluta. Ora, se algo deve surgir daí, o negativo deve impor-se novamente, finitizando a ideia, isto é, tornando-a concreta. O negativo é a inquietude do pensamento, mas esta inquietude (Uro) deve mostrar-se, tornar-se sensível; o prazer do negativo deve mostrar-se como o prazer que leva a operar, sua dor, como a dor do parto. Se isso não ocorre, então temos apenas a realidade irreal da contemplação, da devoção, do panteísmo. Quer se fixe, pois, a devoção, como um momento, quer se pretenda transformar toda a vida em devoção, em ambos os casos *a verdadeira realidade* não aparece. Se a devoção é um mero momento, não há outra coisa a fazer senão instantaneamente evocá-la de novo; se ela deve ocupar toda a vida, então a realidade não surge de verdade. Não adianta nada, então, quando Solger explica que não se deveria, com Platão, pensar a ideia num lugar celestial ou supracelestial; não adianta nada, quando ele assegura que não deixa, como o faz Spinoza, a finitude desaparecer como um simples *modus*; não adianta nada, que ele, diferentemente de Fichte, não queira fazer a ideia originar-se em um eterno vir-a-ser; e tampouco adianta que ele desaprove a tentativa de Schelling de mostrar que o ser perfeito está na existência. Tudo isso são apenas estudos preliminares. Solger está no início; mas *este início* é completamente *abstrato*, o importante agora é que o dualismo que há na existência se mostre em sua verdade. Entretanto, isto não acontece. Muito pelo contrário, fica claro que Solger realmente não consegue reconhecer qualquer validade ao finito. Ele não é capaz de concretizar o infinito. Ele considera o finito como o *Nichtige*, como o evanescente, como o *nichtige All* (todo nulo, nada total).

As *determinações morais* não têm, por isso, *nenhum valor*, toda a finitude com suas aspirações morais e imorais desaparece na contemplação metafísica, para quem estas coisas nada são. Cf. seus *Escritos póstumos*, 1º volume, p. 512: "Que nós possamos ser maus, isso depende do fato de termos uma aparência, uma existência comum que em si não é boa nem má, não é algo nem é nada, mas somente uma sombra que o ser (das Wesen) projeta sobre si mesmo em sua existência separada, e na qual nós podemos projetar, como numa nuvem de fumaça, a imagem do bem e do mal. Todas as nossas virtudes simplesmente morais são uma tal imagem refletida do bem, e ai daquele que confia nelas! Todos os nossos vícios simplesmente morais são um tal reflexo do mal, e ai daquele que desespera por causa deles e os toma por algo de real e verdadeiro e não crê naquele diante do qual eles nada são e que é o único que os pode arrancar de nós". Aqui aparece claramente a fraqueza de Solger. Pois certamente é verdade que as virtudes morais não têm um valor em si e para si, mas unicamente pela humildade que deixa Deus produzi-las em nós; e certamente é verdade que os vícios do homem são abolidos por Deus e não por nossas próprias forças; mas daí não se segue, de maneira nenhuma, que se deva perder a si mesmo metafisicamente e que neste caso se ignore o sinergismo que vem em auxílio da divindade, e no outro caso se ignore o arrependimento que não se larga de Deus. Assim, pode muito bem o finito ser o *Nichtige*, mas ele encerra certamente alguma coisa de consistente.

O esforço científico, portanto, que se mostra em tudo isso, *não é levado a cabo*, e por isso tem-se aqui antes um *estado de sonho panteístico* do que um discurso especulativo que dê conta do *an sich* (em si) abstrato da identidade absoluta do infinito e do finito. O panteísmo pode manifestar-se de duas maneiras, ou quando eu acentuo o homem, ou quando acentuo Deus, ou com uma consideração antropocêntrica, ou com uma consideração teocêntrica. Se eu faço o gênero humano produzir Deus, então não há nenhuma luta entre Deus e o homem; e se eu faço o homem desaparecer em Deus também não há nenhuma luta. Esse último é evidentemente o caso de Solger. É claro que ele não quer que Deus seja pensado à maneira de Spinoza como substância, mas isto se deve a que ele não quer superar a identidade, dada na devoção, do divino e do humano.

Estas investigações *metafísicas* não serão desenvolvidas mais pormenorizadamente. Queremos por isso voltar nossas atenções para um *outro ciclo de* considerações que pertencem mais a um terreno *dogmático-especulativo*. Solger utiliza, sem mais, *representaçõe*s concretas como Deus, sacrificar-se, dedicar-se ao amor etc. A gente encontra a toda hora alusões a representações tais como Deus criando a partir do nada, sua reconciliação etc. Esta parte Hegel tratou com todo esmero, posso por isso vincular-me a ele. Primeiro, então, algumas citações de Solger. É sobretudo no primeiro volume de seus *Escritos póstumos*, nas duas cartas publicadas, uma para Tieck, a outra para Abeken, que se encontra a maioria desses lampejos especulativos. *Escritos póstumos*, 1ª parte, p. 603: "Deus, existindo em nossa finitude ou se manifestando, sacrifica-se a si mesmo e se destrói em nós: pois nós somos nada". Na mesma parte, p. 511, observa: "Não é nossa relativa fraqueza que constitui nossa imperfeição, e não é nosso ser próprio e essencial que constitui nossa verdade. Nós somos fenômenos vazios, porque Deus mesmo assumiu existência em nós e assim se separou de si mesmo. E não é isto o supremo amor, que Ele tenha colocado a si mesmo no nada, para que nós pudéssemos ser, e que Ele tenha até se sacrificado a si mesmo e destruído seu nada, tenha morto sua morte, a fim de que nós não permanecêssemos um puro nada, e sim pudéssemos retornar a Ele e nele ser? O nada em nós é Ele mesmo o divino, na medida em que nós o reconhecemos como o nada e reconhecemos a nós mesmos como tal. Neste sentido, ele também é o bem, e nós só podemos ser verdadeiramente bons diante de Deus pelo autossacrifício". A discussão de Hegel a este respeito se encontra no alto da página 469 e nas seguintes (*Werke*, Jub. Ausg. XX 165s.)[23]. Aqui logo se mostrará que Solger, apesar de sua energia especulativa, não tanto nos orienta quanto nos desorienta, e que se torna realmente difícil, *por falta de todas as determinações intermediárias*, de decidir se as negações atingem o seu alvo. Quando ele diz: "Deus, existindo em nossa finitude ou se manifestando", precisaríamos saber em que sentido Deus existe na finitude; carecemos aqui do conceito de *criação*. Quando, com efeito, nós lemos mais adiante que ele, existindo assim na finitude, sacrifica-se a si mesmo, poderia parecer que aqui temos uma expressão para a criação. Mas se é este o sentido que ele quis dar, então a expressão não é rigorosa; pois senão ele precisaria dizer: Deus, quando se sacrifica (ou enquanto se sacrifica), cria. Isto poderia parecer confirmado pelo fato de que o predicado correspondente é que Deus se destrói a si mesmo. Pois, quando nós dizemos que Deus se destrói a si mesmo, temos aqui uma negação, entretanto, é bom notar, uma negação através da qual o infinito vem a fazer-se finito e concreto. Mas, por outro lado, a expressão

"Deus se sacrifica", tanto quanto a outra "Deus se aniquila", pode levar-nos antes à ideia da *reconciliação*. Isso é confirmado pelas palavras que logo seguem: "nós somos nada", pois, com isto, é posto o finito, mas posto em sua finitude, em sua nulidade, e é esta nulidade que deve ser negada, com o que então a negação infinitiza o finito. Aqui nós carecemos, entretanto, de determinações intermediárias para esclarecer em que sentido o homem é nada, determinações intermediárias de uma tal abrangência que a significação do pecado teria de estar incluída nesta concepção. Temos também uma falta de clareza especulativa que não faz justiça nem à criação, nem à reconciliação, nem à finitude e nem ao pecado. Se então compararmos com isso as expressões tomadas da carta de Solger a Tieck, ainda aí se mostra um lusco-fusco especulativo semelhante. Aí aprendemos que nós "somos fenômenos vazios porque o próprio Deus assumiu existência em nós e assim se separou de si mesmo".

Evidentemente aqui está pressentido o conceito de criação. Mas, sem falar que faltam aqui determinações intermediárias para poder captar corretamente o ato da criação, nem mesmo a ideia panteística está exposta com precisão; pois afinal não se pode propriamente dizer que nós somos *nichtige Erscheinungen* (fenômenos vazios) porque Deus tomou existência em nós; antes se precisaria dizer, de acordo com a concepção e a terminologia de Solger, que Deus ao aniquilar-se a si mesmo origina o nada de toda finitude; mas quando Deus aí toma existência, Deus não está separado de si mesmo (como no momento da criação), mas em si mesmo, e o nada é suspenso. E quando é dito então mais adiante: "E não é isto o supremo amor, que ele se tenha colocado no nada para que nós pudéssemos ser", aqui mais uma vez *criação e reconciliação* estão equivocadas e *confundidas reciprocamente*. Com efeito, Deus não se coloca no nada para que possamos ser; pois afinal somos nada; mas Deus se colocou no nada para que nós pudéssemos cessar de ser nada. Na medida em que Solger quer ver nisso o amor de Deus, faltam aqui mais uma vez determinações intermediárias; pois o conceito da criação tem de ser sempre dado a fim de que o amor de Deus não se torne egocêntrico. Nos trechos seguintes Solger utiliza expressões ainda mais concretas, quando diz que Deus se sacrificou a si mesmo e aniquilou seu nada e matou sua morte. Com isso pode-se pensar na reconciliação, na negação da finitude e no retorno a Deus e em Deus. Mas como foi dito anteriormente que Deus ao existir em nossa finitude aniquila a si mesmo, então nós temos agora a *mesmíssima expressão* tanto para a *criação* quanto para a *reconciliação*. E, depois, não é fácil de compreender o que quer dizer que Deus se sacrifica a si mesmo, logo que isto é explicado com as palavras seguintes: ele aniquila seu nada. Mas a confusão fica maior ainda quando aprendemos que o *Nichtige* em nós é o divino; pois afinal nós somos o *Nichtige*, e como pode então o *Nichtige* em nós (e esta última expressão parece indicar que há algo de diferente em nós, que não é o *Nichtige*) *ser o divino?* Finalmente, aí se ensina que nós mesmos podemos reconhecer o *Nichtige* em nós. Se com isso se quer dizer que nós mesmos podemos, graças a este conhecimento, negar o *Nichtige*, então é evidente que aqui temos um *conceito pelagiano da reconciliação.*

Em todo este estudo, parece que o que Solger vislumbra é aquela negação da negação, que contém em si a verdadeira afirmação. Mas como todo este processo teórico não chegou a se desenvolver, cada negação passa erradamente para outra, e daí *não* resulta *a verdadeira afirmação*. Hegel compreendeu isto com muita clareza, e observa, por isso, explicitamente na p. 470: "Ora *nós* somos aí pressupostos como o nada (que é o mal), ora se emprega para Deus outra vez a expressão dura, abstrata; diz-se que *Ele* se *aniquila*, portanto, que seria Ele quem poria o nada, e isto, para que nós *pudéssemos ser*, e depois é dito que o *Nichtige* em nós é o próprio divino, na medida mesma que nós o reconhecemos como o *Nichtige*".

Se eu quisesse agora dar ao leitor uma ideia da *concepção de Solger* que a captasse bem de perto através do seu conceito predileto, o da ironia, eu diria que Solger propriamente transforma *a existência de Deus em ironia*: Deus se introduz a si mesmo constantemente no nada, se retoma, novamente retorna ao nada e assim por diante; um divino passatempo que, como toda ironia, põe os mais terríveis contrastes. Na enorme oscilação deste duplo movimento (tanto centrífugo quanto centrípeto) a finitude toma parte, e no momento da separação o homem aí se encontra como a sombra do divino, inscreve suas virtudes e vícios morais nesta existência de sombra que somente aquele cujos olhos se abriram para a ironia percebe como um nada. Uma vez que toda finitude é nada, *aquele que, graças à ironia, a vê como tal, vem em socorro da divindade*. Mais longe do que isto eu não posso ir, porque não encontro em Solger nenhum esclarecimento sobre qual é a realidade que a finitude ganha com a ironia. É certo que Solger fala em algumas passagens de uma mística que, quando encara a realidade, é a mãe da ironia, e que, ao contrário, quando encara o mundo eterno é a filha do entusiasmo e da inspiração, e ainda fala de uma presença imediata do divino que se mostra justamente no fato de que nossa realidade desaparece; contudo, aqui também *faltam as determinações intermediárias* exigidas para se poder construir uma concepção total mais profundamente positiva.

Vejamos agora de que maneira Solger levou a cabo o seu ponto de vista no domínio da *estética*. Aqui ele vem em socorro dos românticos, e se torna o porta-voz filosófico do romantismo e da ironia romântica. Aqui nos deparamos, com efeito, com a mesma concepção fundamental, de que a finitude é um nada, que deve afundar como realidade não verdadeira, para que a verdadeira possa vir à luz. O que há de verdadeiro nisto já foi enfatizado no devido lugar, mas o que há aí de malogrado eu também procurei mostrar. Assim, não se vê qual é a realidade que deve ser aniquilada, se acaso é a realidade não verdadeira (quanto a isto, Solger responderia certamente com um sim; mas aí se teria de insistir em saber o que é que ele compreende por realidade não verdadeira, pois, caso contrário, sua resposta afirmativa se transformaria em tautologia), quer dizer, se acaso seria o egoísmo dos momentos discretos o que deveria ser negado para que a realidade verdadeira pudesse vir à luz, a realidade do espírito, não como um além, mas como uma realidade presente; ou acaso seria aquele passatempo divino que não deixa subsistir nenhuma realidade. Parece então que Solger quer encontrar *na arte e na poesia esta realidade* mais alta que vem à luz pela negação da realidade finita. Entretanto, com isso surge uma nova dificuldade; pois já que esta poesia, chamada frequentemente por Solger em sua correspondência com Tieck de "a mais alta", a romântica, justamente não está em condições de apaziguar a negação naquela realidade superior, e, portanto, já que a poesia romântica tende ainda essencialmente a nos fazer tomar consciência justamente de que a realidade dada é imperfeita, e, por outro lado, a realidade superior apenas se deixa vislumbrar na aproximação infinita do pressentimento, assim parece tornar-se necessário mais uma vez relacionar-se ironicamente com toda e qualquer produção poética individual, já que cada produto individual é meramente aproximação. É claro, portanto, que *aquela realidade* mais alta, que deve vir à luz na poesia, de fato *não está na poesia*, mas em permanente vir-a-ser. Não me compreendam mal neste ponto, como se eu com isso quisesse dizer que o vir-a-ser não é um momento necessário que participa da realidade do espírito; mas a verdadeira realidade vem a ser o que ela é, enquanto a realidade romântica é *mero vir-a-ser*. Desta maneira, por exemplo, a fé é uma vitória sobre o mundo, e, contudo, ela é um combate, e quando combateu já venceu o mundo; e, no entanto, ela já tinha vencido o mundo antes de ter combatido. Assim a fé fica o que ela é, a fé não é um eterno combate, mas ela é uma vitória que combate. Na fé, portanto, aquela realidade superior do espírito não é mero devir, mas ela é presente, embora ao mesmo tempo venha-a-ser.

A ironia é mencionada frequentemente nas *Lições de estética* de Solger, especialmente na seção que trata *von dem Organismus des Künstlerischen Geistes* (do organismo do espírito artístico). *Ironia* e *entusiasmo* são aí apresentados como os dois fatores necessários para a produção, as duas condições necessárias *ao artista*. No devido lugar será esclarecido melhor o que se deve entender por isso, aqui eu quero apenas observar que toda esta maneira de ver propriamente pertence a um *ponto de vista* totalmente *diferente*, a não ser que se pretenda ver a ironia manifestar-se no aniquilamento da própria obra de arte, e se deixe ao entusiasmo a responsabilidade de caracterizar o estado de ânimo que pressente a realidade mais alta.

Em compensação, devem ser analisadas mais de perto algumas observações que ocorrem no comentário de Solger sobre as Lições de Schlegel (*Escritos póstumos*, t. II). Aqui impera uma notável falta de clareza. Em algumas passagens, com efeito, Solger fala da ironia de tal modo que ela se mostra como aquela *potência limitadora* que ensina justamente o homem a permanecer na realidade, ensina a procurar a sua verdade na limitação. Depois de ter, à p. 514, protestado contra a proposição de que a ironia ensinaria o homem a se colocar por cima de tudo, acrescenta: "a verdadeira ironia parte do seguinte princípio: que o homem, enquanto viver neste mundo presente, não poderá cumprir senão neste mundo sua destinação, até no sentido supremo da palavra. Aquela busca do infinito não o conduz realmente, como o pensa o autor, para além desta vida, mas sim rumo ao indeterminado e vazio, já que, como ele mesmo confessa, esta busca não é estimulada senão pelo sentimento dos limites terrenos, dos quais nós em última análise não podemos prescindir. Tudo o que nós cremos conduzir para além das metas finitas não passa de vã e vazia quimera". Aí está uma verdade profunda, à qual mais adiante retornarei. Mas todos me darão certamente razão em que se poderia acreditar ser aí Goethe quem está falando, mais do que Solger. Já as palavras subsequentes nos dão um pouco o que pensar, quando ensinam que *tanto* o mais alto *quanto* o mais ínfimo na existência finita *afundam*; e não é fácil estabelecer uma harmonia entre esta afirmação e a passagem precedente, onde se ensina que o homem só pode cumprir a sua determinação em se limitando, a não ser que admitamos que a determinação do homem está em ir ao fundo, mas parece que aquele que se dissipa num infinito vazio pode também alcançar esta determinação, e com isto até ajudar ainda mais a divindade, enquanto o outro aparentemente pode colocar obstáculos no caminho de Deus.

Encontramos aqui também, frequentemente mencionada, sua concepção da realidade como aquilo que deve ser aniquilado, como, por exemplo, à p. 502: "o mundano e temporal, como tal, deve ser consumido, se é que devemos conhecer como o eterno e essencial está aí presente". Queremos agora ver até que ponto Solger consegue fazer aquela realidade mais alta se manifestar verdadeiramente na arte e na poesia, e *até que ponto aí*, de acordo com a concepção de Solger, *surge o verdadeiro repouso no mundo da poesia*. Queremos citar uma passagem onde ele fala de nossa relação com a poesia, p. 512: "Se analisamos atentamente o que sentimos com relação a obras-primas verdadeiramente trágicas ou cômicas, torna-se evidente que, além da forma dramática, há algo de mais profundamente comum a ambos os gêneros. Todo o conflito entre o imperfeito no homem e a sua determinação mais alta começa a nos aparecer como um nada, com o que algo totalmente diferente parece dominar, fora desta dualidade. Vemos os heróis errarem a respeito do que há de mais nobre e mais belo em seu espírito e seu coração, não apenas a respeito do sucesso, mas também sobre sua origem e valor, sim, nós nos elevamos mesmo vendo a ruína do melhor, e não apenas quando nos refugiamos em uma esperança infinita. E na comédia este mesmo nada das coisas humanas nos alegra, quando ele nos aparece como aquilo a que estamos reduzidos de uma vez por todas [...] Mas aquele estado de ânimo (*Stimmung*), no qual as contradições se destroem, e, por isso mesmo, contém o essencial para nós, é o que chamamos ironia, e que no cômico chamamos jovialidade (*Laune*) e *humor*". Aqui se mostra, pois, até que ponto a negação, que aniquila a realidade, chega ao repouso numa realidade superior. Nós somos elevados pela ruína do melhor, mas esta elevação é de ordem completamente negativa; trata-se da *elevação da ironia*, que aqui se forma à semelhança da inveja divina, e que, contudo, não é apenas invejosa do grandioso e do excelente, mas ainda mais do pequeno e insignificante, sobretudo invejosa da finitude. Quando o grandioso afunda, isto é o trágico, mas a poesia nos reconcilia com este trágico, ao nos mostrar que a verdade sai vitoriosa. Aí está o que eleva e o que edifica. Nós somos elevados, portanto, não ao ver a mina do grande, mas somos reconciliados com sua ruína ao vermos que o verdadeiro vence, e nos elevamos com esta vitória. Mas quando então na tragédia eu só vejo a ruína do herói e me elevo com isso, quando na tragédia eu apenas me torno consciente do nada das coisas humanas, quando a tragédia me alegra do mesmo modo que a comédia, precisamente por isso, por me mostrar o nada do grandioso como a comédia mostra o do pequeno, aí na verdade não veio à luz *a realidade mais alta*. Sim, o autor parece aqui não querer nos deixar nem ao menos aquele estado de ânimo que pressente a realidade mais alta, pois ele diz, afinal, que nós somos elevados pela ruína do melhor, e isto não apenas quando nos afastamos e refugiamos numa esperança infinita. Pois o algo mais que poderia surgir com esta diluição em uma esperança infinita não é nada mais nem menos do que a felicidade de ver que tudo afundou, é a aridez e a vacuidade, onde certamente há repouso até demais.

Resumindo agora o que foi aqui desenvolvido a respeito de Solger, deve ter ficado claro que o *seu ponto de vista* foi, como ele mesmo o designou, o da *ironia*, só que sua ironia era de *natureza especulativa*. Nele, a negatividade infinita absoluta é um momento especulativo, ele tem a negação da negação, e, contudo, há um véu diante de seus olhos, de modo que ele não vê a afirmação. Como se sabe, ele morreu cedo. Eu não quero aqui decidir se ele teria logrado levar a bom termo o pensamento especulativo de que ele se apoderou com tanta energia, ou se, quem sabe, antes a sua energia se teria consumido no esforço de fazer valer a negação; eu prefiro, entretanto, pensar em Solger como uma vítima oferecida ao sistema *positivo de Hegel*.

A ironia como momento dominado.
A verdade da ironia

Já foi lembrado anteriormente que Solger em suas *Lições de estética* fez da ironia uma condição de toda e qualquer produção artística. Quando então dizemos neste contexto que o *poeta deve relacionar-se ironicamente* com *sua poesia*, com isso queremos dizer algo diferente daquilo que foi falado antes. Muito frequentemente tem-se louvado Shakespeare como o grão-mestre da ironia, e afinal não pode haver nenhuma dúvida de que aí se tem razão. Não obstante, Shakespeare não deixa, de maneira nenhuma, o conteúdo substancial esfumar-se em um sublimado sempre mais fugaz, e se sua lírica às vezes culmina na loucura, não lhe falta, por outro lado, nesta loucura um extraordinário grau de objetividade. Quando então Shakespeare se relaciona assim ironicamente com sua poesia, isso ocorre precisamente para abrir espaço ao elemento objetivo. A *ironia* está assim *presente em toda parte* ao mesmo tempo; ela ratifica cada traço individual, para que não haja excesso ou defeito, para fazer jus a tudo, para que se produza o verdadeiro equilíbrio na relação microcósmica da poesia que gravita em torno de si mesma. Quanto maiores contrastes há no movimento, tanto mais ironia é preciso para dirigir e dominar os espíritos que querem evadir-se insubmissos. Quanto mais ironia houver, tanto mais livre e poeticamente o poeta flutuará suspenso sobre sua obra poética. Por isso, a ironia não está presente em algum ponto particular da poesia, mas sim onipresente, de tal modo que a ironia visível na poesia *é por sua vez dominada ironicamente*. Portanto, a ironia liberta ao mesmo tempo a poesia e o poeta. Mas para que isto possa acontecer é preciso que o próprio poeta domine a ironia. Não obstante, nem sempre daí se segue, de maneira alguma, que pelo fato de o poeta ter conseguido dominar a ironia no instante da criação poética, consequentemente também dominaria a ironia na realidade à qual ele mesmo pertence. Costuma-se dizer, em geral, que a vida pessoal do poeta não interessa a ninguém. Isto também está totalmente correto; não obstante, na presente investigação caberia lembrar o *desacordo* que costuma frequentemente ocorrer neste assunto.

Além disso, a importância deste desacordo cresce à medida que o *poeta não* permaneça no ponto de vista da genialidade *imediata*. Quanto mais o poeta se afasta deste, tanto mais necessário se torna também para ele possuir uma concepção global do mundo, e assim dominar a ironia em sua existência individual, tanto mais necessário se torna para ele ser, até certo ponto, *filósofo*. Se é este o caso, então também a produção poética individual não ficará em uma relação apenas exterior com o poeta, ele quererá ver em cada poema um momento do seu próprio desenvolvimento. O que fez a grandeza da existência poética de Goethe (*Digter-Existents*) é que ele sabia estabelecer um acordo entre a sua vida de poeta (*Digter-Tilvaerelse*) e a sua própria realidade. Mas *para isso é preciso novamente ironia*, porém, bem-entendido, *ironia dominada*. Para o romântico, cada produção poética particular é ou uma criança mimada à qual ele mesmo se entrega totalmente sem poder explicar-se como lhe foi possível chamá-la à vida, ou um objeto que provoca aversão. Nenhuma das alternativas, naturalmente, é verdadeira; a verdade é que a produção singular é momento. Em Goethe, a ironia, então, era no sentido estrito um momento dominado, era um espírito a serviço do poeta. Por um lado, cada poema se arredondava em si mesmo pela ironia; por outro, cada obra poética individual se mostrava como momento e com isso toda a existência poética se arredondava em si mesma pela ironia. O Professor Heiberg adota como poeta o mesmo ponto de vista, e se em quase todas as réplicas que escreveu pode proporcionar um exemplo da economia interna da ironia da peça, assim também se mostra, através de toda a sua obra, um esforço consciente que destina a cada peça individual um lugar dentro da totalidade desta obra. Aqui também a ironia está dominada, reduzida a um momento: a essência não é outra coisa senão o fenômeno, o fenômeno não é outra coisa senão a essência; a possibilidade não é tão esquiva que se recuse a entrar em alguma realidade, mas a realidade é a possibilidade. Esta concepção Goethe sempre reconheceu como combate e como vitória, e a sustentou sempre com enorme energia.

Mas o que vale para a existência-de-poeta (*Digter-Existen-tsen*), vale também, até certo ponto, para *a vida de todo e qualquer indivíduo particular*. Com efeito, o poeta não vive poeticamente pelo fato de criar uma obra poética, pois quando esta não está em relação consciente e interna com ele então não existe na vida dele aquela infinitude interior que é uma condição absoluta para viver poeticamente (vemos assim também que a poesia muitas vezes toma alento através de individualidades infelizes, sim, que o aniquilamento doloroso do poeta se torna uma condição para a criação poética), mas ele só *vive poeticamente* quando ele mesmo está orientado e assim integrado no tempo em que vive, está positivamente livre na realidade à qual pertence. Mas qualquer outro indivíduo *pode* atingir também este *viver poético*. Por outro lado, o dom raro, a sorte divina de poder dar uma configuração poética ao que foi vivenciado poeticamente, isto fica naturalmente reservado como sorte de alguns eleitos dignos de inveja.

A ironia foi assim *dominada*, imobilizada na selvagem infinitude, em que avançava tempestuosa e devoradoramente, mas daí não se segue, *de maneira nenhuma*, que ela deva perder a sua significação ou *ser totalmente deposta*. Muito pelo contrário, quando o indivíduo está corretamente orientado, e ele o está quando a ironia foi limitada, é então que a ironia adquire sua justa significação, sua verdadeira validade. Em nosso tempo, tem-se falado frequentemente na importância da dúvida para a ciência; mas o que a dúvida é para a ciência, a ironia é para a vida pessoal. E assim como os homens da ciência afirmam que não é possível uma verdadeira ciência sem a dúvida, assim também se pode, com inteira razão, afirmar que nenhuma vida autenticamente humana é possível sem ironia. Quando, pois, a ironia acabou de ser dominada, ela executa um movimento que é o oposto daquele em que ela manifesta sua vida indomada. A *ironia limita, finitiza, restringe*, e com isso confere *verdade, realidade, conteúdo*; ela *disciplina* e *pune*, e com isso dá *sustentação* e *consistência*. A ironia é um disciplinador (*Tugtemester*, pedagogo), que só é temido por quem não o conhece. Quem simplesmente não compreende a ironia, quem não tem ouvidos para seus sussurros, carece *eo ipso* daquilo que se poderia chamar o *início absoluto da vida pessoal*, carece daquilo que em certos momentos é indispensável para a vida pessoal, carece do banho de renovação e de rejuvenescimento, do banho de purificação, que salva a alma de ter a sua vida na finitude, mesmo que viva aí com força e energia; ele não conhece o frescor e a força que se encontram quando, sentindo o ar pesado demais, nos despimos e nos atiramos ao mar da ironia, naturalmente não para aí permanecermos, mas para tornarmos a nos vestir saudáveis e alegres e leves.

Quando, pois, ouvimos alguém comentar com ar de superioridade que a ironia em seu esforço infinito toma os freios nos dentes, bem que se lhe pode dar razão, tranquilamente; na medida em que nosso interlocutor, porém, não conheça a infinitude que repousa na ironia, ele *não a domina, mas lhe é submisso*. É o que acontece sempre que não se percebe a dialética da vida. É preciso coragem para não ceder aos conselhos engenhosos ou misericordiosos do desespero que permitem a alguém riscar-se a si mesmo do número dos viventes; mas daí não se segue de maneira alguma que qualquer vendedor de toucinho, cevado e nutrido em autossuficiência, tenha mais coragem do que aquele que cede ao desespero. É preciso ter coragem para resistir ao encanto da tristeza, quando nos quer ensinar a falsear toda alegria em melancolia, toda nostalgia em privação, toda esperança em lembrança; é preciso coragem para querer aí ser alegre; mas daí não se segue de jeito nenhum que um adulto que não passe de uma criança grande, com um sorriso de náusea e com um olhar bêbado de alegria, tenha mais coragem do que aquele que, curvado pelos cuidados, não sabe mais sorrir. Assim também como a ironia. Se é preciso se precaver contra a ironia como diante de uma sedutora, igualmente é preciso *recomendá-la como guia para o caminho*. E exatamente em nosso tempo é preciso recomendá-la desta maneira. Assim, por exemplo, a ciência em nosso tempo chegou à posse de *um resultado tão prodigioso*, que *parece* até impossível; a intelecção não só dos mistérios do gênero humano, mas também da divindade, é posta à venda por um preço tão baixo que dá bastante o que pensar. Em nosso tempo, empolgado pelo resultado, esqueceu-se que um resultado não tem nenhum valor *quando não é conquistado*. Mas ai daquele que não pode tolerar que a ironia apresente a conta. A ironia é, como o negativo, o caminho; não a verdade, mas o caminho. Todo aquele que só tem um resultado como tal, não o possui; pois não tem o caminho. Quando então a ironia intervém, ela traz o caminho, não aquele caminho do qual pensa apoderar-se quem imagina possuir um resultado, mas aquele caminho no qual o resultado o abandona. Acrescente-se a isso que bem que deve ser vista como a tarefa do nosso tempo (*vor Tids Opgave*) o traduzir o resultado da ciência para a vida pessoal, *apropriar-se pessoalmente* desse. Assim, se a ciência ensina que a realidade tem um valor absoluto, então o importante é em verdade que ela adquira valor, e, contudo, não se pode negar que seria muito ridículo se alguém, que aprendeu em sua juventude e talvez até ensinou aos outros que a realidade tem um valor absoluto, envelhecesse e morresse sem que a realidade tenha tido para ele outro valor senão o de, oportuna e inoportunamente, anunciar esta sabedoria: que a realidade tem valor. Se a ciência faz a mediação (*medierer*) de todas as oposições, então o importante é que esta realidade plenificada verdadeiramente venha à luz. Há em nosso tempo, em outro sentido, um *incrível entusiasmo* e, contudo, aquilo que o entusiasma parece ser *incrivelmente pequeno*. Como a ironia pode ser benéfica aqui! Há uma *impaciência*, que quer colher *antes de* semear; deixemos que a ironia a discipline. Há em cada vida pessoal tanta coisa que deve ser rejeitada, tantos rebentos selvagens que devem ser arrancados: aqui de novo a ironia trabalha admiravelmente; pois, como já foi dito, quando a ironia está dominada, *sua função é de extrema importância*, para que a vida pessoal adquira saúde e verdade.

A ironia, como um momento dominado, mostra-se em sua verdade justamente nisso: que ela ensina a realizar a realidade, a colocar a ênfase *adequada na realidade*. Daqui não se segue, de jeito nenhum, a conclusão bem saintsimoniana de que se deva idolatrar a realidade, ou negar que há em cada homem, ou deveria haver, uma nostalgia por algo mais alto e mais perfeito. Mas esta nostalgia não pode esvaziar a realidade, muito pelo contrário, o conteúdo da vida tem de ser um verdadeiro e significativo momento numa realidade mais alta, cuja plenitude atrai a alma. Com isso, a realidade adquire o seu valor, não como um purgatório – pois a alma não deverá ser purificada de modo a, digamos, sair desta vida totalmente nua, branca e despojada –, mas sim como história, na qual a consciência se entrega sucessivamente – porém, de tal modo que a felicidade não consiste em esquecer tudo isso, mas em permanecer presente aí. Por isso, a realidade não quer ser recusada, e a nostalgia deve ser um amor sadio, não uma forma medrosa e efeminada de fugir do mundo. Pode então ser verdade, quando o romantismo suspira por algo de mais alto; mas assim como o homem não deve separar o que Deus uniu, assim também ele não deve nunca, jamais, reunir o que Deus separou; mas uma tal nostalgia mórbida é uma tentativa de querer ter o perfeito antes do tempo. A realidade adquire, portanto, sua validade *na ação.* Mas a ação não deve degenerar em uma certa insistência estúpida, ela deve ter um *a priori* em si, que a impeça de perder-se numa infinitude sem conteúdo.

Isto com respeito à *prática.* No que toca à *teoria, a essência* tem de *se mostrar como o fenômeno.* Na medida em que a ironia é dominada, ela não mais crê, como certas pessoas bem-avisadas, que sempre deve haver alguma coisa escondida por trás; mas ela também impede toda idolatria do fenômeno e, como ela ensina a respeitar a contemplação, assim também salva daquela prolixidade que acha que para fazer uma exposição sobre a história universal, por exemplo, se precisaria de tanto tempo quanto o mundo teve para vivenciá-la.

Na medida, enfim, que a questão pudesse ser a da "validade eterna" da ironia, aí esta questão só poderia encontrar sua resposta quando se entrasse no terreno do humor. *Humor* contém um ceticismo muito mais profundo do que a ironia; pois nele tudo gira não mais ao redor da finitude, e sim da pecabilidade; o ceticismo do humor se relaciona com o da ironia da mesma maneira que a ignorância se relaciona com a antiga proposição: *credo quia absurdum* (creio porque é absurdo); mas o humor contém também uma positividade muito mais profunda, pois ele se movimenta não em determinações humanas, mas sim teantrópicas (*i theanthropiske Bestemmelser*), ele não se contenta com fazer do homem um homem, mas quer fazer do homem um homem-deus. Entretanto, tudo isto se situa para além dos limites desta investigação, e, se alguém desejar material para uma reflexão ulterior, eu gostaria de indicar a recensão que o Professor Martensen nos deu das *Novas poesias* de Heiberg.

Notas de rodapé

Notas da Parte I

1. Talvez um ou outro me censure quando considero a filosofia a mais velha, porém, eu estou supondo que o eterno seja mais velho que o temporal; e se de muitas maneiras a filosofia chega depois da história, ela dá, mesmo assim, imediatamente um passo tão imponente que ultrapassa o temporal, toma-se a si mesma como o *prius* eterno, e, tomando consciência de si para si mesma sempre mais profundamente, *recorda-se* recuando sempre mais longe no tempo, rumo à eternidade; não como quem está sonhando, mas sempre mais acordada, não recorda como de um passado, porém recorda o passado como um presente.

2. A filosofia se relaciona sob este aspecto com a história – em sua verdade, como a vida eterna com a temporal segundo a visão cristã – em sua inverdade, como a vida eterna com a temporal segundo a concepção grega e de um modo geral, da Antiguidade. Com efeito, de acordo com esta última concepção, a vida eterna iniciava quando se bebia do Rio *Letes* para esquecer o passado; de acordo, porém, com a primeira, ela é acompanhada de uma consciência que penetra até a medula dos ossos e que recorda cada palavra inútil que foi pronunciada. (*Letes:* um dos cinco rios do inferno mitológico – N.R.)

3. Das Christliche des Platonismus oder Sokrates und Christus (O elemento cristão do platonismo ou Sócrates e Cristo), de F.C. Baur. Tübingen, 1837.

4. Quero citar como exemplo: *Mem. III*, 14,2. Aí se trata de um jovem que só comia carne. Das duas uma: ou é o caso de uma daquelas ironias infinitamente profundas, que com a seriedade mais atenta captam as coisas mais indiferentes e com isso expressam o mais profundo desprezo por tudo; ou então é uma bobagem, um dos instantes fra-

cos de Sócrates, em que uma nêmese irônica o deixa cair sob a determinação de uma trivialidade infinita (a este respeito, cf. mais adiante). Mas em Xenofonte nenhuma das alternativas é o caso, sua conclusão é a de que o jovem decerto não afundou tanto na melancolia a ponto de renunciar a comer carne, mas se aperfeiçoou tão bem no moral que até começou a comer pão.

5. Cristo mesmo diz: "Eu sou o caminho, a verdade e a vida", e no que se refere à concepção dos apóstolos, ela era *palpável* – e não uma engenhosa obra de arte. "O que ouvimos, o que vimos com nossos olhos, o que contemplamos, e o que nossas mãos apalparam" (Jo 1,1). Por isso, Cristo também diz que os reis e príncipes desejaram *vê-lo*; Sócrates, ao contrário, como já se observou acima, era invisível para seus contemporâneos. Sócrates era invisível e só perceptível através da audição (*loquere ut videam te*, fala para que eu te veja). A existência de Sócrates era, de modo geral, aparente e não transparente. Isto, com respeito à existência de Cristo. No que se refere ao seu ensinamento, aí se podia sempre tomá-lo pela palavra, sua palavra era vida e espírito; Sócrates, com suas palavras, só se deixava malcompreender, e só transmitia vida através de uma negatividade. – Eu desejaria, de resto, se este desejo mesmo não se localizasse fora dos limites deste tratado, que me fosse permitido dentro do domínio desta investigação abordar a relação de Sócrates com Cristo, sobre a qual Baur, no livro citado, disse tanta coisa digna de nota, muito embora eu tenha ficado com uma pequena dúvida asmática sobre se a semelhança não consistiria na dissemelhança, e se a analogia não existiria somente porque há uma oposição.

6. Aliás, Xenofonte tinha tanta desconfiança não só em relação a Sócrates, mas também em relação à verdade, que não ousou deixar Sócrates andar por conta própria, e por isso constantemente está pronto a enfatizar o quanto os atenienses foram insensatos e injustos, e como para ele a coisa era bem diferente.

7. Para Sócrates, neste sentido, não havia nada parado; no que se refere à sua visão do conhecimento vale a mesma coisa que se lê no Evangelho sobre a piscina de Betesda, que só curava quando a água *se agitava*.

8. Se aqui eu concebo a visão que Sócrates tem da relação da ideia com o fenômeno como algo positivo e com isso poderia ocorrer ao leitor atento acusar-me de uma autocontradição, com respeito à concepção que desenvolverei mais adiante desta mesma relação segundo a consideração socrática, eu devo apenas permitir-me algumas observações. Em

primeiro lugar, isto se funda na polêmica de Sócrates contra os sofistas, os quais pura e simplesmente não conseguiam adaptar-se à realidade e cuja especulação era, em última análise, tão sublime e tão eloquente que por fim, por excesso de ideias, nada mais podiam dizer. Em contraste, Sócrates se demorava constantemente junto às coisas mais simples da vida, ocupava-se com o comer e o beber, com os sapateiros, os lavradores, com os pastores e as mulas de carga, e ao forçar os sofistas a descerem para tais esferas obrigava-os a reconhecerem a afetação que havia neles. Em segundo lugar, porém, a existência mesma era para ele constantemente tão somente imagem, e não momento na ideia, e isto mostra sua ideia como abstrata; e isto se confirma ainda mais pelo fato de que ele não possuía nenhuma determinação qualitativa no que se refere à relação do fenômeno com a ideia; aquele valia tanto quanto esta, já que tudo era imagem e apenas imagem; assim também se pode considerar como um sinal de que só se possui a ideia em sua abstração quando se acha que Deus se deixa reconhecer como presente tanto num cálamo quanto na história universal, já que isto redunda essencialmente em pensar que ele não está realmente presente em lugar nenhum; e, por fim, a ideia que Sócrates possuía era sempre a ideia dialética, lógica. Cf. mais adiante a respeito.

9. Portanto, se a concepção de Xenofonte sobre Sócrates é correta, então eu creio que uma Atenas refinada e amante de novidades tentou desembaraçar-se de Sócrates antes por ele aborrecê-la, mais do que por temor a ele; e todo mundo certamente concordará comigo em que o fato de Sócrates aborrecer as pessoas era um motivo tão justo para executá-lo, quanto a justiça de Aristides fora um motivo válido para os atenienses o mandarem para o exílio.

10. Só raramente se ouve, no meio desta *prosa* degenerada, uma observação que ainda guarda algum resto de sua origem celeste, e ainda assim com um acréscimo perturbador. Como exemplo, quero introduzir, em favor de Xenofonte, *Mem. I,I,8*. Ele fala daquelas coisas que o engenho humano como tal poderia alcançar, e então acrescenta: "o que de mais eminente encerram estas ciências reservam-no os deuses para si [...] Com efeito, ignora aquele que bem plantou um vergel quem lhe colherá os frutos". A nota socrática consiste aqui na relação de oposição que é sugerida, ainda dentro dos limites que caracterizam o território da atividade humana, entre a atividade febril dos homens e aquilo que é executado; é bem socrático primeiro esboçar o terreno que é inacessível ao conhecimento humano (6: "Quanto às coisas

de êxito duvidoso, mandava-os consultarem os oráculos, para saberem o que deveriam fazer"), em seguida sugerir o que, apesar de tudo, os próprios homens eram capazes de realizar, e quando estes estivessem com os sentidos bem ancorados nesta certeza, então subitamente mostrar que mesmo aí eles não são capazes de consegui-lo, derretendo por assim dizer o gelo em que estavam congelados, pensando estar tranquilamente em terra firme, e dessa maneira fazendo-os enfrentar mais uma vez a correnteza. Só não podemos reclamar a ausência da ironia; pois é justamente ela que lhes arrebata o último ponto; em Xenofonte, porém, ela está ausente; pois aquela consideração é introduzida com as palavras "o que de mais eminente", e a formulação socrática antes seria "a pequena dificuldade que ainda resta etc." Por outro lado, não deveríamos, de maneira alguma, dispensar aquela possibilidade, aquela disposição e aquela ameaça que há num modo de ver dogmático que deve ter sido característico de Sócrates. Para fundamentar a observação do que os deuses se reservaram justamente nas coisas finitas o mais importante, Sócrates mostra que ninguém conhece seu destino futuro, e que, portanto, esta ignorância é um recife no qual podem naufragar todas as sábias asserções. Antes se teria esperado que Sócrates, justamente ao fazer dos homens aparentemente capazes de agir por conta própria, quisesse acentuar que eles não eram nem ao menos colaboradores da divindade, e que toda a sua atividade febril era um nada ou um puro e simples receber, de modo que mesmo que cavassem a terra com instrumentos mecânicos em vez de fazê-lo com as próprias mãos e arassem sulcos da maior profundidade, ainda assim não encontrariam fecundidade na terra, caso a divindade não o quisesse. Pois a ignorância a respeito do próprio destino finito, que Sócrates acentuou como a herança correspondente ao gênero humano, jamais fora, afinal de contas, desconhecida dos homens; agora, a total impotência, que no terreno das obras é a própria analogia para a total ignorância no conhecimento, esta sim sempre necessitaria da insistência de um Sócrates. – Bem se poderia objetar-me que na passagem citada se trata justamente do sucesso e daquela possibilidade oculta no secreto conselho dos deuses, e que a contradição se encontra entre aquilo que pura e simplesmente não pode ser objeto de algum cálculo e aquilo que à primeira vista parece com toda certeza deixar-se calcular. Mas que em qualquer dos casos falta aqui a ironia, isto qualquer um concederá, assim como também que o que foi acima indicado poderia proporcionar uma visão muito mais socrática sobre a natureza e a essência do homem, se Sócrates aí não tivesse colocado o homem em colisão com o acaso, mas sim com a necessidade. É claro que seria possível que as gralhas comessem a semente depositada pelo agricultor; mas que não poderia haver absolutamente nenhuma força germinativa na terra se a divindade não o quisesse, e isto apesar de todos os esforços humanos, isto sim é uma negação muitíssimo mais profunda. A primeira é uma concepção da possibilidade enquanto possibilidade, a segunda é uma tentativa de fazer mesmo a realidade efetiva mostrar-se como uma possibilidade hipotética. – Tomemos um outro exemplo, onde Sócrates, mesmo na exposição de Xenofonte, parece aproximar-se da ironia, *Mem.* I,2, o famoso diálogo com Crítias e com Cáricles. Mas Sócrates se move aqui mais no terreno da sofística (36: "Quer dizer que não poderei responder a um jovem que me perguntar se eu sei onde mora Cáricles, e onde se encontra Crítias?"); e, portanto, só é irônico na medida em que a sofística pode aproximar-se disto, mas mesmo assim é qualitativamente diferente da ironia. Mais adiante voltaremos a isto. E o curioso é que Cáricles é realmente mais espirituoso do que Sócrates, pelo menos o supera de longe com a famosa resposta: "E renuncia também aos teus vaqueiros. De outra forma arriscas diminuir por tua vez o número de bois". – Eu desenvolvi estes dois exemplos um pouco mais detalhadamente para mostrar que mesmo lá onde Xenofonte chega mais perto de uma concepção de Sócrates, nós não percebemos, de maneira alguma, o aspecto bifronte que há neste, porém apenas algo que não é nem uma coisa nem outra.

11. Compare-se a isto o peso que Sócrates, no sétimo livro da *República*, dá à geometria e à sua significação para transpor o pensamento do "vindo-a-ser" para o "ente" ("daquilo que se gera e se destrói para aquilo que existe sempre"), "portanto, se a geometria nos obriga a contemplar a essência, ela nos convém; mas se contempla o que muda, então não nos convém". Cf. Platão, na edição de Ast, vol. 4, p. 404. Mas o vir-a-ser (Gênesis) é evidentemente a multiplicidade empírica, e logo a seguir Sócrates fala da mesma maneira sobre a astronomia e acha que através desta ciência se purifica e se desperta um sentido da alma que vale mais do que mil olhos, e critica tanto os astrônomos quanto os músicos, porque permanecem parados na doutrina empírica do movimento e da harmonia.

12. *Mem.* II, 4; I, 3, 14.

13. O *Banquete* (Trad. de Platão, de Heise, p. 97 220a): "E por outro lado, nas fartas refeições, era o único a ser capaz de aproveitá-las em tudo mais, sobretudo quando,

embora se recusasse, era forçado a beber, que a todos vencia; e o que é mais espantoso de tudo é que Sócrates embriagado nenhum homem há que o tenha visto".

14. O irônico que há em Xenofonte não é, portanto, de maneira alguma aquele bem-aventurado flutuar suspenso em si mesmo da ironia, e sim um meio de educação e por isso ora encoraja aqueles de quem Sócrates espera realmente algo (*Mem.* III, 5, 24), ora apenas disciplina (*Mem.* 6).

15. É por isso que se requer coragem para qualquer conhecimento, e somente aquele que tem coragem para sacrificar sua vida salva sua vida; a todos os demais ocorre o mesmo que aconteceu com Orfeu, que queria descer aos infernos para arrancar de lá sua esposa, mas os deuses lhe mostraram dela apenas uma imagem de sombras, porque eles o encaravam apenas como um tocador de cítara que não tinha tido a coragem para oferecer sua vida por amor.

16. *Mem.* IV, 2, todo uma trama de sofismas, sobretudo 22.

17. Uma honrosa exceção é *Mem.* IV, 4,6: "Como é isso, Sócrates, estás a repetir o que te ouvi dizer há tanto tempo? – Sim, retorquiu Sócrates, e o mais estranho, Hípias, é que, não contente de repetir as mesmas palavras, repito-as sobre os mesmos assuntos. Ao passo que tu, sabichão como és, talvez nem sempre digas as mesmas palavras sobre as mesmas coisas". Como se sabe, encontra-se a mesma observação da parte de Polo e a mesma resposta de Sócrates no *Górgias*, e não se pode negar que a observação acrescentada por Xenofonte "tu, sabichão como és" decerto não torna a ironia mais profunda, mas certamente mais galhofeira.

18. No interior do sistema, portanto, cada momento particular adquire uma significação diferente da que tem fora do sistema; este tem, por assim dizer, *aliud in lingua promptum, aliud pectore clausum* ("uma pronta na língua, outra oculta no peito").

19. Certamente ninguém me contestará quando afirmo que este comportamento da personalidade é uma relação de amor, sim, que ele recorda bem propriamente aquele tipo especial de amor que em Platão sempre é atribuído a Sócrates: "pederastia", naturalmente com referência ao despertar da primeira juventude da sonolência infantil, e àquela tomada de consciência de si, e que assim há uma alusão bastante feliz àquela predileção com que Sócrates se apoderava e até se divertia das pequenas fraquezas de seus discípulos. No *Banquete* (Heise, p. 21 /181 d/) está dito: "não amam eles, com efeito, os meninos, mas os que já começam a ter juízo, o que se dá quando lhes vêm chegando as barbas".

20. Como se tornaria muito prolixo citar *Baur*, remeto o leitor àquela seção que se inicia à p. 90, e peço que leia as páginas 90 e 91 e a seguir a p. 98.

21. O oposto disto está na suposta arte dos sofistas de saber *responder*, pois estes estavam sempre ávidos de que alguém lhes perguntasse algo, para que toda a sua sabedoria pudesse irromper, para "abrir todas as velas e com vento de popa perder a terra de vista, avançando pelo mar alto da verdade". Como exemplo disto pode servir o início do *Górgias*, onde Górgias e sobretudo Polo aparecem tão tensos como vacas que não foram ordenhadas na hora certa.

22. Cf. o *Banquete* (Heise, p. 60 infra e 61 supra /201 c): *"Agatão:* Eu não poderia, ó Sócrates, contradizer-te; mas seja assim como tu dizes. *Sócrates:* – É à verdade, querido Agatão, que não podes contradizer, pois a Sócrates não é nada difícil". Igualmente no *Protagoras* (Heise, p. 152 /331 c): *"Protagoras...* – Mas que diferença faz? Mas se fazes questão, admitamos que a justiça seja piedosa e a piedade justa. Sócrates: Não, não é assim, disse eu; pois eu não peço que se ponha à prova este 'se quiseres', ou 'se te parece', mas sim a minha e a tua verdadeira opinião, e com isso eu entendo que a coisa de que se trata é melhor provada quando se deixa totalmente de lado este 'se'." *Protágoras* (Heise, p. 160 /334 c): "Depois que ele (Protágoras) disse isto, os presentes o aplaudiram ruidosamente por ele ter falado tão bonito. Mas eu disse: Sou um homem um pouco desmemoriado, e quando alguém fala longamente eu esqueço totalmente o assunto de que se tratava. Se eu fosse surdo, tu considerarias necessário falar num tom mais alto do que para os outros quando fosses falar comigo, assim então também, já que topaste com um homem esquecido, corta algo de tuas respostas e as torna mais curtas, caso eu deva seguir-te. "Cf. *Górgias* (Heise, p. 21 /454b,c/): *"Sócrates:* Mas não te admira se eu às vezes precisar perguntar-te uma ou outra coisa, mesmo que te pareça totalmente clara. Pois, como eu disse, eu não te questiono a respeito disto por tua causa, mas sim para que nós possamos levar a cabo da maneira correta a nossa investigação e não fiquemos acostumados a tirar a palavra da boca do outro, embora apenas adivinhando a opinião um do outro, e para que tu possas fazer valer a tua visão das coisas da maneira que tu achares mais adequada". – Por isso, aquela obstinação em ater-se ao objeto, que não se deixa perturbar por nada. Cf. *Górgias* (Heise, p. 68 /473 d/): *"Sócrates:* Meu belo Polo! agora novamente me queres assustar em vez de me refutar, assim como antes apelavas para testemunhas contra mim [...]" E mais adiante (p. 68 /473 e/): "[...] *Sócrates:* O que é isto, Polo? Tu ris? Esta

é uma nova maneira de demonstrar algo, rir daquilo que a gente diz, em vez de retorquir?" – Aí não se leva em conta, portanto, se muitos têm a mesma opinião, ou não, mas sim qual a opinião que é a correta. Polo alega que os presentes estão de acordo com ele e o convida a questioná-los. *Sócrates* (p. 68 /473 e – 474 a/): "Polo: eu não sou um político. No ano passado, quando me coube julgar, porque minha tribo presidia o Pritaneu, e eu devia reunir os votos, provoquei o riso geral, porque eu não entendia daquilo. Portanto, não exige de mim que eu recolha os votos dos presentes [...]; pois eu só sei evocar uma testemunha para o que eu digo, ou seja, aquele com quem eu falo, e os outros podem sair". – (Em contraste com esta seriedade socrática que se atém ao seu objeto tão alerta e atentamente como um vigia de prisão aos seus prisioneiros, nós o vemos uma única vez procurar mais aquele fácil afastar-se e encontrar-se do diálogo e o aspecto erótico que há nisto. Fedro o acusa disto no *Banquete* (Heise, p. 47/194d/): "Meu caro Agatão, se responderes a Sócrates, nada mais lhe importará do que está por acontecer, desde que ele tenha alguém com quem conversar, especialmente alguém belo". – A conversação do amante é pois em geral o puro oposto do autêntico discursar sobre alguma coisa, e por mais edificante que seja para os amantes, ela não entretém nem mantém os terceiros. No *Fedro*, por isso, Sócrates dá um conselho à la Eulenspiegel (Ast t.I. p. 148 237 c): "em todas as coisas, meu rapaz, para que se tome uma resolução sábia é mister saber sobre o que se delibera, pois, de outro modo, infalivelmente nos enganamos", mais ou menos assim como Eulenspiegel dá ao alfaiate o importante conselho de dar um nó no final da linha, para não vir a perder a primeira volta da agulha.

23. A identidade deles se exprime de maneira muito bela na língua alemã, onde indagar se diz *aushorchen* (auscultar).

24. Assim também uma forquilha corresponde de maneira misteriosa com a água oculta na terra, e só se agita onde há água.

25. Cf. Górgias, p. 38 (461 d): "*Sócrates* [...] Peço-te, ó Polo, que nos poupes de longos discursos que agora há pouco tentaste utilizar. *Polo:* Como assim? Não me seria permitido falar quanto eu quisesse? *Sócrates*: Certamente seria demasiado duro, meu caro amigo, se, ao chegares a Atenas, o lugar da Grécia onde reina a maior liberdade de falar, tu fosses o único a não poder fazer uso dela".

26. Cf. *Protágoras* (p. 145 e 146 meio /329 b/): "Então, Protágoras, falta-me apenas um pouquinho para

ter tudo, basta que me queiras responder isto [...]" mas este "isto" é justamente aquele ponto de que tudo depende. – Ou, para tomar um outro exemplo: *Apologia de Sócrates* (Ast t. VIII p. 98 /17 a/): "Não sei, Atenienses, que influência exerceram meus acusadores em vosso espírito; a mim próprio, quase me fizeram esquecer quem sou, tal a força de persuasão de sua eloquência". E ainda, no *Banquete*, contra Agatão (Heise, p. 54/198 b/): "E como, ditoso amigo, não vou embaraçar-me, eu e qualquer outro, quando devo falar depois de proferido um tão belo e colorido discurso? Sem dúvida que nem tudo nele é igualmente admirável, mas quem poderia ouvir sem entusiasmo tantas palavras belas e a maneira de falar no final [...]". P. 55 (198 d): "Em minha ingenuidade acreditava que se devia dizer só a verdade acerca do objeto de que se faz o elogio; vejo, porém, que tal não é a maneira de se fazer um elogio, e que, ao contrário, o que se deve fazer é atribuir ao objeto os mais belos e grandiosos predicados, sem levar em consideração se isso é verdade ou não". Cf. *Protágoras*, p. 170 infra e 171 supra (339 e).

27. Certamente toda a Apologia é em sua totalidade uma estrutura irônica, na medida em que a grande massa de acusações se reduz a um nada, não no sentido comum, mas sim a um nada que é fornecido justamente pelo conteúdo da vida de Sócrates, que é ironia, assim como também sua proposta de ser sustentado no Pritaneu, ou a multa em dinheiro, e especialmente o fato de sua Apologia não conter propriamente nenhuma defesa: em parte ele se diverte com os acusadores, e em parte ele aproveita para uma agradável conversa fiada com os juízes. Combina também com isso a famosa história, de que ele teria recebido e lido um escrito de defesa de Lísias, porém declarado que não se achava motivado para utilizá-lo, embora se tratasse de um excelente discurso.

28. Nesta sua atividade de refutação ele abarcava todos, especialmente seus conterrâneos: "É o que hei de fazer a quem eu encontrar, moço ou velho, forasteiro ou cidadão, principalmente aos cidadãos, porque me estais mais próximos no sangue. Tais são as ordens que o deus me deu, ficai certos" (cf. Ast t. VIII, p. 128, 30 a). Ele narra que muitos se ligaram a ele porque não era desinteressante ver aquela gente que imaginava saber alguma coisa ser convencida de nada saber: "Mas, repito, faço-o por uma determinação divina, vinda não só através do oráculo, mas também de sonhos e de todas as vias pelas quais o homem recebe ordens dos deuses" (Ast t. VIII, p. 136, 33 c).

29. Peço ao leitor que, em contraste com este ponto, se lembre da exposição de Xenofonte, onde Sócra-

tes tanto se esforça para educar seus discípulos para serem bons cidadãos. Na *Apologia* de Platão, Sócrates acentua a importância de ser um homem privado, e isto se harmoniza totalmente com a relação negativa com a vida, que Sócrates apresenta de resto; pois o ser um homem privado, na Grécia, vinha a significar algo de bem diferente do que ser hoje em dia um "particular", pois na cultura grega cada indivíduo particular considerava a sua vida abarcada e suportada pela vida política, num sentido muito mais profundo do que em nosso tempo. É por isso também que Cálicles (no *Górgias*) censura Sócrates por persistir em se ocupar com a filosofia, dado que Cálicles acha que filosofar é como balbuciar, algo que se pode desculpar numa criança, mas que um adulto que persiste em filosofar merece, por isso, uma pena (cf. Heise, p. 99/ 485 d,e/): "Pois como acabei de dizer, por mais notável estrutura ele possua, o fato é que não poderá ser diferente: ele ficará imaturo, dado que ele se afasta do centro da cidade e foge das reuniões públicas, lá onde, no dizer do poeta, os homens podem destacar-se, e ele passa o resto de sua vida metido num canto onde fica sentado na companhia de três ou quatro adolescentes, sussurrando-lhes nos ouvidos, mas sem jamais proferir algo de maneira livre, nobre e forte". Eu quase nem preciso lembrar ao leitor atento o quanto este discurso de Cálicles é semelhante ao comportamento cientificamente adequado que Xenofonte faz Sócrates recomendar.

30. Na medida em que ainda se pudesse falar de um saber sobre algo de diferente do que esta ignorância, um frágil vestígio, uma fugaz indicação de um saber positivo, aí o próprio Sócrates diz, aliás, no *Banquete* (Heise, p. 10 /175 e/): "A minha sabedoria seria um tanto ordinária, ou mesmo duvidosa como um sonho" – e na *Apologia*, ele traduz o dito do oráculo de Delfos assim: "que pouco valor ou nenhum tem a sabedoria humana" (cf. Ast t. VIII, p. 1123, 23a).

31. De resto, permanece algo de obscuro no discurso de Erixímaco; por um lado, ele negligencia a necessidade do momento da unidade imediato, do laço de unidade que abraça a duplicidade, e isto, embora ele cite as palavras de Heráclito, que o uno em conflito *consigo mesmo* concorda *consigo mesmo*, assim como o acorde de uma lira ou de um arco; em parte o Eros duplo ainda paira diante dele, assim como para Pausânias, como algo meramente exterior, como uma divisão exterior, e não é o reflexo daquela ambiguidade que jaz no amor e que emana dele com necessidade. Por isso, o amor é ora ele mesmo a relação do oposto, ora uma espécie de relação pessoal às oposições, ora é um *prius* sem conteúdo e exterior a esta relação de oposição, e ora é algo que

se defronta com as oposições. Em suma, sua exposição é uma mistura do tradicional e da poesia da natureza.

32. O irônico arranca o indivíduo da existência imediata, e isto é o aspecto libertador, mas depois o deixa flutuando como o esquife de Maomé, segundo a lenda, entre dois magnetos, dois polos, um de atração e o outro de repulsão.

33. *Antecipando*, devo lembrar ao leitor que o mesmo problema se repetirá sob uma outra forma, quando eu for desenvolver em que sentido é necessário admitir uma plenitude positiva em Sócrates para com isso explicar a circunstância de que a partir dele tenham brotado tantas escolas filosóficas.

34. Aqui, porém, é preciso observar que para Sócrates, devido ao antigo hábito, tinha-se tornado a tal ponto necessário indagar que, mesmo quando ele dava a permissão ao outro para perguntar também, não ia além de duas ou três questões, e já Sócrates retomava a forma interrogativa e a partir daí não cedia mais. Ele cuida que a forma da pergunta seja devidamente observada e que não surja nenhuma confusão com a pergunta retórica. É assim, por exemplo, em Górgias (Heise p. 48 /466 a b c/): "Polo – Tu acreditas que os oradores notáveis são considerados no Estado como bajuladores e menosprezados como homens ruins? Sócrates: – Isto é uma pergunta que tu formulas, ou o início de um discurso? Polo: – Mas como? Eles não matam, assim como os tiranos, quem eles querem, não roubam de cada um sua fortuna, e não expulsam da cidade a quem lhes aprouver? Sócrates: Pelo Cão! Contudo, eu ainda estou inseguro com tudo o que tu dizes, se expões a tua própria opinião, ou será que me estás perguntando?" – Ao final do Górgias, depois de Sócrates ter reduzido os sofistas ao silêncio, ele continua sozinho a investigação, mas o faz em forma de diálogo consigo mesmo. No *Críton*, onde as leis e até o Estado aparecem e são introduzidas na conversa, eles dizem: "Não te admires, Sócrates, pelo que perguntamos, mas trata de responder, já que tu estás acostumado a falar com perguntas e respostas". Na *Apologia* também ele conduz sua defesa na forma de perguntas e respostas e até chama a atenção para este fato (Ast. t. VIII p. 122, 27): "Quanto a ti, Meleto, responde-nos. E quanto a vós, como eu pedi desde o início, não vos amotineis se eu falar na minha maneira habitual!"

35. A anedota a que estou aludindo apresenta a outra forma de um resultado ironicamente negativo; pois aqui o irônico consiste em que se chega a um resultado real, mas, dado que este resultado real é totalmente pessoal, e enquanto tal se relaciona de maneira indiferente com a ideia, e

dado que se pode supor que o católico neófito novamente terá a mesma força de persuasão sobre o protestante recém-convertido que este exercitava sobre aquele no assalto anterior, e assim por diante; por tudo isso se vê aí a possibilidade de uma disputa infinita que a cada instante possui força persuasiva para os disputantes, sem que, porém, por causa disso, algum deles em algum instante tenha uma convicção; apenas a seguinte relação de correspondência permanece através dos momentos: no instante em que A é católico, B fica protestante, e a razão disto consiste em que nenhum deles muda seu *habitus* (disposição fundamental), mas apenas trocam de hábito.

36. Já que, como se sabe, *opposita juxta se posita magis illucescunt* (os opostos postos lado a lado brilham mais), gostaria de citar a concepção positiva da unidade da virtude, que decerto se deve considerar como platônica e que certamente não é um fruto deste tipo de desenvolvimento dialético que aqui é indicado, mas que pertence a uma outra ordem de coisas. Cf. a *República* (Ast 445 c): "Com efeito, disse eu, assim como do alto de um posto de vigia (que atingimos agora nesta questão) mostra-se somente uma figura da virtude, mas inúmeras formas de vícios [...]"; aqui a unidade positiva da virtude é manifestamente a rica plenitude da vida feliz, e o contrário disto é a dispersão múltipla, a funesta fragmentação dos vícios, suas mil línguas contraditórias. Cf. 444 d: "Então a virtude seria, para a alma, como parece, uma espécie de saúde, de beleza, de vigor, e o vício seria doença, feiura, fraqueza". O positivo é aqui a plenitude vegetativa da saúde. Mas é fácil de ver que ambas as determinações são imediatas, pois lhes falta a dialética da tentação.

37. Também Stallbaum desaprova esta vinculação e é da opinião de que o Fédon tem de ser vinculado estreitamente com *Fédro*, *Górgias* e *Político*, porém sem entrar mais em detalhes, e então remete a Ast. Cf. *Praefatio ad Phaedonem*, p. 19.

38. Duas outras *provas* que estão contidas de maneira mais indireta no *Fédon*, eu apenas mencionarei brevemente. A *primeira* está contida logo no início do diálogo, onde Sócrates adverte contra o suicídio e recorda as palavras do mistério: de que nós homens somos como que vigias e nem podemos substituir-nos, nem evadir-nos. Se se tivesse permitido a esta consideração tomar consciência de seu rico conteúdo, se ela evoluísse até entender o homem como colaborador de Deus e, o que está implicado nisto, a ideia da existência real diante de Deus, então esta consideração conteria, mesmo que numa figuração mais popular e mais edificante do que demonstrativa, uma visão das coisas (*Anskuelse*) que, graças ao renascer pelo

pensamento, tornaria a aparecer com vigor especulativo. Entretanto, não é o que acontece. A observação tipicamente grega de Cebes, segundo a qual quem sustentasse mesmo isto antes deveria agarrar-se à vida e não desejar morrer, como o fazem os filósofos, segundo Sócrates, e se agarrar a ela para não escapar ao poder dos deuses, a esta observação Sócrates responde de modo bastante obscuro que ele também temeria morrer se não acreditasse ir assim a outros deuses, igualmente bons; pois com isso firma-se ainda mais o abismo aberto entre esta vida e uma outra vida, assim como também continua ambígua a relação, condicionada pela morte, para com os deuses desta vida, uma vez que de qualquer maneira a morte não deixa de ser uma forma de evadir-se de seu poder. Só quando se reconhece que é o mesmo Deus que leva alguém pela vida, e que no instante da morte como que larga a sua mão para apará-lo em seus braços e com isso receber a alma que por Ele aspirava, só então a prova está realizada na forma da representação. – A *segunda* prova indireta é puramente pessoal. A alegria, a coragem, a franqueza com que Sócrates enfrenta a morte, a indiferença com que ele quase a negligencia, têm, naturalmente, para as testemunhas contemporâneas como também para aquelas que com a ajuda dessas através dos séculos também se tornaram testemunhas disto, algo que entusiasma em alto grau. Ele afastou Xantipa para não ouvir gritos e queixas; diverte-se ao ver quão rapidamente o agradável segue ao desagradável "porque eu sentia dores dos grilhões nas pernas, e logo em seguida uma sensação agradável"; ele acha cômico que o agradável e o desagradável estejam ligados no ponto culminante, e ele acrescenta que teria sido uma tarefa digna de um Esopo: "[...] se ele tivesse observado isso, teria composto uma fábula mostrando que o deus queria unir os dois que estavam em conflito entre si e como não o conseguira os ligara pelos extremos"; ele empunha o copo do veneno com uma atitude digna, com um tal prazer de viver como o teria feito com um cálice espumante num banquete; e pergunta ao guarda da prisão: "Que achas? pode-se fazer desta bebida uma libação? Será que é permitido?" Ora, tudo isso é muito bom, mas se aí nos lembramos de que ele apesar de tudo propriamente não sabia nada sobre o que havia de vir, ou mesmo se acaso haveria um porvir, se nós, em meio a esta poesia, percebemos cálculos prosaicos, de que afinal de contas não faria mal a ninguém admitir uma outra vida e coisas semelhantes, como esclareceremos na devida hora, então se percebe que fica bastante restringida a força persuasiva desta prova.

39. Assim como no *Banquete* era a nostalgia que constituía o substancial, aqui ocorre o mesmo caso. Entre-

tanto, no *Banquete* era a nostalgia que desejava *possuir*, e no *Fédon* ela deseja *perder*, ambas as determinações são, porém, negativas, pois as duas aspirações são ignorantes a respeito do "quê" para o qual uma delas quer atirar-se e no qual a outra, pela morte a si mesma, quer dissolver-se.

40. Cf. *Platons Werke* (Obras de Platão), de Schleiermacher, 1ª parte, t. II, Berlim 1818: "Portanto, o mais provável é que tenhamos neste discurso uma transcrição da recordação da verdadeira defesa de Sócrates, tão fiel quanto era possível para a memória treinada de Platão, levando-se em conta a necessária diferença entre o discurso escrito e o falado, mais descuidado."

41. Eu me recordo ainda de minha primeira juventude, quando a alma exige o sublime, o paradigmático, como eu me senti decepcionado, enganado e deprimido ao ler a *Apologia*, porque a impressão que eu tive era de que ali toda a poesia, toda a coragem que triunfam da morte, haviam sido miseravelmente substituídas por um cálculo bastante prosaico, exposto de um modo a fazer crer que Sócrates quisesse dizer: "Para mim, este negócio todo, no fundo, é bastante indiferente". Mais tarde aprendi a compreendê-la de outra maneira.

42. Aqui a imortalidade e a vida eterna são concebidas como processo infinito, como um perguntar sem fim.

43. "Pois ninguém, ninguém no mundo
pode matar um defunto.
Mesmo morto, na pastagem,
o ladrão levava vantagem."

O leitor deve observar especialmente as duas últimas linhas; pois assim como o ladrão teria tido vantagem de já estar morto, assim também Sócrates, que nada sabia, de certa maneira teria uma vantagem, caso os acusadores pudessem provar que ele não apenas sabia algo, mas até sabia algo novo.

44. Isto está completamente em analogia com a decisão de Sócrates de profetizar, e a seriedade glacial com que ele atrai os atenienses para a pista escorregadia se harmoniza muito bem com a explicação que ele mais tarde dará sobre sua significação para o povo ateniense, de como ele era uma dádiva divina.

45. Trata-se da famosa viagem de descoberta empreendida por Sócrates, não para encontrar algo, mas para se convencer de que nada havia a descobrir.

46. Pois ele é como uma mutuca.

47. Sim, ele até pretende ser sustentado às custas do Estado.

48. Ou seja, a de nada saber.

49. Contudo, da maneira mais cortês do mundo.

50. Este é justamente o fino jogo de músculos da ironia. A circunstância de que ele sabe que nada sabe o alegra e o deixa infinitamente leve por causa disto, enquanto os outros se matam por seus tostões. A ignorância jamais é concebida por Sócrates especulativamente, mas ela lhe é tão cômoda, tão transportável. Ele é um *Asmus omnia secum portans* (Asmus carregando consigo tudo), e este *omnia* é nada. Quanto mais ele se alegra por causa deste nada, não como resultado, mas como infinita liberdade, tanto mais profunda é a ironia.

51. Numa nota referente a esta passagem, Ast diz: "por isso, o frequente: 'não causeis balbúrdia'; 'peço-vos para não fazer balbúrdia'; 'não vos zangueis comigo se vos digo a verdade'". Ele acha que o autor da *Apologia* tinha tido ainda diante dos olhos o acontecimento real de que Sócrates várias vezes fora interrompido; mas ele faz Sócrates antecipar tais interrupções e com isso transforma a balbúrdia real numa apenas aparente. Com isso, Ast não percebe quão autenticamente socrático era, certamente, esta tranquilidade ansiosa, que a todo tempo procura sossegar os atenienses, para que não se aterrorizem com o grandioso, o extraordinário que ele tem a dizer. Ora, o grandioso é o significado de sua pessoa para os atenienses, isto é, para dizê-lo abertamente: que ele é uma dádiva divina, o que se determina mais exatamente quando se diz que ele é uma mutuca (cf. *Apologia* 30 e). Sócrates adverte os atenienses para que não o condenem, não por causa dele, mas por eles mesmos: "[...] para que não pequeis contra a dádiva divina, com minha condenação. Pois se me matardes não encontrareis facilmente um outro semelhante, que (ainda que vos pareça ridículo) adequadamente aferrado pelos deuses à cidade, como a um grande e nobre cavalo, mas que justamente por sua potência tende a uma certa lerdeza e precisa ser incitado por uma mutuca".

52. Tudo isso está muito bem; pois Sócrates é *ironicamente indiferente* demais para vir a discutir com seriedade com os atenienses, e daí provém que ele uma hora age como se estivesse pateticamente assustado, outra hora como se estivesse desacorçoado e desanimado.

53. Este mito, de resto, aparece em três lugares em Platão. Cf. Stallbaum, *Ad Phaedonem,* p. 177: "Olympiodorus narra que esta terceira parte do diálogo se intitulava 'evocação dos mortos'; nome que segundo consta os antigos utilizavam para o poema Odisseia, de Homero. Mas como há

em Platão três dessas 'evocações dos mortos', isto é, fábulas dos infernos, ou seja, no *Fédon*, nó *Górgias* e na *República*, e elas se iluminam mutuamente, é preciso compará-las entre si diligentemente".

54. Cf. *Praefatio ad Phaedonem*, p. 16: "Mas como ele via que a dificuldade da coisa era tão grande que era mais fácil pressentir com a alma do que entender e explicar claramente com a mente, não é de admirar que também neste livro os exames surdíssimos das questões estejam entretecidos com narrações míticas e fabulosas, que ocupam o lugar de demonstrações e de argumentos certos [...] Com muita verdade, portanto, Eberhard em sua *Miscelânea de Escritos*, p. 382, escreveu o seguinte: 'Pode-se admitir como certo que Platão às vezes se utilizou de mitos em lugar de raciocínios e demonstrações racionais, quando se tratava de assuntos que ficam fora do horizonte da razão e da experiência humanas, ou quando mesmo para ele a prova racional era demasiado difícil, ou quando lhe parecia demasiado difícil para a capacidade de apreensão de seus ouvintes'". Cf. *Ad Phaedonem*, p. 177: "Frequentemente ele parece ter usado aquelas narrações míticas para dar a entender que o assunto da discussão era de tal natureza que era melhor se fiar nos pressentimentos e nas conjecturas do que nas demonstrações e explicações. Quando ele faz isso, utiliza geralmente as fábulas e narrações comumente celebradas pelos gregos, embora ele mude ou descarte tudo o que não convém aos seus propósitos, e ao mesmo tempo corrija as superstições de seus concidadãos e se esforce por removê-las. Daí se entende que Platão, no uso dos mitos, seguiu também um outro propósito. Pois ele quis afastar gradativamente aquelas ineptas superstições do povo, ou ao menos emendá-las. Finalmente, parece ter utilizado os mitos com o propósito de preparar pouco a pouco o espírito de seus contemporâneos, oprimidos pela superstição cega, para receberem a doutrina de uma sabedoria mais pura".

55. Cf. op. cit., p. 165: "O mítico é como que a base teológica da especulação platônica: o conhecimento é ligado e firmado pelo dogma, e o espírito é elevado desde o terreno da reflexão humana para a visão da vida superior infinita, onde ele, esquecendo sua finitude e sua ipseidade terrena, mergulha na insondável profundidade do divino e eterno. Poder-se-ia dizer que nos diálogos platônicos as exposições filosóficas só têm a finalidade de conduzir o espírito para a consideração superior e preparar para a visão da infinitude e da divindade manifestadas simbolicamente nos mitos, assim como nos mistérios a contemplação propriamente dita seguia à preparação e à indicação".

56. Quando o *mítico* é concebido assim, pode dar a impressão de se confundir com o *poético*; mas é preciso observar que o poético tem consciência de si mesmo como tal, tem nesta idealidade a sua realidade e não quer ter nenhuma outra realidade. O mítico, ao contrário, situa-se naquele "nem um nem outro" naquela duplicidade, naquele estado intermediário do qual os interesses da consciência ainda não se arrancaram. O poético é uma proposição hipotética no conjuntivo, o mítico é uma proposição hipotética no indicativo. Esta duplicidade, o enunciado indicativo e a forma hipotética, que oscila entre não ser nem conjuntivo e nem indicativo e ser ambos, conjuntivo e indicativo, é uma característica do mítico. Enquanto o mito é tomado pela realidade ele não é propriamente mito; somente no instante em que ele toca uma consciência reflexiva ele se torna mito; e na medida em que ele tem um conteúdo especulativo e se aplica à fantasia, aparece a exposição mítica. Mas num certo sentido a idade do mito já passou, quando surge a questão de uma exposição mítica; como, porém, ainda não foi permitido à reflexão aniquilá-lo, o mito ainda existe, e, ocupado com o partir e ir embora, ele se eleva da terra, mas se espelha, despedindo-se ainda uma vez na fantasia, e esta é a exposição mítica. Erdmann observa (*Zeitschrift für spekulative Theologie* von Lic. Bruno Bauer /Revista de teologia especulativa, do Licenciado Bruno Bauer/, III vol. 1 fasc., p. 26): "Um fato ou mesmo uma série de fatos que ainda não constituem ou significam uma ideia religiosa, nós chamamos um mito religioso. O mito religioso é um fato ou uma série de fatos que apresentam um conteúdo religioso na forma sensível temporal, mas que (e nisto se distinguem da história) não são uma manifestação necessária da ideia mesma, e sim se encontram numa relação exterior para com ela. Por isso, os mitos não são *verdadeiros*, mesmo quando contêm também verdade; eles são *inventados*, embora não pela reflexão; eles não são fatos reais efetivos, porém fingidos". Entretanto, perceber que eles não são verdadeiros, é algo reservado a um momento posterior e mais verdadeiro. Mas a fantasia, para a qual é indiferente saber se são ou não verdadeiros, olha-os com interesse filosófico e, como no caso atual, cansada do trabalho da dialética, repousa neles. Num sentido, é ela mesma que os inventa, é o poético; num outro sentido, não os inventa, é o não poético; a unidade disto é o mítico, quando se entende por isto a exposição mítica. Portanto, quando Sócrates diz no *Fédon que* ninguém pode afirmar que o mito é verdadeiro, aí temos o momento de liberdade, o indivíduo se sente livre e emancipado do mito; mas quando ele então acha, mesmo assim, que a gente deve ousar

acreditar naquilo, aí temos o momento da dependência. No primeiro caso, ele pode fazer com o mito o que quiser, riscar ou acrescentar; no último caso o mito o sobrepuja, quando ele se entrega a ele, e a unidade é a exposição mítica.

57. Platão jamais chegou ao movimento do pensamento especulativo; eis por que constantemente o mítico, ou melhor, o figurado, pode ainda ser um momento em meio à exposição da ideia. O elemento de Platão não é o pensamento, mas a representação.

58. Cf. *História e sistema da filosofia platônica*, do Dr. K.F. Hermann, 1ª parte, Heidelberg 1839, p. 30, com a correspondente nota 54.

59. O que dá realidade ao espaço é o processo orgânico da natureza, e o que dá realidade ao tempo é a plenitude da história. No mítico, ambos, espaço e tempo, têm apenas realidade de fantasia, isto se vê, por exemplo, nos mitos da Índia, na maneira infantil como gastam o tempo, e que, pretendendo dizer muita coisa, nada dizem, porque o critério que é aplicado no mesmo instante perde sua validade; pois dizer que um rei governou durante 70.000 anos é, afinal, algo que se anula a si mesmo, dado que a gente utiliza a determinação temporal sem lhe atribuir nenhuma realidade. Nesta idealidade, tempo e espaço se confundem e se trocam reciprocamente de modo totalmente arbitrário.

60. O fato de que Sócrates é o falante também na parte mítica nada prova contra a justeza da diferenciação estabelecida aqui entre o dialético e o mítico, dado que, como é sabido, Platão jamais aparece como o falante, utilizando-se sempre do nome de Sócrates.

61. Como explicar, de resto, que Platão em um de seus últimos escritos leve em consideração toda a dialética e a ironia socráticas, que ele afinal num número nada pequeno de diálogos intermediários tinha deixado de lado, e que mais tarde ele também não tratará? Propriamente eu não precisaria discutir isto, dado que no conjunto eu me vinculo à observação de Schleiermacher. Como, porém, a explicação está muito próxima, que ela encontre um lugar aqui. Com efeito, o primeiro livro trata justamente aquelas questões que constituem o objeto da investigação dos primeiros diálogos. Era então bem natural que Platão desejasse vivamente recordar-se de Sócrates e, como em *A República* ele buscava expor sua visão de conjunto, também convinha, com brevidade, voltar a percorrer o desenvolvimento contido nos diálogos anteriores, e fornecer assim uma espécie de introdu-

ção, que certamente está longe de ser uma introdução para o leitor de *A República*, mas que, considerado como recapitulação, sempre poderá ter interesse para o leitor de Platão, e para o discípulo agradecido deve ter tido um grande valor afetivo.

62. Cf. 348 d – A questão de saber se ele chamava a justiça de virtude e a injustiça de vício, ele responde: Não! é ao contrário; o que ele entretanto modifica, pois à questão de saber se ele chamaria à justiça um vício, ele responde: Não, mas uma sublime ingenuidade. Então, à injustiça chamas mau caráter? Não, mas sim prudência, disse ele.

63. Sócrates é da opinião de que, em relação à comida e bebida, o mais competente é que deve receber a maior parte, e então Cálicles responde: "Teu discurso gira todo tempo ao redor de comida e bebida, médico e bobagens, mas eu não me estou referindo a nada disso". Sócrates prosseguiu: "Eu te entendo, mas talvez o mais competente deva então ter as melhores roupas, e o melhor tecelão deve possuir a vestimenta maior, e andar por aí vestido de maneira mais completa e mais bonita". Cálicles: "Ó tu com tuas roupas [...]" Sócrates: "Mas sapatos, isto é evidente que o mais competente e melhor é o que deve ter mais, e o sapateiro talvez deva andar com solas maiores e mais numerosas?" etc. (Heise, p. 111 /*Górgias* 490 c d e/).

64. Que Sócrates, no correr do diálogo, toca um ou outro pensamento mais positivo, não se pode negar. Mas o positivo aqui é novamente concebido em toda a sua abstração, e neste sentido o positivo é mais uma vez apenas uma determinação negativa. Assim, o elevar qualquer arte a uma esfera ideal, a uma ordem de coisas superior, onde ela só é exercida como firme em si mesma, não afetada por nenhuma profanação terrena, é, em si e por si, um pensamento muito positivo, mas ao mesmo tempo tão abstrato que, em relação a qualquer arte em particular, é uma determinação negativa. O pensamento positivo, o "pléroma" propriamente dito, só se daria quando se tornasse visível em que a arte busca a si mesma. A determinação negativa, de que ela não cobiça nenhuma outra coisa, deveria seguir como uma sombra a determinação positiva, como uma possibilidade superada a cada instante de uma tal aspiração. Aqui, de certo modo, a relação se inverteu, na medida em que se apresenta como positivo o fato de a arte não ser exercida com vistas a uma outra coisa. Pode-se muito bem dizer que se deveria perseguir a justiça somente por amor à justiça, mas, para que aí ocorra realmente um progresso no pensamento, é preciso que a justi-

ça no primeiro lugar se tenha desenvolvido como justiça no segundo lugar, é preciso que a inquietude estimuladora da justiça da primeira posição tenha encontrado seu repouso e apaziguamento na justiça da segunda posição. Enquanto a gente não souber o que é a justiça, continua naturalmente um pensamento negativo dizer que a justiça só deve ser buscada por amor a ela mesma.

65. "Nos diálogos da primeira série Platão vivia ainda em pleno socratismo; aí ele tinha por meta fazer valer o socrático frente aos princípios prejudiciais dos sofistas daquela época (*Protágoras*), dos oradores e escritores (*Fedro*) e dos políticos (*Górgias*), e em oposição a eles não apenas mostrar o nada e a falta de conteúdo deles, mas também a sua perniciosidade" (Ast, p. 53 e 54). Esta consideração de Ast pode muito bem ser sustentada, desde que não se esqueça de que a polêmica aqui mencionada não é uma polêmica positiva, que com o *páthos* da seriedade derruba com trovões as falsas doutrinas, mas sim uma polêmica negativa, que de maneira muito mais sutil, mas também muito mais enfática, vai roubando-lhes o chão, e fria e imovelmente as vê afundarem-se no nada total.

66. Poderia parecer como se a gente pudesse caracterizar o primeiro estádio como meramente dialético e então conceber Sócrates pura e simplesmente como dialético. Foi o que fez Schleiermacher em seu conhecido ensaio; mas dialética como tal é uma determinação impessoal demais para esgotar uma figura como a de Sócrates; portanto, enquanto a dialética se expande infinitamente e se espraia rumo às extremidades, a ironia a faz refluir para a personalidade, arredonda a dialética na personalidade.

67. E, portanto, está certo que Aristóteles não reconheça em Sócrates uma dialética no sentido próprio da palavra.

68. O desenvolvimento pormenorizado de todas estas igualdades e desigualdades, de todos estes pontos de coincidência, o leitor já terá encontrado anteriormente nos devidos lugares.

69. *Aristophanes und sein Zeitalter*, eine philologisch-philosophische Abhandlung zur Alterthumsforschung, (Aristófanes e sua época, um tratado filológico-filosófico de pesquisa da Antiguidade), de H. Theodor Rötscher, Berlim 1827.

70. *Nachträge zu Sulzers allgemeiner Theorie der schönen Künste* (Aditamentos à teoria geral das belas-artes de Sulzer), tomo VII, 1ª parte, p. 162: "Infelizmente nós só conhecemos Sócrates a partir das pinturas embelezadoras de um Platão e um Xenofonte, entretanto, daí se destaca muita

coisa que provoca estranheza e sugere um homem singular. A direção por um gênio invisível, de que o sábio acreditava poder desfrutar, seu recolhimento e sua submersão em si mesmo, que até no acampamento militar durava o dia inteiro e que todos os seus companheiros percebiam, suas conversas, cujo objeto, cuja finalidade e cujas tiradas se distinguiam por tantas características originais, seu exterior negligenciado e seu comportamento incomum sob tantos aspectos – tudo isso tinha necessariamente de lhe dar, aos olhos da multidão, ares de um tipo original (Sonderling)". – Assim também, na p. 140, onde o autor observa que se conhecêssemos melhor Sócrates certamente se daria ainda mais razão a Aristófanes: "nós nos convenceríamos então infalivelmente de que ele, apesar de todas as suas grandes virtudes e notáveis qualidades, trazia em si, afinal de contas, os erros e as franquezas da humanidade em rica medida, e que ele, como aliás muitos sinais insuspeitos fazem supor, pertencia sob vários aspectos à classe dos tipos originais, esquisitos (Classe der Sonderlinge), e sua maneira de ensinar não escapava da censura de prolixidade e pedantismo".

71. *Ueber Aristophanes Wolken* (Sobre as nuvens, de Aristófanes), de J.W. Süvern, Berlim 1827, p. 3s.

72. Confira-se a excelente exposição da história do coro em Aristófanes, Rötscher, p. 50-59.

73. Esta seriedade é reivindicada pelo próprio Aristófanes na primeira parábase.

74. Cf. v. 1.496: "Que faço? Que mais há de ser senão trocar sutilezas com as traves da casa?" v. 1.503: "Ando pelos ares e olho o Sol de cima".

75. Uma coisa ao menos é certa: a ironia é muito mais pura, muito mais emancipada numa passagem anterior, onde Estrepsíades se deixa realmente convencer pelos sofismas de Fidípides de que este tem razão e ele merece a surra. Cf. v. 1.437:

"Homens de minha idade, penso que ele diz o que é justo! Creio que se deve concordar com os filhos no que é razoável [...] Pois é natural que também choremos, se não fazemos o que é justo".

Assim também, a relação entre os dois tipos de discursos, o bom e o ruim, é concebida com toda a infinitude da ironia, quando é dito que o ruim sempre vence e Estrepsíades, por isso, pede a Sócrates que Fidípides aprenda pelo menos e sobretudo o tipo ruim. Cf. v. 882:

"Contanto que ele aprenda aqueles dois raciocínios,
o forte, seja ele qual for, e o fraco, aquele que
com palavras faz virar o que é injusto no mais forte.
E se não, pelo menos que aprenda o raciocínio injusto, a
todo custo".

76. A isto corresponde muito bem quando na natureza o princípio ordenador, em vez das figuras plásticas dos deuses, vem a ser o "turbilhão etéreo", e a dialética apenas negativa se deixa caracterizar excelentemente como turbilhão.

77. Cf. v. 331:

"Por Zeus, nada disso! É que você não sabia que elas sustentam a maior parte dos sofistas, adivinhos de Túrio, artistas da medicina, vadios de longos cabelos que só tratam de anéis e unhas, torneadores de coros cíclicos, homens charlatães de coisas celestes. Sustentam esses vadios que não fazem nada, porque eles costumam cantá-las em suas obras". E é por isso que suas dádivas correspondem a isso. Cf. *As Nuvens*, v. 316: "De modo algum! São as nuvens celestes, deusas grandiosas dos homens ociosos. São elas que nos proporcionam pensamento, argumento e entendimento, narrativas mirabolantes e circunlóquios e a arte de impressionar e de fascinar".

78. Nesta descrição, eu me refiro predominantemente ao aspecto intelectual, porque este é que estava, evidentemente, mais próximo aos gregos. É certo que uma dialética semelhante, como arbitrariedade, mostra-se no terreno moral de forma ainda mais preocupante, mas nesta perspectiva eu também creio que, ao tentar compreender o período de transição em que se achava a vida grega na época de Aristófanes, muitas vezes se tem demasiado diante dos olhos as peculiaridades da época da gente. Hegel diz, com muita razão (*História da Filosofia*, t. II, p. 70): "Não podemos acusar os sofistas por não terem tomado o bem como o princípio; isso se deve à desorientação da época".

79. Se um ou outro leitor achar que eu enxergo demais em Aristófanes, eu terei prazer em reconhecê-lo, desde que em compensação ele me resolva a dificuldade que sempre surge quando a gente examina mais de perto a estranha relação em que se encontra o sujeito frente às nuvens. Aqui há certamente que atentar para dois momentos: o coro se revestiu num símbolo, nas nuvens, porém, estas nuvens, por sua vez, assumem a figura de mulheres.

80. É por isso que se apresenta como uma confissão de fé, que, como toda confissão de fé inclui tanto o

lado subjetivo quanto o objetivo, o verso 424 das *Nuvens*: "Não é verdade que você, agora, não aceitará nenhum outro deus a não ser os nossos, o Caos, as Nuvens" (o objetivo) "e a Língua" (o subjetivo), e é com um grande vigor cômico que Aristófanes faz Sócrates jurar pelos mesmos poderes, cf. v. 627: "Não, pela respiração! Não, não, pelo caos e pelo ar!"

81. Cf. *Nuvens*, v. 227: "Sócrates: Pois nunca teria encontrado, de modo exato, as coisas celestes se não tivesse suspendido a inteligência e não tivesse misturado o pensamento sutil com o ar, o seu semelhante. Se, estando no chão, observasse de baixo o que está em cima, jamais o encontraria. Pois de fato a terra, com violência, atrai para si a seiva do pensamento. Padece desse mesmo mal até o agrião".

82. É portanto um predicado bem característico o que as *Nuvens* aplicam a ele: "sacerdote de tolices sutilíssimas", v. 359.

83. V. 177: "Discípulo: Espargiu sobre a mesa uma cinza fina, dobrou o espeto e, depois, usando-o como um compasso [...] surripiou o manto da palestra [...] Estrepsíades: Por que então admiramos aquele famoso Tales? Depressa, abra, abra o pensatório, e mostre-me logo este Sócrates, pois tenho vontade de aprender! Mas abra a porta!" Se o leitor se recordar que mais tarde Estrepsíades retorna do pensatório sem manto, com certeza ele perceberá aí o cômico que há no fato de Estrepsíades, que havia esperado participar dos despojos (um manto), volta para casa não apenas sem lucro, mas até sem ter nem aquilo que antes possuía – um manto. E, no entanto, este ainda é um resultado bastante tolerável, comparado com o que o próprio Estrepsíades diz, quando teme, com o ensinamento de Sócrates, transformar-se pela especulação em absolutamente nada. V. 717: "E como não? Se meus bens sumiram, sumiu o meu corpo, sumiu minha alma, sumiram os sapatos [...] E além disso, além desses males, cantando de sentinela quase que eu sumo também!"

E o convite do coro a Sócrates mostra que tudo estava organizado para, como se diz, esfolar Estrepsíades.

V. 810: "Coro: E agora que o homem está bobo e visivelmente agitado, sabendo-o, você vai engoli-lo tanto quanto puder! Depressa [...]"

84. Cf. v. 497: "Sócrates: Está bem. Então tire o manto! Estrepsíades: Fiz algum crime?
Sócrates: Não, mas a lei é que se entre sem manto".

85. Aqui nós temos a concepção aristofânica da famosa imobilidade e fixação do olhar socráticos.

86. Cf. v. 1.178: "Fidípides: Mas o que é que você teme? Estrepsíades: O dia da 'lua velha e nova'".

Fidípides: Pois há um dia da "lua velha e nova"?

Estrepsíades: Sim, aquele em que dizem que vão depositar uma caução contra mim.
Fidípides: Então os depositantes vão perdê-la, pois não seria possível que um só dia fossem dois...
Estrepsíades: Não seria possível?
Fidípides: De que jeito? A não ser que uma mesma mulher fosse ao mesmo tempo velha e jovem.

"O mês dos atenienses tinha trinta dias, os vinte primeiros eram contados do primeiro ao vigésimo, mas os restantes de trás para diante, partindo-se do mês seguinte. O 21° chamava-se assim o 10°, o 26° o 5°, o 29° o 2°. O 30° se chamava o velho e o novo, e o 1° se chamava lua nova." (*Comédias de Aristófanes*, traduzidas por *Krag*. Odense 1825, p. 233 nota.) – Neste último dia do mês deviam ser pagos os juros, e por isso este dia era um horror para Estrepsíades. Mas vejam, agora ele estava libertado desta inquietude, e graças à esperteza de Fidípides, que tinha o poder de abolir a realidade e provar que este dia simplesmente não existia. Eu me esforcei conscientemente por chamar a atenção para este sofisma como um exemplo daquela dialética que era ensinada no pensatório, porque ele lembra, como paródia, a dialética socrática, fundada essencialmente sobre o princípio de que não se podia, sobre a mesma coisa, enunciar predicados contraditórios, e porque isto, com tanto vigor cômico, pretende não apenas ter validade no mundo do pensamento, mas quer ter uma autoridade capaz mesmo de negar a realidade efetiva.

87. Aqui parece ser uma boa ocasião para dar lugar a uma interpretação sobre aquela passagem, muito discutida e antes já citada, do manto que, segundo a declaração do discípulo, Sócrates teria surripiado da escola de esgrima. No que tange à *vita anteacta* da interpretação, compare-se Rötscher, p. 284s. – Süvern refutou a explicação apresentada por Reisig, e ele mesmo vê nesta passagem uma caracterização da conhecida distração socrática e, baseado no fato de que aquilo teria ocorrido durante uma demonstração matemática, vinculou a coisa à estreiteza socrática que devemos agradecer a Xenofonte, segundo a qual Sócrates queria que só aprendesse matemática na medida em que isto pudesse ser utilizado na vida cotidiana. Rötscher é da opinião de que não se refere a algum fato particular, mas sim que isto aí estava como a suprema e brilhante ilustração daquela *Gewandtheit* (habilidade) de que Estrepsíades, tão premido pela exis-

tência, tanto precisava. Mas quando, para sublinhar a astúcia de Sócrates acentua que este surripiara o manto da palestra, para o que a lei de Sólon previa a pena de morte, aí eu creio que justamente com isso ele perde a verdadeira graça que há nessas palavras, graça que ele, em outras ocasiões, toca tão de perto. Certamente Aristófanes queria ironizar a *dialética negativa* que se esvai em um monte de experimentos sem conteúdo, e à qual, com uma ironia ainda mais profunda, ele atribui uma *força criativa*, na medida em que ele o faz, com demonstrações artificiosas, como que produzir uma realidade, porém de tal modo que, já que esta realidade é uma coisa finita e terrena, a produção se encontra no limite de um *furto*; *desta* maneira se poderia também explicar (o que Rötscher observa numa nota, no mesmo lugar) que Querofonte, o amigo de Sócrates, foi honrado pelos cômicos muitas vezes com o apelido de "Cléptos" (ladrão). As palavras com que o fato é introduzido: "Espargiu sobre a mesa uma cinza fina, dobrou o espeto e, depois, usando-o como um compasso", parecem ser a introdução a um ato criador, e com tanto maior ênfase, com toda a surpresa do repentino seguem-se as palavras: "ele surripiou [...]" etc. – Mas como quer que se conceba esta passagem com respeito à significação que lhe deve ser atribuída na peça, sempre resta a proeza de Sócrates e a carência que ela devia remediar. O discípulo narra a Estrepsíades que, como faltava comida para a ceia, Sócrates empreendera a operação já descrita, com a qual ele surripiara um manto da escola de esgrima. Mas por um lado não se vê como é que com isso ele estaria providenciando a ceia, a não ser que se quisesse supor que Sócrates o teria vendido e assim conseguido os meios necessários; e, por outro lado, não se vê simplesmente o que pode significar o fato de ele o ter surripiado da palestra. Na edição de Hermann (Leipzig, 1798), p. 33, encontra-se uma outra versão, a saber: "da mesa". Em seguida Hermann chama a atenção para uma outra dificuldade, ou seja, para o fato de que o artigo definido está ausente aqui, porque não se trata de um manto determinado; entretanto, ele não resolve a dificuldade.

88. Não se pode negar, neste aspecto, a Estrepsíades, uma louvável tenacidade; pois embora ele retorne do pensatório sem ter aprendido qualquer coisa (e a culpada aqui era a fraqueza da idade dele, v. 855), e não obstante ele ter perdido tanto o manto quanto os sapatos (v. 857: "Estrepsíades: Não, não perdi, dispensei-o"), mesmo assim ele não perde a esperança e a fé na nova sabedoria, contando com as predisposições naturais de Fidípides.

89. Por isso diz ele também, na *Apologia* de Platão, que jamais fora mestre de alguém e jamais recebera discípulos.

90. Que de resto estão muito bem organizados por Aristófanes, de maneira muito sábia, pois Sócrates desempenha um papel maior no início da peça do que no final, e, em contraste com o ensino de Fidípides, deixado fora de cena, a educação de Estrepsíades ocorre diante dos olhos de todos, com o que então a posição antiquada e a da nova moda, representadas em personalidades igualmente cômicas, não perdem reciprocamente em ridículo; isto merece ser notado.

91. V. 368s., onde Sócrates explica como ocorre a chuva que vem das nuvens, e Estrepsíades assegura, v. 373: "E no entanto antes eu acreditava que era Zeus que urinava através de um crivo".

92. Por isso também segue ao silêncio solene, que caracteriza qualquer novo ponto de vista histórico-mundial (pois tais coisas se fazem tão tranquilamente, que é como se elas não acontecessem no mundo, mas fora dele), o coro barulhento dos sofistas, uma soma do zumbido de insetos fantásticos, que num entrevero infinito vão e vêm, de novo vão e de novo vêm, por cima de si mesmos e por cima dos outros. Em geral, eles chegam em bandos enormes, como os gafanhotos sobre o Egito, e indicam que o pensamento do mundo novamente se prepara para emancipar-se da coação da personalidade, para perder-se numa formação semelhante à da desembocadura do Reno.

93. Cf. v. 360: "Coro: [...] pois não atenderíamos a nenhum outro dos atuais sofistas das coisas celestes, com exceção de Pródico. A este, por causa da ciência e saber, e a você, porque se pavoneia pelas estradas, lança os olhos de lado, anda descalço, suporia muitos males, e, por nossa causa, finge importância [...]"

94. Cf. v. 700. O coro se dirige a Estrepsíades: "Pense, examine, concentre-se, revirando-se de todas as maneiras! Rápido, se cair num embaraço, salte para outro pensamento do seu intelecto [...]" Se é que não estamos vendo demais nestas palavras, aí se pode encontrar uma caracterização da dialética *dessultória*, que transforma a ideia em um corpo opaco, que não pode ser penetrado, e salta fora dele. Também aquele ater-se, que Sócrates recomenda, mostra-se como aquela atitude que apenas se atém ao problema, mas não soluciona. Cf. v. 743: "Sócrates: Fique quieto! E se tiver alguma dificuldade nos seus raciocínios, deixe-a e passe adiante. Depois, movimente-a de novo com o pensamento e pondere".

95. Por isso, quando Estrepsíades está por começar o aprendizado, Sócrates lhe pergunta o que é que ele quer aprender daquelas coisas de que até então nada sabia. V. 637: "Então vamos, o que é que você deseja aprender agora mesmo, em primeiro lugar, daquelas coisas que nunca lhe ensinaram? Diga-me, serão por acaso as medidas, os versos ou os ritmos?" Se aqui com a palavra "versos" se designa o ensinamento gramatical, e mesmo que Sócrates, com suas sutilezas linguísticas pareça um Peer Degn (da comédia de Holberg), mesmo assim é preciso pensar que temos aqui uma paródia exageradamente cômica, e que neste caso pode muito bem estar indicada uma sutileza dialética correspondente, baseada na linguagem.

96. V. 482 e 486.

97. Por isso também o fruto do ensinamento corresponde bem a isso; pois Sócrates promete (v. 260): "Tomar-se-á escovado na fala, charlatão, uma flor de farinha!"

98. Depois de ter mostrado como a dialética socrática sabe aniquilar todas as determinações concretas do bem, às custas do próprio bem, como universal vazio e sem conteúdo, e com sua ajuda, Hegel observa que foi Aristófanes quem concebeu a filosofia de Sócrates apenas a partir do seu lado negativo (*História da Filosofia*, v. 2, p. 85). Mas se por acaso houvesse em Sócrates uma positividade platônica, é certo que não se poderia negar, por mais liberdade que se quisesse conceder ao poeta cômico, que Aristófanes, afinal de contas, teria ultrapassado o limite, o limite que o próprio cômico tem, a exigência de que a coisa seja verdadeiramente cômica.

99. Por isso, enquanto o proveitoso, em Xenofonte, oscila entre corresponder ao belo e ao bom, e portanto é um conceito mais intelectual do que moral, aqui, pelo contrário, o proveitoso é concebido de maneira puramente moral, em sua oposição ao bom e em sua unidade com o mau. Xenofonte não deixa Sócrates aceitar pagamento por seu ensinamento, e com isso quer indicar que seu ensinamento era incomensurável a uma tal taxação, indica a relação ambígua do ensinamento de Sócrates com qualquer avaliação exterior (já que num sentido era bom demais e no outro sentido ruim demais para tanto); Aristófanes não apenas o faz receber pagamento, mas até saquear literalmente seus discípulos. Se não se quiser ver neste último traço uma daquelas acusações morais que permanecem difíceis de justificar ou então um exagero brincalhão que obriga a uma desculpa, pode-se então ver nisto uma indicação figurada da relação do irônico para com o indivíduo, dado que nesta relação ele mais tira do que dá,

e faz, por assim dizer, no sentido espiritual o que Sócrates faz com Estrepsíades no sentido corporal, faz com que ele entre nu no pensatório e o deixa sair igualmente pelado.

100. A circunstância de eu ter ordenado as três concepções mais segundo sua relação com a ideia (a pura e simplesmente histórica – a ideal – a cômica) do que segundo as épocas, talvez possa dar ocasião a que um outro leitor queira censurar-me de me ter tornado culpado de um anacronismo. Entretanto, eu creio que agi corretamente ao suspender o aspecto cronológico. Porém, eu não desejo por isso, naturalmente, de maneira alguma retirar da concepção aristofânica o valor que há em estar mais próxima de Sócrates quanto ao tempo. A importância que com isso ela adquire no sentido histórico ainda vem a ser mais aumentada pelo fato de que se conta que Platão teria enviado a Dionísio, o Velho, "*As Nuvens*", dando-lhe a entender também que com esta peça ele poderia aprender a conhecer o Estado ateniense.

101. Sempre que se trata de reconstruir um fenômeno por meio de uma concepção que possa ser assim chamada num sentido estrito, há um duplo trabalho: com efeito, tem-se que explicar o fenômeno e, ao fazê-lo, explicar o mal-entendido: através do mal-entendido tem-se que conquistar o fenômeno, e por meio do fenômeno quebrar o encanto do mal-entendido.

102. Essas expressões se encontram, por isso e sobretudo, nos escritos mais estritamente históricos.

103. *Neues Realschullexikon* (Novo Dicionário Escolar) de Funcke, 2ª parte, p. 643s.

104. Também em tempos recentes há gente que se ocupou muito com este demônio e, como vejo num escrito de Heinsius, um alienista de Paris, Lelut, foi tão presunçoso a ponto de afirmar: *que Sócrate était affecté de la folie, qu'en language technique on apelle hallucination* (afetado pela doença mental que, em linguagem técnica, se chama alucinação). O livro se chama: *Du démon de Socrate*, par F. Lelut. (Sobre o demônio de Sócrates, por F. Lelut.) Paris 1836.

105. Tanto Plutarco (*Plutarchi Chaeronensís opuscula ed. H. Stephanus*, Tom. II, p. 242, 243) como Cícero (*De divinattone* I,54) colecionaram muitas narrativas sobre a atividade deste demoníaco, e, no entanto, em todas ele se exprime sempre apenas advertindo.

106. Não se perca de vista que é na *Apologia* que se encontra esta passagem, e que se deve no conjunto considerar que ela é historicamente confiável. Não se deve perder

isso de vista, para que a gente se convença de que aqui não estou tratando com uma concepção platônica, mas me movimento sobre a base de fatos.

107. A tentativa que Sócrates fez de se defender mostrando a necessidade de que, se ele aceitava algo demoníaco, ele também reconhecia demônios, não é nada relevante mesmo que se abstraísse do revestimento irônico que ele dá a esta prova, e da polêmica indireta que aí se oculta. Pois mesmo que a gente em geral, ou, portanto, também in *casu*, tenha de reconhecer como correto que o teísmo se deixa deduzir com necessidade soligística do panteísmo, daí não se segue, *de maneira nenhuma*, que daquele modo Sócrates estivesse justificado frente ao Estado; pois o Estado não tinha chegado a seus deuses pela via do silogismo, e Sócrates podia muito bem relacionar-se indiferentemente, isto é, irreligiosamente frente ao resultado que ele estava em condições de obter a qualquer instante em que lhe pedissem.

108. *Lições sobre a Filosofia da história*, 2. ed., p. 328.

109. "Em moribundos, em estados doentios, de catalepsia, pode ocorrer que o homem aprenda conexões e saiba coisas do futuro e do presente que lhe são inacessíveis num contexto de raciocínios [...] No que toca mais de perto ao demônio de Sócrates trata-se de uma forma próxima ao sonambulismo, desta duplicidade da consciência; e com Sócrates parece também expressamente ter-se dado algo do tipo que se chama estado magnético (hipnose), dado que ele frequentemente caía em catalepsia e arrebatamento."

110. Cf. p. 98: "Quando no sonambulismo ou no estado de moribundo alguém prevê o futuro, costuma-se considerar isto uma visão superior; olhando-se mais de perto, vemos que se trata apenas de interesse do indivíduo, particularidades. Se alguém quer casar, ou construir uma casa etc., o sucesso só é importante para este indivíduo, este conteúdo é apenas particular. O verdadeiramente divino, universal, é a própria instituição da agricultura, o Estado, o matrimônio, as instituições legais; frente a isto, o fato de eu saber se, embarcando num navio, virei a morrer ou não, é algo de menor. É uma inversão, que também ocorre em nossa representação saber o que é justo, o que é ético, é algo de muito superior a conhecer tais particularidades".

111. Disto Sócrates tinha tomado bastante consciência, e na Apologia ele coloca a questão de sua atividade e faz seus juízes tomarem consciência da questão, provocada pela acusação. Cf. 20 c: "Um de vós poderia intervir: Afi-

nal, Sócrates, qual é a tua ocupação? Donde procedem as calúnias a teu respeito? Naturalmente se não tivesses uma ocupação muito fora do comum não haveria esse falatório, a menos que praticasses alguma extravagância. Dize-nos, pois, qual é ela, para que não façamos nós um juízo precipitado".

112. Segundo Diógenes Laertius, Favorino, contemporâneo e amigo de Plutarco, teria lido a ata de acusação no *Métroon*. As expressões originais do texto grego são: "Esta acusação foi ditada e reforçada por juramento por Meleto, filho de Meleto, do demo de Piteu, contra Sócrates, filho de Sofronisco, do demo de Alópex; Sócrates é culpado de não crer nos deuses em que o Estado crê, e introduzir outras e novas essências demoníacas (divindades): culpado também por seduzir a juventude; que a pena seja a morte".

113. Também se observará prontamente quão difícil era a posição dos acusadores; pois era muito fácil para Sócrates, cada vez que eles apresentavam positivamente uma queixa, aniquilá-la com a ajuda daquela ignorância, e a rigor bem que seus acusadores deveriam tê-lo denunciado por sua ignorância; pois há naturalmente uma ignorância que, especialmente no Estado grego, mas numa certa medida em todo e qualquer Estado, deve ser considerada um crime.

114. Abhandlungen der Königlichen Academie der Wissenschaften in Berlin, aus den Jahren 1814-1815: *Ueber den Werth des Sokrates als Philosophen* (Ensaios da Academia Real das Ciências de Berlim, dos anos 1814-1815: Sobre o Valor de Sócrates como Filósofo), p. 51-68.

115. Com isto pode ser comparada a passagem da *Apologia*, de Xenofonte, 15, onde se fala da mesma declaração do oráculo délfico a Querefonte, e aí é dito: "Como era de esperar, a estas palavras os juízes fizeram ouvir murmúrio maior ainda. Prosseguiu Sócrates: – Entretanto, cidadãos, em termos mais magníficos ainda se expressou o deus em relação a Licurgo, o legislador dos lacedemônios. É a fama que, no momento em que Licurgo entrava no templo, disse-lhe a divindade: 'Chamar-te-ei homem ou deus?' A mim não me comparou a deus, mas disse que em muito sobrepujo os outros homens".

116. Segundo a narrativa de Sócrates, o Oráculo de Delfos declara "que pouco valor ou nenhum tem a sabedoria humana", como se dissesse "o mais sábio dentre vós, homens, é quem, como Sócrates, compreendeu que sua sabedoria é verdadeiramente desprovida do mínimo valor" (23 a,b). Como o oráculo era sempre apenas ocasião para a consciência que o interpretava, a sentença de Delfos encontra em Sócrates seu comentador.

117. Cf. Hegel, *História da Filosofia*, T. II, p. 173: "O próprio Platão logo desenvolveu grande habilidade matemática. Costuma-se atribuir a ele a solução do problema délio ou délfico que lhe foi colocado pelo oráculo e que se refere ao cubo, semelhantemente com o teorema de Pitágoras, a saber: traçar uma linha cujo cubo seja igual à soma de dois cubos dados, isto exige a construção por meio de duas curvas. O digno de nota é o tipo de tarefas que agora os oráculos propunham. Haviam recorrido ao oráculo por ocasião de uma peste e então ele passou esta tarefa totalmente científica; [...] Há uma mudança no espírito do oráculo que é altamente notável".

118. Mais tarde os deuses se aplacaram, e por isso Platão no Timeu deduz o surgimento do mundo da bondade divina, que não conhecia inveja, e sim aspirava por fazer o mundo ser tão semelhante a si quanto possível.

119. Contudo, esta é naturalmente a sua atividade considerada idealmente. Em sua vida a energia desta cólera (esta palavra tomada em sentido metafísico) podia muito bem ser substituída por uma certa indolência, um certo submergir para dentro de si mesmo, em cujos instantes ele absorvia previamente o gozo *in abstracto*, gozo que propriamente devia ser adquirido *in concreto*, até que novamente o chamado da divindade ecoava em seu interior, e ele então novamente estava pronto para vir auxiliar a divindade no convencer os homens. Assim se compreende melhor a fixidez do olhar de Sócrates, tantas vezes objeto de comentários e de que nós também já tratamos, como um estado de sonho, na medida em que a negatividade se tornava invisível para ele e ele como que se deixava inebriar por seu vazio. É por isso que este homem, que normalmente andava por aí e puxava conversa tanto com seus compatriotas quanto com os estrangeiros, nestes instantes ele *parava quieto* e se extasiava.

120. Para prevenir qualquer mal-entendido e para, quando possível, iluminar com esta observação a partir de um ponto de vista totalmente diferente o que foi dito, quero recordar que na consciência cristã a oração tem sua validade absoluta; pois o cristão sabe o que deve pedir, e ele sabe que, quando ele pede por algo, ele será absolutamente ouvido, mas isto se fundamenta exatamente em que ele se sabe numa relação real com o seu Deus.

121. É verdade que, a serviço do Estado, ele tinha participado de três batalhas (o Sítio de Potideia, a expedição a Délio na Boétia, a batalha de Anfípolis); mais tarde ele se tornara membro do conselho e ocupara um cargo de supervisor, ainda que apenas por um dia; mas não obstante ele se havia *emancipado totalmente* da verdadeira relação en-

tre o cidadão e o Estado. É verdade que Xenofonte o justifica neste aspecto, fazendo-o dizer: "Se eu formo bons cidadãos então multiplico os serviços que devo a minha pátria". Mas isto é devido naturalmente à estreiteza de Xenofonte, com o qual já estamos familiarizados.

122. Ele até mesmo se gaba disto na *Apologia* onde sublinha que sua vida tinha sido ativa, mas também incomensurável para os parâmetros do Estado (esta última observação ele a expressa, naturalmente com a expressão polêmica contra o Estado e na medida em que ele com profunda ironia confunde as coisas umas com as outras, engana facilmente ao observador superficial). Ele narra que não se preocupara em juntar dinheiro, nem com cuidados domésticos, nem com funções e honrarias militares, civis e outras (porém isto, observado a partir do ponto de vista do Estado, simplesmente não é digno de louvor), nem com partidos e nem com revoltas (e aqui está algo que provoca confusão, pois que ele não tenha tido participação nisto, o Estado naturalmente deve achar digno de apreço e de resto a ironia é evidente na maneira leviana em que ele mistura a autêntica vida política no Estado no mesmo saco que os motins e os sectarismos; e, pelo contrário, ele procurou *privadamente* prestar ao indivíduo o maior benefício, mas isto evidentemente quer dizer que ele só entrou em uma relação estritamente pessoal com indivíduos. Cf. *Apol.* 36 b,c – Uma confusão semelhante se encontra também numa outra passagem da *Apologia*, onde Sócrates comenta muito pateticamente que cada um deve permanecer no posto em que *ele mesmo* se havia colocado por achar que era o melhor para ele, ou no qual o Estado o colocara; pois justamente o espaço de manobra de arbitrariedade que ele aqui postula teria naturalmente que ser, do ponto de vista do Estado, consideravelmente reduzido. A confusão se torna ainda maior, quando, a seguir, argumenta a partir dos poucos casos nos quais ele, no serviço do Estado, permaneceu no lugar que lhe fora assinalado. Pois o Estado saberia sempre reconhecê-lo; mas o fato de que ele se encarregava de escolher ele mesmo um lugar, isto era o problemático.

123. Mas apesar de todo o seu virtuosismo pode muito bem ter-lhe acontecido que, quando ele não tanto como quer Cícero, trazia a filosofia do céu e a introduzia nas casas, mas antes trazia o povo para fora das casas e o tirava do submundo em que viviam, que ele então às vezes se deixasse aprisionar aí, e numa infindável conversa fiada com Fulano e Beltrano perdesse a ironia, perdesse de vista o fio da ironia e momentaneamente, até certo ponto, se perdesse em trivialidades. Isto, a respeito de uma observação anterior relacionada à concepção de Xenofonte.

124. Quando então Fedro (no diálogo homônimo) se admira que Sócrates conheça tão pouco os arredores que até se teria de guiá-lo por aí, como a um estrangeiro, pois até parecia que ele nunca tinha saído dos portões da cidade, Sócrates responde: "Perdão, meu ótimo amigo! Eu desejo aprender. Os campos e as árvores não conseguem me ensinar nada. Somente os homens da capital me ensinam algo".

125. Pois o método que ele seguia: "tentando persuadir cada um de vós a cuidar menos do que é seu que de si próprio [...] menos dos interesses do povo que do próprio povo" (Apol. 36 c) era, naturalmente, em relação aos gregos, completamente invertido; assim como também a proposição: primeiro preocupar-se com o Estado antes de a gente se preocupar com os próprios assuntos, recorda os empenhos revolucionários que se expressam em nosso tempo, não tanto em fatos quanto em pensamentos (naturalmente aqui os pensamentos dos indivíduos particulares) e a soberania usurpada por eles.

126. Eu me esforcei por sublinhar este raciocínio porque ele nos dá um aceno a respeito de como a *doutrina moral* de Sócrates estava constituída (um pouco mais adiante isto será objeto de outras investigações), porque isto mostra que sua doutrina moral tinha o defeito de estar fundamentada sobre uma teoria de conhecimento completamente abstrata.

127. *Mem.* de Xenofonte I, 2 49. *Apol.* de Xenofonte 20. Com o que pode ser também comparado o comportamento de Fidípedes diante do pai em Aristófanes.

128. *Apol.* de Xenofonte 29-30.

129. *Apol.* de Xenofonte 20-21. *Mem.* I,2 51.

130. Cf. Hegel, op. cit. p. 109.

131. Eu concebi aqui constantemente apenas a relação como tal entre Sócrates e a juventude que ele queria ensinar. Eu não levei em conta, absolutamente, o que podia haver de prejudicial em seu ensinamento. O que se pode dizer a respeito disso já foi dito anteriormente. O que quero aqui acentuar, pelo contrário, é o que há de *injustificado* em que Sócrates assim sem mais nem menos se erigisse em mestre. À autoridade divina que ele evocava para si não se pode, do ponto de vista do Estado, atribuir qualquer valor, dado que ele, ao se colocar completamente isolado, mais uma vez aqui se evadia da sanção do Estado.

132. Aristófanes é de uma outra opinião, não apenas o faz aceitar dinheiro, mas até mesmo sacos de farinha, por seu ensinamento.

133. É verdade que Sócrates diz isso, em primeiro lugar, para ir de encontro à objeção de que ele, no círculo de discípulos mais íntimos, pudesse ter ensinado coisas bem diferentes do que, quando outros estavam presentes. Nesta perspectiva, pode-se muito bem reconhecer que Sócrates era sempre o mesmo, mas suas palavras demonstram também quão frouxa era a sua relação com a juventude, já que esta sua relação não estava atada por nada mais do que contatos casuais na esfera do conhecimento.

134. Compare-se aqui Forchhammer, p. 42s.

135. A quem não for capaz de compreender isso no sentido espiritual, eu gostaria de indicar Joh. Matth. Gesner: *Socrates sanctus Paederasta*, cf. *Commentarii societatis regiae scientiarum Gottingensis*. Tom. II. ad annum MDCCLII.

136. A história conservou ainda uma relação em que Sócrates se encontrava com outra pessoa, sua relação com Xantipa. Qualquer um percebe que Sócrates não foi precisamente um exemplo de esposo, e a concepção de sua relação para com ela que é atribuída a Sócrates por Xenofonte, de que ele obtinha da parte desta mulher raivosa a mesma utilidade que os domadores têm de um cavalo selvagem, a vantagem de aprender a discipliná-los, e de que ela era para ele um treinamento na arte de dominar o ser humano, pois, se ele conseguisse resolver o caso dela, fácil lhe seria aguentar os outros homens – esta concepção, digo eu, não revela muito amor conjugal, mas certamente um alto grau de *ironia*. Cf. Forchhammer p. 49 e nota 43.

137. Cf. Hegel, op. cit., p. 113s.

138. Já que sua vida como tal é incomensurável para a concepção do Estado, e ele, portanto, tampouco, pode merecer recompensa quanto castigo, então ele acrescenta *subsi dialiter* uma outra razão, ou seja, que ele é um homem pobre que busca muito a tranquilidade.

139. "No episódio *Nala*, dos poemas *Mahabharata*, conta-se como uma jovem de 21 anos, na idade em que as moças têm o direito de escolher elas mesmas um marido, procura um para si, entre os pretendentes. Eles são cinco; mas a jovem nota que quatro deles não estão com os pés tocando na terra e conclui então, com toda razão, que eles são deuses. E ela escolhe, portanto, o quinto, que é um homem real". Cf. Hegel, *Filosofia da história*, p. 185.

140. "Em qualquer lugar em que esteja um cadáver, aí se juntarão as águias" (Mt 24,28).

141. Aqui mais uma vez Hegel forneceu excelentes exposições. A exposição pormenorizada que se encontra em sua *História da Filosofia*, entretanto, pelo que me parece, nem sempre está de acordo consigo mesma, e leva às vezes o caráter de uma coleção de observações dispersas, que frequentemente mostram a falta de subordinação à divisão indicada pelas letras do alfabeto. Em compensação, comparado com a exposição mais pormenorizada, o curto esboço que se encontra na *Fil. da História* justifica que se empregue uma observação que o próprio Hegel fez alhures, de que o espírito é o melhor compendiador. Este esboço é tão certeiro e tão ilustrativo que eu quero citá-lo aqui. Ele se acha à p. 327: "Com os sofistas, o refletir sobre o que estava à mão e o raciocinar começaram. Justamente esta energia e esta atividade que víamos nos gregos na vida prática e no exercício das artes mostrou-se neles neste vaivém e neste remexer das representações, de modo que, assim como as coisas sensíveis são alteradas, elaboradas e invertidas pela atividade humana, assim também o conteúdo do espírito, o que se queria dizer, o conhecido que se movimenta para lá e para cá, torna-se objeto de ocupação e esta ocupação torna-se um interesse por si. O movimento do pensar e o que se passa interiormente nisto, este jogo desinteressado vem a ser ele mesmo um interesse. Os sofistas cultos, não eruditos ou homens da ciência, mas sim mestres no manejo do pensamento, provocaram o espanto nos gregos. Para cada questão eles tinham uma resposta, para todos os interesses de conteúdo político e religiosos eles tinham pontos de vista gerais, e a formação que eles proporcionavam consistia em saber demonstrar tudo, em cada coisa encontrar um aspecto justificável. Na democracia há uma necessidade específica de falar diante do povo, apresentar-lhe algo, e para tanto é preciso que o ponto de vista que o povo deve considerar essencial lhe seja trazido ante seus olhos da maneira adequada. Aqui a formação do espírito é necessária, e esta ginástica, os gregos a conquistaram com seus sofistas. Esta formação intelectual se tornou então o meio para alcançar suas metas e interesses junto ao povo: o sofista treinado sabia virar o objeto para este ou aquele lado, e assim se abriram as portas para as paixões. Um princípio capital dos sofistas era: "o homem é a medida de todas as coisas"; aqui como em todas as sentenças deles reside a ambiguidade no fato de que o homem pode ser o espírito em sua profundidade e veracidade ou também em seu arbítrio e seus interesses particulares. Os sofistas pensavam, com isso, no homem puramente subjetivo, e assim declaravam o querer arbitrário como princípio do que era justo, e aquilo que era útil ao sujeito como sendo o último fundamento de determinação".

142. A introdução do *Protágoras* nos dá uma exposição cênica de alguns sofistas em plena atividade.

143. Esta sentença sofística pode fornecer interessante contribuição ao destino das citações em suas andanças, geralmente longas e complicadas, através da vida. Há certas citações que se assemelham aos caracteres que sempre retornam nas comédias, basta que a gente de passagem receba um sinal de sua existência e logo a gente os reconhece. Aquele então que colhe sua sabedoria de periódicos, jornais, prefácios de obras e recensões de livreiros, adquire facilmente uma grande quantidade daquilo que se poderia chamar conhecimentos de rua. Mas como ocorre com esses, conhece-se o homem por fora, porém sua origem, história, relações etc., a gente em geral ignora completamente. – Esta sentença sofística é pois uma figura permanente no moderno mundo das citações. Entretanto, Hegel uma vez tomou a liberdade de concebê-la como se o seu sentido fosse o de que o homem é a meta para a qual tendem todas as coisas. Foi uma violentação atrevida, que facilmente se perdoa a Hegel, dado que ele mesmo tão frequentemente recorda também o significado que tal sentença tinha na boca dos sofistas. Por outro lado, um monte de hegelianos, não conseguindo ser cúmplices no bem, preferiram ser cúmplices no mal e jogaram esta moeda falsa em circulação. Em dinamarquês, a ambiguidade da palavra "Maal" (medida, fim, alvo, objeto) é tentadora para quem não sabe que se trata de uma sentença sofística, e por isso eu preferi citar em grego, conforme o *Teeteto* de Platão, 152 a (Ast 2° v.).

144. Mesmo Górgias, que de resto recusava o título de sofista, apesar de sua dialética levar ainda mais adiante o ceticismo sofista, é até certo ponto *mais positivo* do que Sócrates. As três conhecidas sentenças que ele apresenta em sua obra sobre a natureza contêm certamente ceticismo, que não apenas se ocupa com mostrar a relatividade do ente ou o seu ser-não-em-si-e-por-si, o seu ser-para-um-outro, mas também penetra até as determinações do próprio ente, e, contudo, a maneira como ele concebe o ente ainda está ligada a uma positividade em relação à infinita negatividade absoluta; pois, como Hegel diz da dialética de Górgias em geral, "esta dialética é, em todo caso, insuperável para aquele que afirma o ente (sensível) como real" (p. 41). É bem verdade que a positividade que eu em geral atribuo aos sofistas recebeu uma significação um pouco diferente, mas recordemos que Górgias sem dúvida era o que estava mais alto entre os sofistas, de modo que não se pode negar nele uma certa cientificidade; e contudo, em relação a Sócrates, ele permanece positivo,

justamente porque ele tinha uma pressuposição, enquanto que a negatividade infinita é aquela pressão que dá à subjetividade a elasticidade que é a condição da positividade ideal. As proposições que, no *Górgias* de Platão, são afirmadas por Górgias, Polo e Cálicles "com crescente insolência", também são positivas em relação a Sócrates, e positivas no sentido em que eu empreguei a expressão a respeito dos sofistas em geral. A proposição "o justo é o que o mais forte quer" é positiva em relação àquela negatividade em que é pressentida a infinitude interior do bem. A proposição de que é melhor fazer injustiça do que sofrer injustiça é positiva em relação àquela negatividade em que dormita a providência divina.

145. A verbosidade e os longos discursos dos sofistas são, por assim dizer, um sinal daquela *positividade* que eles possuíam.

146. Poderia, é claro, parecer que Sócrates era uma individualidade refletida, e as disposições duvidosas que sua experiência física teria indicado parecem dar a entender que ele não tanto era aquilo que era, mas sim se tornara o que era. Entretanto, talvez fosse o caso de que se tivesse de conceber a questão em analogia com seu exterior feio, que ele descreve com tanta ironia. Como se sabe, Zópiro forneceu estudos fisiognomônicos sobre Sócrates. Toda a verdade da fisiognomonia baseia-se entretanto na proposição de que a essência é e só é na medida em que se encontra na aparência, ou de que a aparência é a verdade da essência, a essência a verdade da aparência. A essência pode então muito bem ser a negação da aparência, mas não é sua negação absoluta, pois com isso a própria essência a rigor desapareceria. Uma tal negação é, contudo, até certo ponto, a ironia, que nega o fenomenal, não para, através desta negação, pôr, mas ela nega o fenomenal em geral, ela foge recuando em vez de avançar, ela não está no fenômeno, com o fenômeno ela busca enganar, o fenômeno não é para manifestar a essência, mas para ocultá-la. Se a gente se recorda então que na Grécia feliz a essência estava em unidade com o fenômeno como determinação natural imediata, logo se vê que se aquela harmonia fosse abolida a diferença teria de se tornar um abismo escancarado, até que se produzisse uma unidade sob uma forma superior. Nesta medida, é bem possível que Sócrates tenha concebido ironicamente aquela oposição que havia entre sua essência e sua aparência. Ele achava muito normal que seu exterior sugerisse algo de completamente diferente do que era o seu interior. Pois por mais que se queira sublinhar a liberdade moral que negava todas essas disposições naturais contraditórias, mesmo assim permanece a

discrepância, na medida em que seu empenho moral jamais o colocaria em condições de regenerar seu exterior. Sócrates permanece, portanto, para sempre uma tarefa muito difícil para os fisiognomonistas; pois se se quiser acentuar o momento de autodeterminação, resta a dificuldade de que o exterior de Sócrates afinal de contas não se alterou essencialmente, e se se quiser acentuar a determinação hereditária, então Sócrates fica sendo para toda a fisiognomonia uma pedra de escândalo. (Mehring: "*Ideias para a fundamentação científica da fisiognomonia*", na revista de Fichte, 2° vol., 2° cad., 1840, p. 244, acentua o momento da autodeterminação, mas não resolve a dificuldade.) Se, por outro lado, a gente enfoca mais a alegria irônica, que Sócrates gozava por ter sido dotado pela natureza de tal modo que qualquer um pudesse se enganar com ele, então não será preciso ir mais adiante em profundezas fisiognomônicas.

147. Mas justamente porque esta exigência naquela época da história do mundo era verdadeira, a ironia de Sócrates era historicamente justificada, e não contém o mórbido e egoístico que ela terá numa época muito posterior, quando ela, depois que a idealidade já foi dada em medida plena, demanda um sublimado extravagante.

148. Platão concebeu sua relação com Sócrates com tanta beleza quanto piedade na conhecida expressão de que ele agradecia aos deuses por quatro coisas: por ter sido um homem e não um animal, um homem e não uma mulher, um grego e não um bárbaro, mas principalmente por ter sido cidadão ateniense e contemporâneo de Sócrates.

149. Cf. *Rheinisches Musäum* (Museu Renano), Bonn 1827. *Grundlinien der Lehre des Socrates* (Linhas fundamentais do ensino de Sócrates), de Ch.A. Brandis, p. 119: "Mas um tão grande número de tão talentosos homens nenhum filósofo da Antiguidade conquistou nesta medida para si e para a investigação da verdade, nenhum como Sócrates, nenhum como ele ocasionou uma *multiplicidade de escolas*, que, profundamente diferentes umas das outras em termos de doutrina e maneiras de ensinar, se reuniam ao redor da convicção de deverem a Sócrates seus princípios condutores. Entre as escolas filosóficas, que alguns contam dez, outros nove, e que são caracterizadas como éticas, isto é, socráticas, dificilmente se encontrou uma, afora os epicuristas, que tivesse recusado esta denominação." (Os acadêmicos, os megáricos, os de Eritreia, os de Elis, os peripatéticos, os cirenaicos, os cínicos, os estoicos, os epicuristas).

150. Hegel parece também estar de acordo com isto, p. 124, mas ele não é sempre constante: "Sócrates, ele

mesmo, *não* passou além disso: ele enunciou para a consciência em geral a simples essência do pensamento de si mesmo, o bem, e investigou os conceitos determinados do bem, para saber se eles exprimiam adequadamente aquilo cuja essência deviam exprimir, se a questão mesma através deles estaria de fato determinada. O bem foi transformado na meta para o homem que age. Ao fazer isto, ele tinha presente todo o mundo da representação, da essência objetiva, sem buscar uma passagem do bem, da essência do consciente como um tal, para o objeto e sem reconhecer a essência como essência das coisas".

151. Leia-se a exposição de Hegel sobre os princípios dessas escolas, p. 127 e 128.

152. Compare-se a isto a observação conclusiva do capítulo II. Ele (Sócrates) torna-se assim estranho a todo o mundo a que pertence; a consciência contemporânea não tem nenhum predicado para ele, inominado e indeterminável ele pertence a uma outra espécie.

153. Já a tarefa que Schleiermacher se impôs, apresentar o valor de Sócrates como filósofo, mostra suficientemente que aqui não se pode esperar encontrar algum resultado absolutamente satisfatório. Para mais uma vez lembrar uma expressão anteriormente introduzida de Hegel, e que, por estranho que pareça, é de Hegel mesmo – no que toca a Sócrates a questão não é tanto de filosofia quanto de vida individual. O que então Schleiermacher reivindica para Sócrates é a *ideia do saber*, e esta é também a positividade que, como já foi observado, na opinião de Schleiermacher se escondia por trás de sua ignorância. Schleiermacher observa, p. 61: "Pois de onde mais ele poderia declarar como um não saber o que os outros acreditavam saber, senão apenas por meio de uma representação mais correta do saber e por meio de um procedimento mais correto baseado neste? E sempre que ele expõe este não saber, a gente vê que ele parte dessas duas características: primeiro, que o saber é o mesmo em todos os pensamentos verdadeiros, e, portanto, também cada um desses pensamentos precisaria trazer em si a forma característica do mesmo, e depois, que todo saber forma uma totalidade. Pois suas demonstrações se baseiam sempre sobre o fato de que a partir de um pensamento verdadeiro a gente não poderia deixar-se envolver em contradição com um outro, e que também um saber, derivado de um ponto e encontrado através de meios corretos, não poderia contradizer a um outro saber que seja encontrado, a partir de um outro ponto, da mesma maneira e, na medida em que ele descobria

nas representações correntes dos homens tais contradições, procurava em todos os que de alguma maneira pudessem compreender ou mesmo apenas pressentir, agitar tais pensamentos fundamentais". E, mais adiante, atribui a ele o *método* e o concebe a partir do Fedro como aquele que tem a dupla tarefa: "saber como é que a gente reúne corretamente muitas coisas na unidade e divide uma grande unidade mais uma vez segundo sua natureza em múltiplos" (p. 63). Se atentarmos então no que é indicado com isso, não há nesta exposição nada que não caiba muito bem em nossa concepção total. O que aqui ele acentua é, com efeito, a ideia da consequência (lógica), a lei em que repousa a riqueza do conhecimento; entretanto, ela é concebida de maneira tão *negativa* que o princípio que aí está contido, e que Sócrates também utilizava, é o *principium exclusi medii inter duo contradictoria* (princípio do médio excluído entre dois contraditórios). A totalidade que todo o saber deve formar é, por sua vez, concebida tão negativamente que ela propriamente é a negatividade infinita. As duas tarefas do método são igualmente negativas; pois a unidade sob a qual o múltiplo é sintetizado é a unidade negativa onde ele desaparece, e a diferença com a qual a unidade se dissolve é a negatividade do discursivo. Mas isto nós também concebemos, afinal de contas, como o essencial na dialética de Sócrates: produzir a infinita consequência interna do ideal (det Ideelles uendelige Consequents i sig). O que, por outro lado, falta em Schleiermacher, embora até certo ponto não seja razoável exigir isto dele, dado que ele mesmo limitou a sua tarefa, é a consciência da significação de Sócrates *como personalidade*. Nesta perspectiva então Baur, naquele escrito tantas vezes citado, tem grandes méritos, e toda a consideração de que a *semelhança* entre Sócrates e Cristo deva ser buscada em primeiro lugar no valor que ambos tinham enquanto personalidades, é uma consideração muito fecunda. Só que é importante agora reter a infinita desigualdade que ainda resta dentro daquela igualdade. Que a ironia então seja uma *determinação da personalidade*, é algo que eu já recordei muitas vezes nas páginas anteriores. Com efeito, ela tem aquele voltar-se para si mesmo que é o característico de uma personalidade, que procura retomar a si mesma, e encerra-se em si mesma. Só que a ironia neste movimento retorna a si com mãos vazias. Sua relação com o mundo não consiste em que esta relação seja um momento no conteúdo da personalidade, sua relação com o mundo consiste em que a cada instante não há uma relação com o mundo, sua relação consiste em que, no momento em que a relação deve iniciar, retira-se afastando-se dele com uma avareza cética; mas esta avareza é o reflexo da personalidade em si mesma, que certamente é abstrato e sem conteúdo. A personalidade irônica é, por isso, propriamente, apenas o esboço de uma personalidade. Nesta medida, vê-se que há uma *absoluta desigualdade* entre Sócrates e Cristo; pois em Cristo residia imediatamente a plenitude da divindade e sua relação com o mundo é uma absolutamente real, de modo que a comunidade tem consciência de ser os membros de seu corpo.

154. Aristófanes constitui uma exceção; veremos isto depois.

155. Por ocasião deste diálogo ele faz uma observação bem *geral*, p. 69: "Assim deste jeito terminam uma porção de diálogos xenofônticos e platônicos, e eles nos deixam com respeito ao resultado (conteúdo) bastante insatisfeitos. Assim, o *Lísis:* O que proporcionam o amor e a amizade entre os homens? E assim a *República* é iniciada com a investigação sobre o que seria o justo. Esta confusão tem então o efeito de levar a meditar, e esta é a meta de Sócrates. Este lado meramente *negativo* é o principal."

156. Aqui Hegel faz, com o predicado "mais propriamente socráticos", uma *diferenciação* nos diálogos, porém sem indicar mais de perto se ele está ou não satisfeito com os esforços da filologia.

157. Quando ele chama esta dialética de "a propriamente platônica", ele estabelece assim uma *oposição* a uma outra dialética que não é tão propriamente platônica.

158. Costuma-se apresentar Sócrates como um modelo de virtude, também Hegel mantém esta visão e observa, p. 55: "Sócrates era um modelo de virtudes morais: sabedoria, modéstia, moderação, temperança, justiça, coragem, firmeza, firme retidão frente a tiranos e povo, estranho à cobiça e à ambição". Isto pode estar certo, mas já o predicado que Hegel usa para estas virtudes, "morais", indica que lhes *faltava* a profunda *seriedade*, que qualquer virtude só adquire quando está ordenada em uma totalidade. Mas dado que o Estado tinha perdido sua significação para Sócrates, suas virtudes não são virtudes cívicas, mas virtudes pessoais, sim, elas são, se se quiser exprimi-lo com todo o rigor, virtudes experimentais. O indivíduo (Individet) está livre por cima delas; e se Sócrates está livre daquela intolerância que seguidamente se manifesta em moralistas rigorosos, e se podemos dar razão a Hegel em que "não temos de pensar em Sócrates, de jeito nenhum, à moda da ladainha de virtudes morais" (p. 56), mesmo assim permanece igualmente certo que todas estas virtudes só têm realidade para o indivíduo como *experimento*. Ele está livre acima delas,

pode dispensar-se delas quando quiser, e quando não o faz é porque *não o quer*, mas o fato de que ele não quer é, por sua vez, *porque ele* não o quer, isto jamais se torna para ele uma obrigação mais profunda. E neste sentido se pode muito bem dizer que não há seriedade no indivíduo quanto a estas virtudes, por mais a sério que ele as tome, a menos que se queira negar que falta seriedade a todo e qualquer exercício arbitrário, o que não é outra coisa senão sofística no terreno do agir.

159. A proposição de que virtude é saber pode, com respeito a Sócrates, ser elucidada também de uma outra perspectiva, se a gente se recordar da outra proposição socrática sobre a qual anteriormente nós já falamos. A proposição de que virtude é saber contém, com efeito, não apenas, como antes já se mostrou, uma determinação negativa frente à eticidade ingênua (ubefangne) que na maior inocência não sabe o que faz, mas também uma caracterização daquela *infinita consciência interna* do bem, graças à qual este ultrapassa em seu movimento abstrato todas as determinações da finitude. Isto se vê ainda mais claramente na proposição de que pecado é ignorância, pois isto implica em que pecado é *inconsequência*. O pecado para em algum lugar, esquiva-se, não permanece nessa infinitude que tem o bem. Na medida em que a virtude na determinação do saber se liberta da eticidade imediata, ela assume uma configuração ideal, que corresponde à infinitude ideal do bem. Na eticidade substancial a virtude está a cada instante limitada, na eticidade da idealidade a virtude se sabe integrada na infinitude do bem, sabe-se naquela infinitude em que o bem se conhece. Mas tudo isto são contudo sempre determinações *abstratas negativas*, enquanto a gente ficar apenas com a determinação do saber, mesmo que se trate da negatividade absoluta infinita. Que pecado seja ignorância e inconsequência, é verdadeiro de um ponto de vista metafísico completamente abstrato, que apenas observa tudo na perspectiva de sua infinita consequência interna.

160. Na *República* de Platão, a dialética corresponde ao bem (assim como o amor corresponde ao belo). É bem normal, então, que Aristóteles recuse a dialética em Sócrates. Com efeito, ele carecia da dialética capaz de deixar o oposto subsistir, mas esta é justamente necessária, se o bem se deve mostrar como o infinitamente positivo.

Notas da Parte II

1. *Solgers nachgelassene Schriften und Briefwechsel herausgegeben von Tieck* un *Fr.v.Raumer, 2ter Band* (Escri-

:os póstumos e Correspondência de Solger, publicados por Tieck e Fr.v.Raumer, 2º vol., p. 514 (num juízo sobre as Lições de A.W. Schlegel): "O crítico estranhava muito ver menciona-da apenas uma vez em toda a obra a ironia, que ele conside-rava o verdadeiro ponto central de toda a arte dramática, de modo que mesmo no diálogo filosófico, na medida em que fosse de alguma maneira dramático, ela não seria dispensá-vel, citada apenas na Parte II, seção 2, p. 72, e ainda por cima para proibir-lhe toda e qualquer intromissão no propriamen-te trágico; e, entretanto, ele se recorda de afirmações anterio-res do autor, que pelo menos pareciam aproximar-se muito destas ideias. Mas a ironia é também o oposto exato daquela visão da vida na qual se enraízam seriedade e brincadeira, tais como o autor as concebe".

2. *Hegels Werke*. Sechszehnter Band (Obras de Hegel, Vol. 16), p. 492 (numa recensão dos *Escritos póstumos* de Solger): "Acontece o mesmo com Solger, nas exposições especulativas da ideia suprema, que ele nos dá no tratado acima citado com a mais profunda seriedade espiritual, ele *jamais mencio-na a ironia*, a qual estaria unida da maneira mais íntima com o entusiasmo, e em cuja profundeza seriam idênticas arte, religião e filosofia. Justamente aí, ter-se-ia acreditado, seria o lugar onde se encontraria esclarecida a significação filosófi-ca deste nobre mistério, desta grande desconhecida". Ibid. a respeito de Tieck.

3. Com isto não deve ser de modo nenhum desconhecido ou diminuído o esforço sério do nosso tempo, mas certamente seria de se desejar que em sua seriedade ele fosse mais sério.

4. Onde ela ocorre mais seguidamente costuma haver uma ligação com um certo desespero, e por isso ela se encontra frequentemente nos humoristas; assim, por exemplo, quando Heine, em tom de brincadeira, fica ponderando sobre o que seria pior, se a dor de dentes ou uma má consciência, e se decide pela primeira.

5. A esta ironia executiva ou, como também poderia ser cha-mada, dramática, pertence também *a ironia da natureza*, ou seja, na medida em que a ironia na natureza não é conscien-te, mas só aparece para quem tem capacidade de enxergá-la; para este, é como se a natureza, como uma pessoa viva, brin-casse com ele ou lhe confiasse seus cuidados e suas penas. Este desacordo não está na natureza, que para tanto é de-masiado natural e ingênua demais, porém para aquele que se desenvolveu ironicamente, este desacordo se mostra na natureza. *Schubert* (em sua *Symbolik des Traumes* (Sim-bologia do sonho), Bamberg, 1832) *oferece* uma quan-

de destes traços irônicos na natureza para escolha de todos os gostos. Ele observa que a natureza, com profundo escárnio, "emparelha maravilhosamente clamor com prazer, alegria com queixume, assim como aquela voz da natureza, a música eólica do Ceilão, canta no tom de uma voz de clamor profundo" (p. 38). Ele chama a atenção para a justaposição irônica *na natureza* dos extremos mais afastados, cf. p. 41. "Na associação de ideias da natureza, segue imediatamente ao ponderado homem racional o estúpido macaco, ao sábio e casto elefante o porco impuro, ao cavalo o burro, ao feio camelo os elegantes veados, ao morcego, insatisfeito com a sorte comum dos mamíferos e macaqueando os pássaros, segue, na outra direção, o rato que mal ousa abandonar as profundezas". Mas todas estas coisas não estão na natureza, e contudo o *sujeito* irônico as enxerga aí. Assim também pode-se conceber todos os enganos dos sentidos como uma ironia da natureza. Mas para tomar consciência disto é preciso ter uma consciência que seja ela mesma irônica. Quanto mais polemicamente desenvolvido for um indivíduo, tanto mais ironia ele também encontrará na natureza. Uma tal consideração da natureza pertence por isso mais ao desenvolvimento *romântico* do que ao clássico. A harmonia grega tinha muita dificuldade para encontrar tais sutilezas na natureza. É o que eu gostaria de mostrar com um exemplo: Na afortunada Grécia só raramente a natureza testemunhava algo de diferente das harmonias doces e suaves de uma alma afinada proporcionalmente, pois até o cuidado grego era belo, e, por isso, o Eco era uma *ninfa* amigável. Ao contrário, na mitologia nórdica, onde a natureza ressoava selvagens gritos de guerra, onde a noite não era iluminada e clara, mas sombria e ameaçadora, plena de angústia e terror, onde o cuidado não era suavizado por uma calma recordação, mas apenas por um profundo suspiro e um eterno esquecimento, aí o Eco era um *duende monstruoso*. Na crença popular nórdica o eco se chama por isso "Dvergmâl" ou "Bergmâl" (língua-de-anão ou fala-do-monte), cf. Grimm: *Irische Elfenmaerchen* (Contos de elfos irlandeses), p. LXXVIII. *Cantos dos Feroes*. Randers 1822, p. 464. Esta ironia da natureza só é tratada aqui numa nota de pé de página, porque afinal ela só aparece propriamente para o indivíduo humorista; pois propriamente é só através da consideração do *pecado* no mundo que a concepção irônica da natureza entra justamente em cena.

6. Assim é concebida a ironia por Teofrasto. Cf. *Theophrasti Characteres*, ed. Astius p. 4, cap. I: "Sobre a ironia". Aqui se define assim a ironia: "dissimulação para o mal por atos e palavras (EM GREGO e LATIM: *PROSPOÍESIS*

EPÌ KEIRON PRÁXEÓN KAI LÓGON/ simulatio dissimulatio-que fallax et fraudulenta).

7. O negativo tem, assim como a água na relação com aquilo que se espelha nela, a propriedade de mostrar tão acima de si o que ele produz como mostra abaixo de si o que ele combate; mas o negativo sabe disto tão pouco quanto a água.

8. Entretanto, esta tendência irônica não se encerra, de maneira nenhuma, com Tieck e Schlegel, pelo contrário, ela teve na "Jovem Alemanha" uma rica sementeira. Esta "Jovem Alemanha" foi também levada em consideração sob muitos aspectos na análise geral deste ponto de vista.

9. Utilizo em toda esta exposição a expressão: a ironia e o irônico, mas poderia da mesma forma dizer o romantismo e o romântico. Ambas as expressões designam essencialmente o mesmo, sendo que uma recorda mais o nome com que este partido batizou a si mesmo, e a outra o nome com que Hegel o batizou.

10. *Lucinde*. Um romance de Fr. v. Schlegel. 2ª edição inalterada. Stuttgart 1835.

11. Com isso o cristianismo não quer *de maneira alguma aniquilar* a sensualidade, pois ele ensina que é só após a ressurreição que os homens não se casarão e as mulheres não serão dadas em casamento; mas ele recorda também o caso daquele homem que não tinha tempo para ir às grandes núpcias porque ele mesmo queria casar-se.

12. *Vorlesungen ueber Glauben und Wissen* (Lições sobre fé e saber). Berlim, 1837 (p. 86).

13. Isto de deixar a fantasia reinar sozinha é realmente algo que se repete em todo o *Lucinde*. Onde haveria alguém tão desumano que não se alegrasse com o leve jogo da fantasia? Mas daí não se segue que toda a vida deva se abandonar a uma visão fantástica. Quando a fantasia chega ao ponto de reinar sozinha, ela esgota e anestesia a alma, rouba-lhe o vigor moral e transforma a vida num sonho. E, no entanto, é justamente isto o que *Lucinde* quer, e seu ponto de vista está por isso caracterizado à p. 153 com as seguintes palavras: "O auge da razão consiste em calar por própria opção, devolver a alma à fantasia e não perturbar as doces brincadeirinhas da jovem mãe com sua criança de colo"; pois o sentido é manifestamente este, que quando a razão alcançou seu ponto mais alto, a forma (*Formation*) da razão deve dar lugar à fantasia, que agora deve imperar sozinha, e não ser apenas um interlúdio na obra da vida (Livets Gjeming).

Isto é ensinado especialmente num idílio sobre a *ociosi-*
..., onde a mais alta perfeição é posta na pura e genuína
passividade. "Quanto mais belo o clima, tanto mais passivo
se é. Só os italianos sabem caminhar, e só os do Oriente entendem de deitar, mas onde é que o espírito se cultivou mais
suave e docemente do que na Índia? E em todos os quadran-
tes é o direito ao ócio o que diferencia o homem nobre do
homem comum, e constitui propriamente o princípio da nobreza" (p. 42). A mais alta e mais perfeita não é outra senão o
puro vegetar; a vida vegetativa é, em geral, aquele ideal para
o qual aqui se tende, e, por isso, Julius escreve a Lucinde:
"Nós dois um dia ainda vamos contemplar em Um espírito
que somos flores de Uma planta ou pétalas de Uma flor, e
com sorrisos vamos então saber que o que agora chamamos
apenas esperança era propriamente lembrança" (p. 11). Até
mesmo a nostalgia assume a forma de uma vida calma vegetativa: "Julius, perguntava Lucinde, por que é que eu sinto
em tão serena calma a nostalgia profunda? Só na nostalgia
encontramos a calma, respondia Julius. Sim, a calma só é isto,
quando o nosso espírito não se deixa perturbar por nada,
ansiar por si e procurar, quando ele não pode encontrar nada
de mais sublime do que a própria nostalgia" (p. 148). "Julius:
A santa calma eu só achei naquela ânsia, amiga. Lucinde: E
eu nesta bela calma aquela santa nostalgia" (p. 150).

15. *Vorstudien für Leben und Kunst*, herausgegeben von Dr.
H.G. Hotho, Stuttgart und Tubingen 1835 (Estudos prévios
para a vida e a arte, publicados pelo Dr. H.G. Hotho, Stuttgart e Tubingen 1835), p. 394.

16. Com isto, pode ser comparada a excelente exposição de
Hotho, op. cit., p. 412: "A *independência aventureira* deixa aí
aberto para a fantasia um espaço ilimitado para todo tipo
de formações fantásticas; à hora em que querem, atrevidos
episódios surgem para lá e para cá, curiosidades do tipo de
arabescos se entrelaçam coloridas com risadas trocistas através da frouxa estrutura, a alegoria espalha nebulosamente as
figuras costumeiramente tão limitadas, no meio disto corre
como um fantasma o gracejo da paródia em petulância des-
concertante, e com esta arbitrariedade genial vem confrater-
nizar-se aquela comodidade abatida que não consegue rejeitar nenhuma ideia ociosa, pois têm origem comum".

17. Se alguém desejar obter, com a ajuda de um *desenho*, uma
representação de uma tal figura, eu indicarei a imagem que
se encontra no *des Knaben Wunderhom, alte deutsche Lieder.*
Drítter Band (A cornucópia maravilhosa do rapaz. Antigas canções alemãs. Vol. III).

18. *K.W.F. Solgers Vorlesungen über Aesthetik, herausgegeben von K.W.L.* Heyse (Lições sobre estética, de K.W.F. Solger, publicadas por K.W.L. Heyse). Leipzig, 1829.

19. *Solgers nachgelassene Schriften und Briefwechsel. Herausgegeben von Ludwig Tieck und Friedrich o. Raumer* (Escritos póstumos e correspondência de Solger. Publicados por L. Tieck e Fr.v.Raumer). Leipzig, 1826.

20. Por isso, está totalmente correta a observação de Solger em seus *Escritos póstumos*, 2ª parte, p. 514: "Mas é então por acaso a ironia uma atitude vil de não se interessar por tudo aquilo que interessa essencial e seriamente aos homens, por toda a discrepância em sua natureza? De jeito nenhum; isto seria uma zombaria vulgar, que não estaria acima da seriedade e da brincadeira, porém as combateria no mesmo terreno e com as suas próprias forças".

21. Conservei esta palavra alemã porque propriamente não conheço nenhuma palavra dinamarquesa que designe exatamente a mesma coisa. Se por acaso o leitor se sentir incomodado com esta palavra, pelo menos há a vantagem de se ter constantemente um *memento* sobre Solger.

22. Aqui se reconhecerá imediatamente a diferença essencial entre a ironia de Solger e a que foi descrita anteriormente. A ironia de Solger é *uma espécie de devoção* contemplativa, e para ele não é importante conservar o sujeito para-si em sua posição arisca e reservada. Toda finitude deve ser negada, o sujeito que observa também, sim, a rigor ele já está negado nesta contemplação.

23. De resto, o tratamento que Hegel dá às observações de Solger fornece uma contribuição interessante para a questão: em que relação está Hegel com a visão cristã?

zes de Bolso

- *Assim falava Zaratustra* – Friedrich Nietzsche
- *O príncipe* – Nicolau Maquiavel
- *Confissões* – Santo Agostinho
- *Brasil: nunca mais* – Mitra Arquidiocesana de São Paulo
- *A arte da guerra* – Sun Tzu
- *O conceito de angústia* – Søren Aabye Kierkegaard
- *Manifesto do Partido Comunista* – Friedrich Engels e Karl Marx
- *Imitação de Cristo* – Tomás de Kempis
- *O homem à procura de si mesmo* – Rollo May
- *O existencialismo é um humanismo* – Jean-Paul Sartre
- *Além do bem e do mal* – Friedrich Nietzsche
- *O abolicionismo* – Joaquim Nabuco
- *Filoteia* – São Francisco de Sales
- *Jesus Cristo Libertador* – Leonardo Boff
- *A Cidade de Deus – Parte I* – Santo Agostinho
- *A Cidade de Deus – Parte II* – Santo Agostinho
- *O conceito de ironia constantemente referido a Sócrates* – Søren Aabye Kierkegaard
- *Tratado sobre a clemência* – Sêneca
- *O ente e a essência* – Santo Tomás de Aquino
- *Sobre a potencialidade da alma – De quantitate animae* – Santo Agostinho
- *Sobre a vida feliz* – Santo Agostinho
- *Contra os acadêmicos* – Santo Agostinho
- *A Cidade do Sol* – Tommaso Campanella
- *Crepúsculo dos ídolos ou Como se filosofa com o martelo* – Friedrich Nietzsche
- *A essência da filosofia* – Wilhelm Dilthey
- *Elogio da loucura* – Erasmo de Roterdã
- *Utopia* – Thomas Morus
- *Do contrato social* – Jean-Jacques Rousseau
- *Discurso sobre a economia política* – Jean-Jacques Rousseau
- *Vontade de potência* – Friedrich Nietzsche
- *A genealogia da moral* – Friedrich Nietzsche
- *O banquete* – Platão
- *Os pensadores originários* – Anaximandro, Parmênides, Heráclito
- *A arte de ter razão* – Arthur Schopenhauer
- *Discurso sobre o método* – René Descartes
- *Que é isto – A filosofia?* – Martin Heidegger
- *Identidade e diferença* – Martin Heidegger
- *Sobre a mentira* – Santo Agostinho

- *Da arte da guerra* – Nicolau Maquia
- *Os direitos do homem* – Thomas Pai
- *Sobre a liberdade* – John Stuart Mill
- *Defensor menor* – Marsílio de Pádua
- *Tratado sobre o regime e o governo d cidade de Florença* – J. Savonarola
- *Primeiros princípios metafísicos da Doutrina do Direito* – Immanuel K
- *Carta sobre a tolerância* – John Locke
- *A desobediência civil* – Henry David Thoureau
- *A ideologia alemã* – Karl Marx e Friedrich Engels
- *O conspirador* – Nicolau Maquiavel
- *Discurso de metafísica* – Gottfried Wilhelm Leibniz
- *Segundo tratado sobre o governo civil e outros escritos* – John Locke
- *Miséria da filosofia* – Karl Marx
- *Escritos seletos* – Martinho Lutero
- *Escritos seletos* – João Calvino
- *Que é a literatura?* – Jean-Paul Sartre
- *Dos delitos e das penas* – Cesare Beccaria
- *O anticristo* – Friedrich Nietzsche
- *À paz perpétua* – Immanuel Kant
- *A ética protestante e o espírito do capitalismo* – Max Weber
- *Apologia de Sócrates* – Platão
- *Da república* – Cícero
- *O socialismo humanista* – Che Guevara
- *Da alma* – Aristóteles
- *Heróis e maravilhas* – Jacques Le Goff
- *Breve tratado sobre Deus, o ser huma e sua felicidade* – Baruch de Espino
- *Sobre a brevidade da vida & Sobre o ócio* – Sêneca
- *A sujeição das mulheres* – John Stuart Mill
- *Viagem ao Brasil* – Hans Staden
- *Sobre a prudência* – Santo Tomás de Aquino
- *Discurso sobre a origem e os fundamentos da desigualdade entre homens* – Jean-Jacques Rousseau
- *Cândido, ou o otimismo* – Voltaire
- *Fédon* – Platão
- *Sobre como lidar consigo mesmo* – Arthur Schopenhauer
- *O discurso da servidão ou O contra u* – Étienne de La Boétie
- *Retórica* – Aristóteles
- *Manuscritos econômico-filosóficos* – Karl Marx
- *Sobre a tranquilidade da alma* – Sêne
- *Uma investigação sobre o entendimen humano* – David Hume
- *Meditações metafísicas* – René Desca
- *Política* – Aristóteles
- *As paixões da alma* – René Descartes
- *Ecce homo* – Friedrich Nietzsche
- *A arte da prudência* – Baltasar Gracia